PRATIQUE DE

L'ANALYSE
STATISTIQUE
DES DONNÉES

PRATIQUE DE

L'ANALYSE STATISTIQUE DES DONNÉES

Richard BERTRAND
En collaboration avec **Claude VALIQUETTE**

1986
Presses de l'Université du Québec
C.P. 250, Sillery, Québec   G1T 2R1

ISBN 2-7605-0382-8

Dépôt légal — 4e trimestre 1986
Bibliothèque nationale du Québec
Bibliothèque nationale du Canada
Imprimé au Canada

À

Armande

Marylène

Nicolas

Karine

et   Francine G.

Préface

L'ouvrage que publie le professeur Richard Bertrand, en collaboration avec le professeur Claude Valiquette, tous deux de l'Université Laval, est remarquable à plus d'un titre.

Sa qualité la plus évidente réside dans le soin apporté à la construction didactique : de très nombreux exemples judicieusement choisis appartenant aux domaines des sciences humaines conduisent le lecteur à une compréhension intuitive immédiate des concepts et des algorithmes généraux de l'analyse des données. À travers ces illustrations, l'auteur nous révèle, outre ses compétences mathématiques et statistiques, des préoccupations scientifiques orientées vers la résolution des problèmes concrets auxquels peut être confronté le chercheur, en particulier le psychopédagogue.

Si le souci de rigueur et de précision est toujours présent, l'auteur ne tombe jamais dans le travers de la surabondance des développements algébriques. Il accorde au contraire une importance plus grande à ce qui figure en amont et en aval de l'exposé mathématique : la genèse des modèles et de leurs formules (y compris les conditions d'application) d'une part et l'interprétation qualitative et quantitative des résultats d'autre part.

Pour ces raisons, l'ouvrage du professeur Bertrand devrait constituer une aide précieuse pour tous les étudiants et chercheurs francophones désireux de comprendre et de choisir eux-mêmes les techniques permettant l'analyse des données qu'ils recueillent.

Par ailleurs, et c'est là un autre apport considérable, l'ouvrage introduit le lecteur à plusieurs développements récents de l'analyse des données, en particulier à l'analyse exploratoire de Tukey et à la théorie de la généralisabilité de Cronbach. Les exposés très clairs motivent le lecteur à approfondir ses connaissances (par la consultation d'ouvrages spécialisés cités dans le texte) tout en le mettant en garde contre les erreurs habituelles et en suggérant quelques stratégies fécondes inspirées de la consultation statistique. Nous avons particulièrement apprécié le souci de l'auteur de proposer, dans chaque chapitre, une démarche opérationnelle qui trace les itinéraires possibles de traitement des données et aide le chercheur à envisager les décisions possibles à chaque moment important de l'analyse.

En bref, par sa clarté et son caractère instrumental, le livre comble une grande lacune dans la bibliographie de langue française. Nul doute qu'il deviendra rapidement un classique.

Yvan TOURNEUR

Professeur ordinaire
à l'Université de l'État
à MONS

Avant-propos

Le lecteur-cible de ce manuel est un chercheur. Par chercheur, nous entendons ici toute personne qui se pose une question et qui choisit ensuite d'adopter une démarche scientifique afin d'y répondre. Dans ce sens, tout étudiant universitaire débutant sa formation scientifique peut se considérer comme un chercheur. Il va de soi que nous nous adressons aussi au chercheur professionnel qui oeuvre dans son domaine de spécialisation depuis nombre d'années.

Comme il s'agit d'un premier livre en analyse des données, aucun préalable mathématique ou statistique n'est supposé. Nous nous sommes efforcés d'écrire pour les nombreux utilisateurs non spécialistes des méthodes statistiques. C'est pourquoi le langage employé dans le texte est la plupart du temps non technique. Les quelques présentations techniques seront appuyées par des exemples simples ou des représentations visuelles qui font appel à l'intuition.

Par ailleurs, même si les exemples traités dans le manuel proviennent du domaine de l'éducation, il ne fait pas de doute que les étudiants et les chercheurs spécialisés en sciences sociales ou en sciences humaines pourront également tirer profit d'une lecture de ce volume.

Les points saillants du livre portent sur le rôle du consultant en analyse des données, la distinction entre l'approche exploratoire et l'approche confirmatoire, l'utilisation d'une foule d'exemples et de représentations visuelles, et enfin sur une étude de cas traitée de façon originale. Ces points saillants renvoient à un objectif qui nous paraît capital pour l'amélioration de la qualité d'une recherche: donner au chercheur le goût de s'impliquer le plus possible au niveau de l'analyse de ses données.

Dans la plupart des recherches, le chercheur ne devrait pas laisser à un analyste-expert l'entière liberté de choisir le plan de la recherche et les méthodes d'analyse. Il est entendu qu'à l'opposé, un chercheur qui tente de régler lui-même tous les problèmes méthodologiques reliés à l'analyse des données encourt de grands risques. Car même si l'on peut souhaiter une plus grande autonomie du chercheur en ce qui concerne les questions méthodologiques, notre expérience nous enseigne que nous en sommes encore bien loin: il n'est évidemment pas de notre ressort de déterminer ici les causes de cette situation. C'est pourquoi nous avons voulu distinguer deux rôles : celui du consultant et celui du chercheur. Un dialogue fructueux basé sur un partage des responsabilités entre ces deux intervenants est un enjeu capital dans une recherche.

La présentation de l'approche exploratoire dans les premiers chapitres du volume, permet au lecteur d'aborder l'analyse des données à l'aide de concepts plus simples et plus attrayants que ceux habituellement utilisés lors d'une approche confirmatoire. Il nous apparaît en effet plus naturel de débuter par l'analyse exploratoire, car habituellement, dans une analyse des données, la phase exploratoire précède la phase confirmatoire. L'attitude exploratoire est définitivement plus près de l'intuition du chercheur que l'attitude confirmatoire.

Enfin, plusieurs exemples souvent très simples et parfois frappants sont proposés au lecteur. Ces exemples ainsi que de nombreuses représentations visuelles visent à appuyer concrètement la définition des concepts et la description des méthodes à caractère exploratoire et confirmatoire.

La structure du manuel dénote notre souci de présenter la matière du plus simple au plus complexe, du plus intuitif au plus formel, afin de favoriser le lecteur profane quant aux concepts et méthodes d'analyse des données.

Nous croyons que tout étudiant universitaire engagé dans un cours d'initiation aux méthodes d'analyse statistique saura profiter grandement des quatre premiers chapitres de ce volume. Les trois autres chapitres, un peu plus spécialisés, seront surtout à la portée des étudiants gradués et des chercheurs.

Le premier chapitre situe l'analyse des données au sein des étapes du processus méthodologique de la recherche et fait la distinction entre l'approche exploratoire et l'approche confirmatoire en analyse des données. Alors que la première vise d'abord la description et la représentation visuelle des données, la seconde a surtout comme objet la confirmation des hypothèses.

Les deuxième et troisième chapitres portent sur les concepts et méthodes les plus employés en analyse exploratoire : diagramme en feuilles, diagramme en boîte, étude des formes des distributions, droite de Tukey et transformations des données.

Le chapitre 4 présente les concepts classiques de l'analyse confirmatoire : population, échantillon, distribution, théorème central limite, estimation et test d'hypothèse.

Le cinquième chapitre est dédié à une méthode confirmatoire très employée, l'analyse de la variance.

Le chapitre 6 aborde les méthodes confirmatoires reliées à la corrélation et à la régression.

Enfin, le chapitre 7 permet de suivre le cheminement de tous les détails des phases exploratoire et confirmatoire d'une analyse des données à partir d'un exemple traité de façon exhaustive.

La contribution de M. Claude Valiquette s'est concrétisée principalement par la rédaction du chapitre 7 et de la majeure partie du chapitre 6. Il a également collaboré à la réalisation des chapitres 1 et 2, en plus de lire et de commenter les différentes versions des autres chapitres.

Remerciements

Nous tenons à remercier d'une façon bien particulière Madame Simone Roy pour sa grande patience et son aide précieuse. Elle a assuré avec compétence la dactylographie des nombreuses versions du texte. Nos remerciements sincères sont aussi adressés à Madame Ginette Bérard pour la dactylographie de la première version des trois premiers chapitres.

Nous sommes heureux également de souligner l'apport de MM. Albert Dionne, Louis Laurencelle ainsi que de Madame Anne Parent pour leurs nombreuses suggestions quant au fond et à la forme de chacun des chapitres du texte. M. Jean Hardy a accepté, pour sa part, de lire et de commenter le cinquième chapitre. À eux tous, merci!

Enfin, nous tenons à remercier l'Institut national de la recherche scientifique qui a permis à l'auteur principal d'obtenir une année sabbatique afin d'amorcer la grande partie du travail de rédaction de ce manuel. Nous remercions aussi le programme d'aide à l'édition du fonds F.C.A.R., pour le financement de ce travail. Nos remerciements vont enfin à tous ceux et celles qui de près ou de loin ont travaillé à la réalisation de cet ouvrage.

Table des matières

CHAPITRE 1

Initiation à l'analyse des données

1.1 INTRODUCTION

L'analyse des données est une activité scientifique qui s'imbrique au sein même de la démarche méthodologique d'une recherche. Cette activité requiert souvent plusieurs compétences et nécessite la connaissance de certains préalables. La première section de ce chapitre est conçue en fonction de ces impératifs. Nous discutons d'abord des relations entre les principales étapes de la démarche méthodologique d'une recherche, en mettant en évidence l'influence de ces étapes sur l'analyse des données. Les fonctions de chacune de ces étapes sont décrites sommairement de façon à sensibiliser le lecteur à l'existence et à l'importance de ces préalables. Enfin, une discussion sur les principaux rôles d'un consultant lors d'une recherche constitue le préambule à une série de lectures proposées pour le lecteur intéressé à approfondir le contenu présenté. Les autres sections de ce chapitre traitent spécifiquement de ce qu'est l'analyse des données. Expression souvent mal définie, on lui donne parfois une signification soit très restreinte, soit très large, et parfois même complètement fausse. S'agit-il d'un nouveau modèle ou d'un ensemble de nouvelles méthodes statistiques? S'agit-il plutôt de l'utilisation d'un programme informatique, pris à même un progiciel, portant sur les méthodes statistiques? Quel est le rôle de l'analyse des données en tant qu'étape de la démarche méthodologique d'une recherche? Analyser, est-ce aussi interpréter? Qui, du chercheur ou du consultant, devrait analyser les données? Qu'est-ce donc que l'analyse des données?

1.2 PRÉALABLES MÉTHODOLOGIQUES

Les principales étapes d'une recherche

Il est possible de donner au terme « recherche » plusieurs significations, toutes plus ou moins différentes les unes des autres. C'est pourquoi, afin d'éviter toute ambiguïté, nous donnons une définition qui permettra de situer le lecteur.

Ainsi la recherche, selon l'homme de science, constitue une procédure d'enquête systématique, objective, contrôlée et vérifiable qui vise à décrire ou à expliquer des relations entre certains phénomènes ou encore à résoudre des problèmes complexes.

Expliquons un peu cette définition. Nous disons qu'effectuer une recherche scientifique, c'est comme faire une *enquête*, en ce sens que comme l'enquêteur, le chercheur se pose une question. Ce dernier peut se demander par exemple si le rendement scolaire d'élèves du secondaire en mathématiques varie suivant le type de formation initiale de l'enseignant.

Nous signalons également que la procédure d'enquête doit être *systématique*, c'est-à-dire qu'il y a des étapes bien déterminées à suivre dans une recherche. Si l'on se réfère à la question énoncée plus haut, il serait prématuré de recueillir des données concernant les élèves et les enseignants sans avoir préalablement déterminé une démarche précise de cueillette des données : combien d'enseignants et d'élèves feront partie de l'étude ? Combien de groupes homogènes d'enseignants formera-t-on ? Qu'entend-on exactement par l'expression « formation initiale » ?

Par ailleurs, une certaine *objectivité* est requise lors d'une recherche scientifique. Les résultats obtenus et leur interprétation doivent être indépendants des valeurs et des croyances du chercheur. Il ne serait pas souhaitable, par exemple, qu'un chercheur un peu mathématicien utilise des préjugés « naturels » pour tenter de faire triompher la cause des enseignants dont la formation initiale est très axée sur les mathématiques.

Une recherche scientifique doit en outre être *contrôlée*. Elle doit viser la description ou l'explication d'un phénomène, ou encore la résolution d'un problème bien précis à l'aide de méthodes qui permettent de contrôler les différents facteurs susceptibles de nuire à l'interprétation de la recherche. Supposons par exemple qu'on veuille comparer un groupe d'enseignants de formation initiale surtout pédagogique à un groupe d'enseignants de formation initiale surtout mathématique. Il importe que la répartition des enseignants dans l'un et l'autre groupes se fasse équitablement. On doit en effet tenter de répartir le mieux possible dans les deux groupes les caractéristiques des enseignants (autres que le type de formation initiale) qui risquent d'influencer les résultats de l'étude. Il serait inadéquat de retrouver seulement de très jeunes enseignants dans l'un des deux groupes.

On exige d'une recherche scientifique qu'elle soit *vérifiable*, c'est-à-dire que tout chercheur doit être en mesure de pouvoir reproduire, s'il le désire, la recherche d'un autre chercheur et donc de vérifier les résultats obtenus en planifiant une seconde recherche. Ainsi, les instruments de mesure utilisés pour recueillir les données relatives au rendement des élèves ou encore les listes consultées pour obtenir le type de formation initiale des enseignants doivent être disponibles pour tout autre chercheur intéressé à reproduire la recherche.

L'objectif d'une recherche scientifique est de *décrire* ou *d'expliquer* une relation ou de *résoudre* un problème complexe. À titre d'exemple, on peut tenter de relier le rendement scolaire d'élèves du secondaire en mathématiques et le type de formation initiale reçue par les enseignants.

Après avoir expliqué ce que nous entendons par le terme « recherche », nous sommes plus en mesure d'apprécier la démarche méthodologique suivante qui sert parfois de guide à la réalisation d'une recherche :

- le choix et la formulation du problème ;
- l'élaboration du cadre théorique ;
- la mise sur pied des hypothèses ;
- la détermination du plan de la recherche ;
- l'élaboration des instruments de mesure,
- la cueillette des données ;
- l'analyse des données ;
- l'interprétation des résultats.

Nous sommes conscients que certaines étapes ne conviennent pas à tous les types de recherche. Néanmoins cette liste donne une indication de l'ensemble des opérations d'une recherche qui sont susceptibles d'influencer l'analyse des données, l'étape privilégiée de ce volume.

Afin de mieux situer l'analyse des données, nous avons cru bon décrire, de façon fort modeste, les fonctions de chacune des autres étapes de la recherche, sauf l'interprétation des résultats (intimement liée à l'analyse des données) dont nous serons plus à même de discuter à la section suivante. Ce n'est pas notre intention de traiter exhaustivement chacune de ces étapes. Plusieurs chapitres seraient nécessaires à cette fin. Nous préférons plutôt préciser le rôle de ces étapes, donner quelques exemples et référer le lecteur à des volumes qui traitent spécifiquement de chacun de ces points.

Un *problème de recherche* naît souvent à la suite d'observations de certains faits particuliers. Le problème peut s'énoncer, la plupart du temps, sous forme de question. Existe-t-il une relation entre une pratique d'enseignement donnée et le rendement scolaire ? Lequel de ces trois modèles d'instruments de mesure est le plus approprié au diagnostic pédagogique ? L'évaluation formative favorise-t-elle l'anxiété face aux examens ? Comme le stipule Kerlinger [1964, p. 19], un problème devrait impliquer la possibilité d'évaluer empiriquement une relation entre deux ou plusieurs variables, sauf en de rares occasions.

Il est important de s'arrêter véritablement afin de définir les limites du problème et ce, quelle que soit la forme de l'énoncé. Comme l'affirme Schwartz [1969, p. 27]: « La définition du problème est le stade le plus important, le plus délicat et le plus méconnu. L'organisation de l'expérience ou de l'enquête, l'analyse et l'interprétation des données, n'ont de sens que si le problème a été correctement défini . . . »

L'élaboration du *cadre théorique* a pour but d'insérer le problème de recherche dans un réseau de relations entre les diverses variables susceptibles d'avoir une influence sur les résultats de la recherche. Prenons par exemple le problème suivant: Le nombre de questions posées par des enseignants en classe de mathématiques influence-t-il le rendement scolaire de leurs élèves dans cette matière? Compte tenu de ce problème, l'objectif principal de cette recherche sera de relier deux variables: le nombre de questions et le rendement scolaire. Or d'autres variables non spécifiées dans l'énoncé du problème peuvent influencer la relation entre le nombre de questions et le rendement scolaire. On peut penser au nombre d'années d'expérience de l'enseignant et à l'aptitude préalable des élèves, pour n'en citer que quelques-unes. La figure 1.1 schématise la situation. On a représenté les quatre variables en jeu, en prenant soin d'attirer l'attention tout particulièrement sur la relation énoncée dans le problème (voir encadré). Nous appellerons *variables nuisibles* celles qui, comme le nombre d'années d'expérience et l'aptitude préalable, ne sont pas spécifiées dans l'énoncé du problème, mais susceptibles d'influencer la relation spécifiée dans le problème. Nous nommerons *variable indépendante*, celle qui est manipulée par le chercheur, et *variable dépendante*, celle dont les valeurs changent en fonction de cette manipulation. Dans l'exemple déjà mentionné, le nombre de questions est considéré comme une variable indépendante puisque dans l'énoncé du problème, c'est le nombre de questions qui est susceptible d'influencer le rendement scolaire. C'est le nombre de questions qui, en quelque sorte, est manipulé par le chercheur. Le rendement scolaire devient donc la variable dépendante.

On peut définir une *hypothèse* (Kerlinger [1964, p. 14]) comme un énoncé conjectural qui exprime une relation entre deux ou plusieurs variables et implique la possibilité d'évaluer empiriquement cette relation. Nous verrons à la section 4.5 comment procéder pour évaluer de telles relations. Bien souvent, une hypothèse est très apparentée au problème de recherche puisqu'elle est formulée à partir de celui-ci. Elle est toutefois formulée sous forme affirmative plutôt qu'interrogative.

> « Il existe une relation entre une pratique d'enseignement donnée et le rendement scolaire des étudiants en mathématiques »,

ou   « La moyenne du groupe expérimental est supérieure à celle du groupe témoin ».

sont des exemples d'hypothèses de recherche.

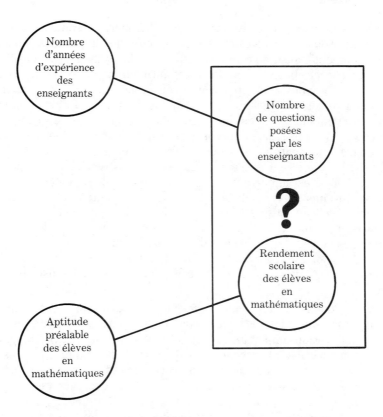

FIGURE 1.1: Réseau de relations définissant de façon opérationnelle le cadre théorique d'un problème de recherche. La relation recherchée est encadrée.

En formulant une hypothèse, on doit être prudent pour ne pas utiliser des jugements de valeur non quantifiables ou encore des énoncés vagues. L'utilisation de termes plus ou moins définis à ce stade de la recherche montre que le problème n'est pas suffisamment précisé. Il faut donc revenir, dans ce cas, à la première étape de la recherche afin de déterminer plus clairement le problème. Autrement, on risque de ne plus pouvoir poursuivre adéquatement la recherche ou pire d'étudier un problème qui ne nous intéresse pas vraiment.

La détermination du *plan de la recherche* est une étape charnière dans le déroulement de la recherche. Elle consiste à utiliser les réflexions, d'ordre surtout théorique, effectuées dans les étapes précédentes, en vue de rendre la recherche réellement opérationnelle. L'objectif ici est donc de définir une stratégie méthodo-

logique pour s'assurer que les données recueillies permettront de répondre adéquatement au problème posé et mettre à l'épreuve les hypothèses énoncées. On
doit principalement choisir au cours de cette étape la méthode d'échantillonnage et
le plan de la recherche proprement dit. L'échantillonnage concerne la façon dont les
sujets sont choisis pour participer à une recherche. Les bases de la théorie de
l'échantillonnage seront présentées au chapitre 4. Quant au plan de la recherche
comme tel, il a trait entre autres choses au nombre de groupes de sujets utilisés, au
mode de répartition des sujets dans les groupes, à la façon dont les mesures seront
prises chez les sujets, au nombre de variables indépendantes ainsi qu'à la façon
dont celles-ci interagissent entre elles et avec la (les) variable(s) dépendante(s).
Cette méthodologie est importante dans la mesure où elle permet de contrôler plus
ou moins parfaitement les variables nuisibles. Plus ce contrôle est grand, plus il est
aisé d'interpréter les relations entre les variables indépendantes et les variables
dépendantes, et meilleur est le plan. Il est très fortement conseillé au lecteur non
initié aux plans de recherche de consulter un des ouvrages suivants : Campbell et
Stanley [1966], Cook et Campbell [1979], Robert [1982]. De plus, Montgomery
[1976] et Kirk [1982] offrent une présentation encore plus spécialisée de cet important sujet.

Il convient que les *instruments de mesure* choisis ou construits soient aptes à
mesurer adéquatement les variables étudiées au cours de la recherche. À cette
occasion deux questions importantes doivent être soulevées. La première a trait au
type d'instrument utilisé, la seconde aux qualités métrologiques de l'instrument.
L'analyse des données sera d'autant plus fructueuse et facile que les instruments
utilisés pour recueillir ces données auront des qualités métrologiques convenables.
Il s'agit d'un sujet d'une grande importance, particulièrement en éducation. Le
lecteur voulant connaître les divers types d'instruments de mesure et leurs qualités métrologiques est référé à Kerlinger [1964], Popham [1981] et De Landsheere
[1982].

La *cueillette des données* consiste à s'assurer que les conditions, mises en place
lors de l'élaboration du plan de la recherche, seront respectées par ceux et celles qui
travailleront « sur le terrain » ; faute de quoi, la recherche risque d'être sérieusement compromise.

Les rôles du consultant

Nous entendons par consultant, une personne qui est spécialisée dans un ou plus
d'un secteur de la méthodologie de la recherche comme les plans de recherche, les
instruments de mesure, les méthodes d'échantillonnage ou l'analyse[1] des données.

---

1.   C'est pourquoi le consultant est souvent appelé l'analyste.

Le consultant peut jouer plusieurs rôles lors d'une recherche. En certaines circons-
tances, le consultant est appelé à donner son avis «ad hoc» à la demande d'un
chercheur sur une méthode d'analyse des données employée dans tel ou tel article
de revue recensé par ce dernier. Ou encore le consultant se doit de répondre à des
questions d'ordre méthodologique assez routinières. Il peut également jouer le rôle
du spécialiste du plan de la recherche et de l'analyse des données d'une étude
dirigée par un chercheur non spécialiste de ces questions méthodologiques. Dès
lors, le consultant devient un réel collaborateur du chercheur. Dans ces conditions,
il importe que le consultant fournisse un travail continu s'étendant sur toute la
durée de la recherche. Sinon, on risque d'aboutir à une situation comme celle
décrite à la figure 1.2.

Plusieurs auteurs, dont Weigel et Corrazini [1978, p. 198], Schwartz [1969,
p. 27] et Remer [1980, p. 18], insistent pour que le chercheur s'assure de l'engagement du consultant le plus tôt possible. Le dernier auteur va même jusqu'à
proposer un algorithme («consultant's decision flow chart») des diverses phases de
la relation consultant-chercheur, et analyse les conséquences de l'engagement du

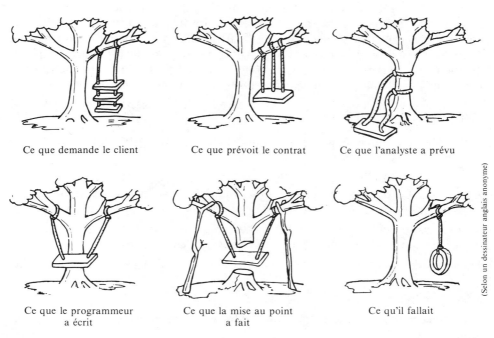

Ce que demande le client   Ce que prévoit le contrat   Ce que l'analyste a prévu

Ce que le programmeur   Ce que la mise au point   Ce qu'il fallait
a écrit   a fait

(Selon un dessinateur anglais anonyme)

Figure 1.2: Les heurts et les malheurs de la relation chercheur-consultant.
(Reproduit avec permission de Legris, G., [1975] *Statistique: volume I, Statistique descriptive*, Éditions Economica, Paris, p. 39.)

consultant aux différentes étapes de la recherche. Cet article de Remer soulève en particulier les dangers d'un engagement tardif. Si par exemple le consultant entre en fonction après que le plan de la recherche ait été défini, son rôle devra se limiter au mieux à suggérer certaines méthodes d'analyse des données compte tenu du plan déjà déterminé par le chercheur. S'il arrive que le plan du chercheur soit « personnel », incongru ou voire même inconnu du consultant, ce dernier peut rencontrer beaucoup de difficultés à analyser la situation en faisant intervenir sa « poudre magique statistique ». Il risque même de ne pas trouver de compromis à cause d'un détail (il y en a tellement et souvent d'insoupçonnés !) avec toutes les conséquences fâcheuses que cela risque d'entraîner pour le chercheur : impossibilité de répondre adéquatement au problème de la recherche et de vérifier les hypothèses, perte de temps et de fonds, et même refonte complète de la recherche.

1.3   LE RÔLE DE L'ANALYSE DES DONNÉES

Ses fonctions

Au cours de la section précédente, nous avons situé l'analyse des données au sein de la démarche méthodologique d'une recherche. Le rôle des autres étapes de cette démarche a été décrit succinctement afin de mieux introduire l'analyse des données[2]. Dans les lignes qui suivent, nous présentons un certain nombre de fonctions typiques de cette étape de la recherche que nous avons voulu privilégier. L'analyse des données est donc concernée entre autres choses par :

- l'expression visuelle ou géométrique (graphique, tabulaire ou autre) des données ;
- la recherche d'indices numériques qui résument le mieux possible l'allure générale des données ;
- l'étude des regroupements de données ;
- la détection des valeurs aberrantes (« outliers ») et la transformation (logarithmique, exponentielle ou autre) des données ;
- l'élaboration d'hypothèses de recherche imprévues initialement, à l'aide d'explorations appropriées d'un échantillon restreint des données ;
- le choix de méthodes statistiques adaptées à tel plan de recherche, à telles données ;
- les tests d'hypothèses statistiques ;
- l'estimation de paramètres à l'aide d'intervalles de confiance ou d'estimateurs ponctuels.

---

2.   Par donnée, nous entendons une pièce d'information quantitative, ou qui peut être quantifiée en tout cas, et qui est recueillie en vue de l'étude d'un phénomène.

Cette liste ne se veut évidemment pas exhaustive ; par contre, elle décrit assez fidèlement les diverses tâches d'un analyste ainsi que les nombreux problèmes que lui posent les données. Une telle nomenclature ne pourra jamais prétendre être complète pour une raison bien simple : même un analyste chevronné ne peut prévoir à l'avance toutes les particularités d'un ensemble de données, particularités qu'il se devra d'élucider naturellement avec l'aide du chercheur.

Un regard attentif sur cette courte liste révèle que les tâches de l'analyste sont fort variées et qu'elles exigent des compétences et aptitudes diverses. Ainsi, l'expression visuelle, l'étude des regroupements et la détection des valeurs aberrantes requièrent en pratique plusieurs heures de travail consacrées à faire des dessins et à scruter attentivement chacune des données individuelles. Par contre, plus l'analyse des données évolue, plus l'analyste a recours à un langage formel et manipule un répertoire conceptuel basé sur des modèles mathématiques précis.

Ce travail de l'analyste pourrait être illustré au moyen d'un exemple simple. Un conseiller pédagogique veut évaluer l'efficacité de deux méthodes d'enseignement de l'anglais en cinquième secondaire. La méthode A est la méthode traditionnellement utilisée depuis fort longtemps tandis que la méthode B, plus nouvelle, est de son cru. Ces deux méthodes seront évaluées au moyen d'un test de rendement scolaire en anglais utilisé depuis longtemps par la commission scolaire et dont les qualités métrologiques sont reconnues.

Le chercheur, ici le conseiller pédagogique, décide d'engager un consultant, dès le début de la recherche, pour l'élaboration du plan et l'analyse des données. Le consultant suggère vivement au chercheur d'employer un plan prétest-posttest auprès de deux groupes de sujets.

Aussitôt que le chercheur a obtenu les données des deux groupes au posttest, il calcule alors rapidement les moyennes des deux groupes aux deux moments pour constater, comme il l'annonce triomphalement au consultant, que les élèves qui ont bénéficié de la méthode B — la sienne, rappelons-le — « s'améliorent beaucoup plus » que ceux ayant eu la malchance d'apprendre l'anglais selon la méthode traditionnelle ! C'est ici qu'entre en jeu le consultant.

Celui-ci entreprend donc son travail d'analyse des données avec en mains plusieurs crayons. Sous les yeux un peu ahuris du chercheur, il trace de nombreux dessins afin de saisir grossièrement l'allure générale des données. L'évolution des scores entre le prétest et le posttest vaut la peine qu'on s'y penche sérieusement : bien souvent en effet, la moyenne des scores d'un groupe est masquée par la présence de deux genres ou types de personnes. Le consultant procède enfin à une analyse fine des sujets non conformes aux autres : de tels sujets sont parfois tellement aberrants qu'ils nécessitent une enquête minutieuse auprès des professeurs qui les connaissent, voire même auprès de leur milieu familial. Lorsque ce travail est fini, l'analyste peut maintenant avoir recours à des indices numériques propres à décrire le comportement général des deux groupes aux deux moments.

Compte tenu des objectifs explicites de l'étude, de la nature du plan de la recherche et des particularités rencontrées dans les données, l'analyste peut dès lors dresser une stratégie d'analyse des données spécifiant tant les méthodes utilisées que les tests d'hypothèses précis. Ces tests permettront alors de quantifier l'importance des hypothèses du chercheur. La plupart du temps, lors de ces dernières étapes, l'analyste devra avoir recours à un ordinateur. L'analyste scrutera attentivement les extrants afin de détecter toute erreur dans la gestion des données ou dans les commandes exigées par le progiciel utilisé. De plus, la plupart du temps, il ne remettra pas tous ces extrants au chercheur, mais il prendra quelques heures pour lui expliquer clairement les principales caractéristiques des données ainsi que la nature des méthodes d'analyse employées et les principales conclusions qu'elles dégagent, à partir de quelques tableaux et figures.

Analyse et interprétation

L'étape d'interprétation consiste essentiellement à rechercher des résultats numériques obtenus au cours de l'analyse, à les traduire en un langage commun (comme le français, par exemple) et à élaborer un texte cohérent apte à être lu par les autres chercheurs ou les preneurs de décisions. L'interprétation doit donc se faire lorsque les analyses sont bien complétées. L'analyse et l'interprétation sont deux étapes de la recherche qui ne requièrent pas exactement les mêmes compétences. L'analyse des données exige une connaissance approfondie des méthodes statistiques, tandis que l'interprétation exige une compréhension modérée des méthodes statistiques employées et une connaissance approfondie du domaine étudié et du déroulement général de la recherche. En d'autres termes, l'analyse des données fait surtout appel aux compétences du consultant et l'interprétation des résultats aux compétences du chercheur. Toutefois, certaines méthodes d'analyse des données sont tellement difficiles à interpréter qu'elles exigent l'engagement d'un consultant.

De même, dans la mesure où l'analyse des données est concernée par autre chose que l'entrée des données dans un ordinateur et la lecture du « résultat » sur un extrant informatique, cette étape pourra profiter considérablement de l'apport du chercheur. Et si ce dernier a participé tant soi peu à l'analyse des données, il aura d'autant plus de facilité à interpréter les résultats. Interprétations qui pourraient, selon le cas, guider de nouvelles analyses et amorcer ainsi une procédure itérative autant qu'interactive entre ces deux étapes de la recherche.

1.4   L'INFORMATIQUE ET L'ANALYSE DES DONNÉES

Il a été dit tantôt qu'un consultant devait utiliser, la plupart du temps, un ordinateur pour finaliser son travail d'analyse des données. C'est pourquoi il est fondamental de cerner le rôle exact de l'ordinateur dans l'ensemble du processus.

S'il est vrai que plusieurs utilisations de l'informatique se sont faites de façon adéquate, il est aussi vrai que plusieurs autres se sont montrées carrément inadéquates, sinon fausses. Ceci étant causé en bonne partie par la très grande accessibilité de certains progiciels contenant des programmes de méthodes d'analyses statistiques couramment utilisées. Il en est résulté un réel engouement pour des progiciels comme SPSS, BMDP, SAS, ou OSIRIS[3]. Si bien qu'il s'est développé une pratique, regrettons-le, qui consiste à choisir une méthode d'*analyse* des données à partir d'une liste de programmes de *traitement* de données prise dans un progiciel.

Il est donc impérieux d'établir la distinction entre l'analyse et le traitement des données. Il faut d'abord poser comme principe de départ que nous considérons le traitement au service de l'analyse, tout comme le calcul avec papier et crayon l'était (et l'est encore parfois!). L'erreur serait de croire qu'au contraire l'analyse des données deviendra un secteur des sciences informatiques, comme le craignait le célèbre statisticien M.G. Kendall [1968]. Les nouvelles techniques et surtout la nouvelle philosophie d'analyse des données mises de l'avant par le non moins célèbre J.W. Tukey [1977] nous rassurent quant à la très grande spécificité de l'analyse par rapport au traitement. L'analyse des données existait bien avant l'apparition de l'ordinateur, souligne Tukey [1977, p. 663].

Le traitement informatique des données consiste à utiliser des programmes pour calculer des formules complexes choisies par l'analyste dans le but de lui permettre d'accélérer son travail manuel et ce, en minimisant les erreurs de calcul. Le traitement informatique est donc bien sûr très utile et parfois fondamental pour l'analyste mais il ne s'agit nullement de l'essence même de son travail. Celui-ci, répétons-le, consiste plutôt à exprimer visuellement, à rechercher des indices, à étudier les regroupements, à détecter les valeurs aberrantes, à choisir des méthodes adéquates, et à élaborer des hypothèses et les tester. Le traitement ou calcul informatique est donc (ou devrait donc être) une partie mineure de la tâche de l'analyste autant que l'était le calcul manuel (dit « à la mitaine ») avant l'avènement de l'ordinateur. Si une recherche prévoit un traitement informatique en quantité importante, comme l'élaboration d'un programme informatique par exemple, c'est à un spécialiste en informatique et non à l'analyste des données que revient cette tâche.

Mais il faut souligner que cette distinction « analyse-traitement » n'est malheureusement pas perçue par tous. Les utilisations abusives de l'informatique ne manquent pas en analyse des données. Cependant, il est heureux de constater que, de plus en plus, certains auteurs tiennent à avertir ouvertement leurs lecteurs des dangers que comporte le traitement informatique. Même si nous croyons que ces avertissements ne sont pas suffisamment vigoureux, il s'agit là d'une nette ten-

---

3. Ces termes peuvent sembler ésotériques. Qu'il suffise de dire qu'il s'agit là de sigles: ainsi SPSS signifie *Statistical Package for the Social Sciences*.

dance à la prudence ou du moins à la modération qui devrait porter fruit. Citons d'abord une étude de Wooley et Brewer [1981] qui mentionne qu'une « transition aveugle » entre la collecte et le traitement des données (oubliant ainsi l'analyse proprement dite), risque de favoriser l'inclusion de valeurs indésirables et donc de mener à une interprétation non valide des résultats. Green [1980] nous met en garde contre l'utilisation de méthodes prises à même des banques de programmes informatiques et pas assez bien maîtrisées par celui qui veut s'en servir.

Mentionnons enfin une note publiée par Cronin [1980] qui nous fait prendre conscience du danger de l'utilisation « aveugle » des progiciels informatiques trop permissifs. Cette note fait remarquer une omission grave dans la section « Crosstabs » du logiciel SPSS: à savoir que tout tableau de données peut être soumis au test du χ^2 (chi-deux), sans tenir compte de la condition d'application classique qui exige qu'au plus 20% des cellules du tableau aient une fréquence théorique plus petite que 5. Compte tenu de la très grande diffusion de ce progiciel dans le monde scientifique, l'auteur de cette note a écrit aux statisticiens de SPSS pour leur indiquer cette lacune importante. À quoi ils ont répondu que leur philosophie était de calculer tout ce qui pouvait se calculer[4].

Ce dernier cas nous montre à quel point il faut agir avec prudence quand on doit utiliser un progiciel (même « reconnu ») pour le traitement des données (voir aussi Mosteller et Tukey [1977 p. xi]). La prudence doit être de mise non seulement au niveau des contraintes ou des conditions qui doivent être vérifiées pour l'emploi de telle ou telle méthode d'analyse, mais aussi lors de l'entrée des données. La réflexion typiquement américaine « déchets à l'entrée, déchets à la sortie »[5], courante en informatique, nous montre l'importance de l'utilisation de programmes dits de validation lorsqu'il s'agit d'entrer des données brutes dans un ordinateur en vue de s'assurer de l'exactitude de cette entrée.

Une autre critique que l'on peut formuler aux progiciels d'utilisation courante concerne l'expression visuelle des résultats. La très grande précision donnée par certains programmes empêche souvent une lecture adéquate des extrants. De plus, la quantité de résultats « standards » donnés par l'utilisation d'un seul programme est souvent inutile et cache les véritables résultats recherchés. Un tel programme qui présente à l'utilisateur des montagnes de résultats peut être considéré comme bien « pratique » car il peut alors servir une multitude d'objectifs à la fois. Mais n'est-ce pas là se résigner à ce que l'homme soit au service de la machine?

Notre position est claire: aucun chercheur ne devrait tolérer d'être à la remorque de contraintes au niveau du traitement informatique. Il est inacceptable

---

4. Il est à remarquer cependant que dans la version 1981 (« release 9 ») on indique le nombre de valeurs plus petites que 5.

5. « Garbage in, garbage out ».

aujourd'hui qu'un chercheur ne puisse se servir de l'ordinateur à ses propres fins : la machine doit demeurer au service de l'homme.

Le lecteur intéressé à cette critique du format d'expression visuelle des données par les programmes de progiciels connus est invité à consulter Leinhardt et Leinhardt [1980], Anscombe [1973], Hartwig et Dearing [1979, p. 52].

Plusieurs problèmes relatifs à l'utilisation inadéquate de l'ordinateur en analyse des données ont été mentionnés dans les paragraphes précédents. Le seul fait de se les rappeler pourra peut-être nous éviter de «débrancher souvent notre cerveau lorsque nous branchons l'ordinateur»[6] selon l'expression pittoresque de Erickson et Nosanchuck [1977, p. 28]. Ces problèmes nous amènent à nous interroger face au rôle que doit jouer l'informatique en analyse des données. Selon nous, la pertinence de l'ordinateur en analyse des données se situe essentiellement au niveau des calculs numériques et des représentations graphiques. Tenter de tout régler par une utilisation abusive des progiciels (donc en se servant de l'ordinateur d'abord comme un outil de recherche «aveugle») est coûteux, inefficace, et bien souvent vain et dangereux. Ajoutons à cela qu'il n'existe qu'un très petit nombre d'informaticiens locaux qui peuvent réellement corriger d'éventuelles erreurs relatives à ces progiciels, ce qui peut être dramatique en cas de problème majeur.

Nous croyons, comme Young [1980], que l'avenir des logiciels exigera une plus grande interaction directe entre l'ordinateur et l'utilisateur de manière à permettre à ce dernier d'éviter au moins les erreurs les plus communes. Mais en attendant, nous affirmons que l'analyste de données peut faire *beaucoup* avec des systèmes *autonomes* de traitement de données (genre «micro-ordinateur avec imprimante»). Et qui sait si un jour, pas trop lointain, ces systèmes autonomes ne seront pas suffisamment puissants[7] pour que l'on puisse se passer en bonne partie des super-progiciels?

1.5 TYPOLOGIE DES MÉTHODES D'ANALYSE DES DONNÉES

Le fait de préciser le rôle de l'informatique en analyse des données nous a permis de cerner la distinction entre l'analyse et le traitement des données. Pour aller plus loin encore dans notre compréhension intuitive de «qu'est-ce que l'analyse des données?», il importe de différencier les divers types d'analyse ou mieux, les diverses approches qui ont cours présentement.

Situons d'abord historiquement l'avènement de l'analyse des données. Nous nous aiderons pour cela d'un texte produit par Morlat en préface à l'excellent

---

6. «When we plug in the computer, we often unplug our brains».
7. Que l'on pense par exemple à SYSTAT, à STATPRO ou EDA qui fonctionnent sur des micro-ordinateurs.

volume (français) de Cailliez et Pages [1976]. Morlat précise que depuis le début du siècle, on a assisté à trois tendances distinctes dans le monde de la statistique.

En premier lieu, la tendance bayésienne (la plus ancienne) était centrée sur l'utilisation du théorème de Bayes et l'emploi de probabilités subjectives a priori concernant les paramètres à étudier. Cette tendance toujours vivante aujourd'hui et que l'on peut appeler néobayésienne (Lindley [1976]) connaît des applications, en particulier en théorie de la décision. Dans un second temps, on assiste à l'émergence de la tendance inférentielle surtout intéressée à faire des estimations et des tests d'hypothèse, mais opposée aux probabilités subjectives propres à la tendance bayésienne. Finalement, un peu pour contrer la très populaire tendance inférentielle, on a assisté à la naissance de la tendance « analyse des données ». Cette toute nouvelle tendance est orientée plutôt vers la description analytique des données que vers les inférences. Nous verrons comment la tendance analyse des données a engendré la typologie que nous décrirons plus loin et que nous adopterons dans le reste du manuel.

Auparavant, attardons-nous quelque peu à une typologie plus classique, celle qui consiste à distinguer l'approche descriptive de l'approche inférentielle d'analyse des données. Par approche *descriptive*, on entend celle qui vise uniquement à décrire certaines caractéristiques des données en utilisant des courbes de distribution de fréquences, des graphiques ou des indices statistiques (moyenne, écart-type, médiane, coefficient de corrélation). L'approche *inférentielle* permet d'estimer des paramètres (moyenne, variance) d'une population ou de tester des hypothèses à l'aide des données d'un échantillon que l'on veut le plus représentatif possible de la population étudiée.

Cette typologie est bien connue des analystes et des statisticiens, mais elle ne rend pas suffisamment justice, selon nous, aux liens qui existent entre la description des données et l'inférence effectuée à partir de ces données. Nous préférons, et de loin, utiliser la nouvelle façon de distinguer les concepts et méthodes d'analyse des données qui a été suggérée ces dernières années par Tukey [1977].

Cet auteur parle de la distinction entre l'analyse *exploratoire* des données et l'analyse *confirmatoire* des données. La première regroupe des méthodes analytiques essentiellement descriptives, la seconde, des méthodes inférentielles. Soulignons que cette typologie est issue de la nouvelle tendance « analyse des données » décrite précédemment. Nous présenterons plus en détail la distinction entre l'approche exploratoire et l'approche confirmatoire dans la section suivante, et nous élaborerons tour à tour sur chacun de ces deux types d'analyse au cours des prochains chapitres.

Il doit être noté cependant que nous avons privilégié la pratique de l'analyse exploratoire au sens de Tukey. Ce qui nous amène à utiliser les concepts, les diagrammes et les méthodes développés par ce statisticien au détriment des techniques plus classiques. Cette prise de position ne constitue cependant pas un rejet ou un oubli des approches plus traditionnelles. Bien sûr, il est possible de pratiquer l'analyse des données en utilisant des techniques classiques. Mais nous préférons, de beaucoup, les outils de Tukey. Il s'agit d'un choix que nous avons fait comme d'ailleurs plusieurs qui pratiquent l'analyse des données.

1.6 APPROCHE EXPLORATOIRE ET APPROCHE CONFIRMATOIRE

Il a été vu à la section précédente que l'analyste assume généralement deux types de responsabilités bien différentes tout au long de l'analyse. Au début de l'analyse, il est souvent à la recherche de quelque chose qu'il aurait peut-être de la difficulté à articuler, à préciser très clairement. Il veut se représenter quelque chose, décrire, explorer. Vers la fin de l'analyse, tout au contraire, il désire généraliser, confirmer des choses. Revoyons un peu le comportement de l'analyste agissant comme consultant sur un projet d'évaluation de l'efficacité de deux méthodes d'enseignement de l'anglais. Au début, il regarde la distribution des scores sur le test d'anglais pour chacun des deux groupes à chaque moment; de fait, il n'a pas d'idée bien précise en tête. Il se contente de regarder longuement, au moyen de techniques graphiques variées mais toujours simples, les distributions de données brutes. À force de regarder, il en vient à penser qu'à l'intérieur de chaque groupe (méthode A et méthode B), deux groupes d'élèves se démarquent assez nettement. Intrigué, l'analyste consulte sa feuille de données brutes — qui ne doit jamais le quitter durant l'analyse — afin d'identifier ces deux groupes. Il vérifie d'abord s'ils ne seraient pas composés de garçons et de filles respectivement, hypothèse qu'il rejette rapidement puisqu'il y a à peu près autant de garçons que de filles. Il décide donc d'aller voir le chercheur qui a supervisé l'ensemble de la recherche. Celui-ci lui apprend, après quelques minutes de réflexion, que les deux méthodes, qui étaient dispensées au laboratoire de langues de l'école, impliquaient deux responsables différents. L'un, jeune, dynamique et fort enthousiaste face à tout ce qui s'appelle renouveau pédagogique avait la responsabilité de la moitié de chaque groupe. L'autre responsable, lorsque le chercheur l'avait approché, avait accepté de modifier ses habitudes après une longue heure de discussion. Le chercheur n'avait pas jugé bon d'en parler à l'analyste; celui-ci cependant lui suggère fortement de tenir compte de ce facteur dans toutes les analyses subséquentes.

L'analyste revient donc à ses dessins et continue de regarder les graphiques. En les revoyant, il s'étonne même que la séparation en deux groupes ne l'ait pas frappé plus tôt. Continuant à jeter un regard diffus sur les nombreux graphiques qu'il a en main, il remarque soudainement que dans le groupe ayant reçu la méthode traditionnelle, un élève qui au prétest avait obtenu un score très moyen sur son test d'anglais, recevait un score presque nul lors du posttest. L'analyste calcule donc la moyenne des sujets de ce groupe au posttest en excluant cet élève et constate qu'à ce moment-là, elle augmente de beaucoup. En effet, la présence de cet élève un peu

« étrange » — sur le graphique — contribue à diminuer considérablement le score moyen du groupe. Il apprend le nom et l'âge de l'élève sur sa feuille de données brutes et retourne voir le chercheur afin de s'enquérir de ce qui s'est passé. Ils décident d'aller rencontrer le professeur titulaire pour obtenir des informations supplémentaires. Celui-ci leur apprend que l'élève en question a été fréquemment malade durant le semestre, ce qui est confirmé par les feuilles d'absences quotidiennes tenues par le directeur de l'école, et que, la semaine pendant laquelle se tenait le posttest, l'enfant a persisté à venir à ses cours même si son professeur lui suggérait fortement de demeurer à la maison. Ces observations qualitatives et individuelles sont précieuses, mais l'analyste se demande si seulement cet enfant était malade ou bien si l'on est en présence d'un virus quelconque. Il compare donc le nombre de jours d'absence de cet élève avec celui de l'ensemble de l'école pour constater que c'est lui qui a été le plus souvent absent des cours ; dans un second temps, il consulte les archives des années passées pour le même trimestre afin de voir s'il y a des différences avec l'année en cours. Il semble que de ce côté tout soit normal.

Il appert que l'élève qui se comportait de façon déviante dans les graphiques de l'analyste constitue vraiment un cas particulier. Il suggère donc au chercheur de l'éliminer totalement de l'étude ; celui-ci se montre d'abord réticent : non seulement a-t-il appris que l'on ne pouvait éliminer des sujets d'un échantillon à tout venant mais aussi et surtout, il se souvient que la performance de cet élève qui a reçu la méthode traditionnelle contribuait à diminuer notablement le score moyen du groupe au posttest. L'analyste lui rétorque que cet enfant, à strictement parler, n'a pas bénéficié d'aucune méthode d'enseignement de l'anglais à cause de ses absences répétées durant le trimestre et qu'en plus, il se trouvait particulièrement malade lors du posttest, ce qui selon lui justifie amplement son exclusion de l'étude.

L'analyste se sent donc justifié maintenant d'entreprendre la seconde étape du travail, celle-ci impliquant le recours à des techniques statistiques. Avant de ce faire, il tient à repréciser une dernière fois les hypothèses sous-jacentes à l'étude : la première comme de raison veut que la nouvelle méthode d'enseignement de l'anglais soit plus efficace ; il tient cependant à en rajouter une autre, qui n'avait pas été prévue lors de la planification de l'étude, concernant l'influence possible de la personne qui dirigeait le laboratoire. Plus précisément, l'analyste trouve important de confirmer cette hypothèse. Le chercheur est d'accord pour inclure cette nouvelle hypothèse. L'analyse des données peut donc suivre son cours...

Cette description détaillée du travail de l'analyste peut sembler longue ou même superflue mais elle nous paraît capitale pour quiconque veut comprendre les liens entre l'approche exploratoire et l'approche confirmatoire. Car l'approche exploratoire n'implique pas seulement une description analytique des données, mais aussi et surtout des indications susceptibles de soulever des hypothèses qu'il sera possible de tester dans une phase confirmatoire de l'analyse.

Les deux approches apparaissent alors bien plus comme deux phases (ordonnées) d'une même analyse que deux types d'analyse bien distincts. La question n'est donc pas de savoir si l'on doit effectuer une analyse exploratoire des données (A.E.D.) *ou* une analyse confirmatoire des données (A.C.D.). Car même s'il est justifiable et bon en soi d'effectuer une étude exclusivement exploratoire (Mosteller et Tukey [1977]), dans le cas par exemple où ces données ne vérifient pas certaines conditions essentielles à la poursuite de l'étude dans une phase confirmatoire, les deux approches sont la plupart du temps requises pour solutionner un problème. Nous parlerons donc plutôt de complémentarité que de choix à faire entre l'A.E.D. et l'A.C.D.

Il est entendu que la phase A.E.D. précède la phase A.C.D. En effet, il vaut mieux tester des hypothèses engendrées par une recherche exploratoire préalable, surtout dans un domaine où peu de développements théoriques sont très clairs : pensons, par exemple, aux recherches effectuées en sciences de l'éducation (voir Leinhardt et Leinhardt [1980]). On peut recommander entre autres d'effectuer une phase exploratoire sur une partie des données recueillies et une phase confirmatoire sur le reste des données pour éviter une seconde cueillette.

Soulignons toutefois qu'une analyse complète n'est rarement constituée que de deux phases. On assiste plutôt à un processus interactif au cours duquel une phase A.E.D. amène une phase A.C.D. ; cette dernière apporte elle-même d'autres pistes ou mieux d'autres indications et donc une autre phase A.E.D. suivie d'une autre phase A.C.D., et ainsi de suite.

Pour mieux concrétiser la distinction A.E.D. — A.C.D., Tukey [1977] utilise l'excellente analogie «enquête policière-procès», issue du domaine judiciaire. L'auteur ne nous fait pas languir longtemps (à la manière d'Agatha Christie) pour nous faire sentir les similitudes entre l'A.E.D. et l'enquête policière où le détective passe le plus clair de son temps à rechercher des indices (pour triompher du suspect, à la manière du lieutenant Columbo). D'un autre côté, Tukey nous montre les ressemblances qui existent entre l'A.C.D. et un procès à la cour de justice où les avocats tentent de prouver l'innocence ou la culpabilité d'un suspect (à la manière de Perry Mason), en faisant les présomptions que le juge est impartial et que les membres du jury sont normaux, sans biais et homogènes, c'est-à-dire qu'ils ont la même importance lors du procès.

Tout comme au procès l'appareil judiciaire (le juge, les avocats et le jury) ne peut ordinairement pas convaincre de culpabilité sans indices, la phase A.C.D. est infructueuse sans indications. Pour ajouter à l'analogie, on peut mentionner premièrement que l'enquête policière précède toujours le procès et deuxièmement que l'enquête policière n'aboutit pas toujours à un procès (faute par exemple de se conformer à la présomption de jurés sans biais, due à une trop grande publicité autour d'une affaire). Terminons cette analogie en précisant que le travail du détective dans une enquête policière (lire le travail du chercheur dans une A.E.D.)

est plus flexible que celui de l'avocat en cour (lire le travail du consultant dans une A.C.D.) qui doit suivre des règles très rigoureuses.

Un regard au tableau 1.1 nous donnera une vue d'ensemble des principales distinctions entre l'A.E.D. et l'A.C.D.

TABLEAU 1.1

Synthèse des comparaisons A.E.D. — A.C.D.

ANALYSE DES DONNÉES

EXPLORATOIRE	CONFIRMATOIRE
Approche descriptive	Approche inférentielle
Indications des hypothèses à tester	Test d'hypothèse
Utilisation de statistiques résistantes[8]	Utilisation de statistiques moins résistantes
Plan de recherche souple moins défini	Plan de recherche rigoureux
Usage des données en main	Usage de données sans erreur (si possible)
Importance de l'expression visuelle ou graphique des données	Moindre importance de l'expression visuelle ou graphique des données
Avant une phase confirmatoire	Après une phase exploratoire
Vision intuitive des données	Vision précise des données
Ressemble à une enquête policière	Ressemble à un procès

À cette énumération du tableau-synthèse, on ajoutera que l'A.E.D. se prête beaucoup plus facilement que l'A.C.D. à un premier enseignement de l'analyse statistique des données, et ce surtout pour des étudiants « non-matheux ». En effet, la pratique de l'A.E.D. est beaucoup plus intuitive, les concepts sont relativement simples et les méthodes n'exigent pas de conditions d'application parfois obscures comme c'est le cas en A.C.D.

Dans cette section de chapitre, nous avons insisté sur les distinctions de fond entre l'A.E.D. et l'A.C.D. pour nous aider à comprendre intuitivement ces deux phases complémentaires de l'analyse des données. Au cours des prochains chapitres, nous aborderons le « comment faire » de l'A.E.D. et de l'A.C.D.

---

8. Ce terme sera expliqué au prochain chapitre.

1.7   CONCLUSION

Au terme de ce chapitre, nous pensons que le lecteur a acquis une connaissance plus juste de la signification de l'expression « analyse des données ». Il nous est apparu important de faire une distinction entre le rôle de l'analyse des données, le rôle du traitement des données et celui de l'interprétation des résultats. D'autre part, nous avons choisi d'exposer diverses typologies, en insistant plus spécialement sur celle qui met en évidence les différences entre la phase exploratoire et la phase confirmatoire. Puisque notre démarche vise à favoriser une vision globale de ce qu'est l'analyse des données, nous avons centré notre attention sur le « quoi » de l'analyse des données. Les prochains chapitres porteront sur le « comment » : la logique et les principaux concepts utilisés en A.E.D. et en A.C.D.

Mais auparavant, nous aimerions reprendre certains points sur lesquels nous n'avons peut-être pas mis suffisamment d'accent au cours de ce chapitre.

Il doit être précisé, d'un côté, que compte tenu de l'évolution historique de la statistique, « faire de l'analyse des données » est à notre avis une expression plus représentative de l'activité du chercheur que « faire de la statistique appliquée ». Si nous n'avons pas utilisé cette dernière expression très souvent dans le texte, c'est qu'elle nous a semblé ambiguë et galvaudée. Les termes retenus (analyse, données) sont plus justes et révélateurs des intentions qui animent un chercheur une fois ses données recueillies.

D'un autre côté, il nous est apparu capital de distinguer l'approche exploratoire de l'approche confirmatoire en mettant l'accent sur la complémentarité et donc la nécessité des deux approches. Car, dans toute recherche, il faut *tout d'abord* explorer, c'est-à-dire regarder intensément, décrire, exprimer visuellement, indiquer, détecter, suggérer, *puis ensuite* confirmer, c'est-à-dire estimer, tester, généraliser, conclure.

Enfin et surtout, nous voulons situer plus clairement le rôle du chercheur et celui du consultant dans la phase d'analyse des données du processus de la recherche quantitative. Une des conséquences les plus importantes de la philosophie propre à l'analyse des données proposée par Tukey est de redonner au chercheur un rôle central dans ce domaine. Nous sommes d'avis que c'est lui, le chercheur, qui doit être le principal artisan de l'analyse de *ses* données, et non pas le consultant ou l'informaticien engagé pour la circonstance. Les prochains chapitres sont écrits dans cet esprit.

1.8   RECOMMANDATIONS ET LECTURES PROPOSÉES

Recommandations

1) Utiliser un progiciel informatique (SSPS, BMDP . . .) seulement lorsque le choix de la méthode d'analyse des données a été fait et non pour choisir cette méthode.

2) Utiliser un progiciel informatique seulement pour effectuer des calculs complexes et itératifs; sinon, dans le cas de calculs simples ou ponctuels, la calculatrice ou le micro-ordinateur (avec imprimante) suffisent.

3) S'assurer que les conditions d'application de telle ou telle méthode d'analyse des données sont rencontrées lors de l'utilisation d'un progiciel.

4) Débuter une analyse des données par une phase exploratoire.

5) Il est souvent utile et peu coûteux d'effectuer la phase exploratoire d'analyse des données sur une partie des données, laissant les autres données pour la phase confirmatoire.

6) Engager un consultant dès le début de la recherche, c'est-à-dire le plus tôt possible, avant de déterminer le plan de la recherche et d'énoncer les hypothèses.

Lectures proposées

CAMPBELL, D.T., STANLEY, D.C., [1966] *Experimental and quasi-experimental designs for research*, Rand McNally, Chicago, pp. 1-6.

COOK, T.D., CAMPBELL, D.T., [1979] *Quasi-experimentation*, Rand McNally, Chicago.

DE LANDSHEERE, G., [1982] *Introduction à la recherche en éducation*, Armand Colin-Bourrelier, Paris, première partie du volume.

ERICKSON, B.H., NOSANCHUK, T.A., [1977] *Understanding Data*, McGraw-Hill Ryerson Ltd, Toronto, chap. 1.

FERGUSON, G.A., [1976] *Statistical analysis in psychology and education*, McGraw-Hill, New York, chap. 14.

GREEN, B.F., [1980] Three decades of quantitative methods in psychology, *American Behavioral Scientist*, Vol. 23, No. 6, pp. 811-834.

KENDALL, M.G., [1968] On the future of statistics — a second look, communication présentée à la *Royal Statistical Society*.

KERLINGER, F.N., [1964] *Foundations of behavioral research,*, Holt, Rinehart and Winston, New York, chap. 1, 2, 15.

KIRK, R.E., [1982] *Experimental design: procedures for the behavioral sciences*, Wadsworth Publishing Co., Belmont Ca., chap. 1.

LEINHARDT, S., WASSERMAN, S., [1979] Teaching regression: an exploratory approach, *The American Statistician*, Vol. 33, No. 4, pp. 196-203.

MONTGOMERY, D.C., [1976] *Design and analysis of experiments*, John Wiley & Sons, New York, chap. 1.

POPHAM, W.J., [1981] *Modern educational measurement*, Prentice-Hall, Englewood Cliffs, N.J.

REMER, R., [1980] «Statistical Consulting», *CEDR Quaterly*, Vol. 13, No 1.

ROBERT, M., [1982] *Fondements et étapes de la recherche scientifique*, Chenelière et Stanké, Montréal.

SCHWARTZ, D., [1969] *Méthodes statistiques à l'usage des médecins et des biologistes*, Flammarion Médecine-Sciences, Paris, chap. 1.

TUKEY, J.W., [1962] The future of data analysis, *Annals of Mathematical Statistics*, vol. 33, pp. 1-67.

WEIGEL, R.G., CORAZZINI, J.G., [1978] Small group research: suggestions for solving common methodological and design problems, *Small Group Behavior*, Vol. 9, No 2.

YOUNG, R.M., [1980] Packages, present and future, *British Psychological Society Bulletin*, Vol. 44, p. 254.

CHAPITRE 2

Concepts de l'analyse exploratoire

2.1   INTRODUCTION

Depuis plusieurs années, il existe un nombre croissant de volumes de statistique appliquée à l'usage des chercheurs en psychologie et en éducation. Certains se veulent des ouvrages d'introduction, tandis que d'autres se consacrent à l'étude d'analyses hautement spécialisées. Ils partagent cependant un certain nombre de caractéristiques : ils exposent une multitude de formules, bien souvent au moyen d'une notation assez complexe pour le néophyte, s'attaquent à la démonstration des théorèmes les plus importants en statistique et contiennent un nombre plus ou moins important d'exemples. On trouve peu de graphiques dans de tels volumes. Cependant, la personne qui a consulté fréquemment ces ouvrages ne peut qu'être interloquée devant le volume *Exploratory data analysis* de John W. Tukey, publié en 1977. Ce livre est en effet totalement différent des manuels décrits plus haut : contenant un nombre assez faible de formules, il fourmille par contre de diagrammes aux noms vaguement exotiques, comme le diagramme en feuilles ou le diagramme en boîte. Tukey consacre même une page à critiquer le traditionnel papier quadrillé pour faire ses suggestions quant au papier qu'il convient le mieux d'utiliser (p. 42). La première réaction consiste bien souvent à se demander s'il s'agit bien là d'un « vrai livre de statistique » !

De fait, le volume de Tukey marque une révolution dans le domaine en proposant une distinction entre les phases exploratoire et confirmatoire de l'analyse des données. Pourquoi ? Parce qu'il ne se contente pas uniquement de proposer une nouvelle orientation théorique ou même de plaider en faveur de l'exploration, mais il offre de nouveaux concepts, de nouvelles méthodes, un nouveau vocabulaire et une nouvelle logique simple, visuelle et intuitive.

La place des graphiques dans cette approche est particulièrement importante. La qualité d'un graphique utile lors d'une analyse exploratoire réside dans ses possibilités de faire découvrir à l'analyste des caractéristiques étranges, des phénomènes inattendus, voire même des hypothèses novatrices à partir des données. Mosteller et Tukey [1968, p. 113] désignent cette propriété intéressante d'un graphique, le « aha ». Ceci signifie qu'une personne qui regarde le graphique hoche la tête et dit « aha »! Elle vient de constater quelque chose!

Tout cela fait partie de la nouvelle philosophie propre à l'analyse exploratoire : il s'agit, pour l'*analyste*, de scruter *ses* données, de les représenter visuellement, de les explorer et ce, de façon autonome avec des outils aussi simples que possible sans être à la remorque de quelque programme ou progiciel informatique. Une grande partie du travail s'effectue à la main, avec papier et crayon ou encore avec calculatrice de poche ou avec micro-ordinateur. Les outils utilisés sont *résistants* aux valeurs dites aberrantes, c'est-à-dire les valeurs qui ne sont pas conformes aux autres données. Des valeurs aberrantes sont souvent présentes surtout lorsque le plan de la recherche n'est pas très rigoureux (comme c'est quelquefois le cas en éducation). Or les outils de l'analyse exploratoire ne sont pas ou peu influencés par ces quelques valeurs.

Les sections qui suivent constituent une première sensibilisation aux principaux concepts employés en analyse exploratoire. Nous nous sommes inspirés principalement des travaux de Tukey [1977], Velleman et Hoaglin [1981], Hartwig et Dearing [1979], Erickson et Nosanchuk [1977], Mosteller et Tukey [1968], Leinhardt et Leinhardt [1980], Wainer et Thissen [1981], et Hoaglin, Mosteller et Tukey [1983].

2.2   LES SOMMAIRES NUMÉRIQUES

Comme nous l'avons vu au chapitre précédent, l'analyse exploratoire est une approche très différente de l'analyse confirmatoire, et comporte en conséquence un vocabulaire et des concepts bien particuliers.

Pour débuter, on nomme *paquet de données* un ensemble de données regroupées selon une propriété commune. On peut citer par exemple les résultats à un examen de français pour une classe de sixième primaire, le nombre d'étudiants de chaque classe de cinquième secondaire d'une commission scolaire régionale ayant réussi l'examen de physique de fin d'année, ou la fréquence des questions posées par chacun des 25 enseignants d'un groupe expérimental.

Puisqu'en analyse exploratoire on doit scruter un paquet de données en détail, il convient de chercher les meilleurs moyens pour mettre en valeur les caractéristiques des données.

Deux de celles-ci sont importantes, la tendance centrale et la dispersion. Une mesure de tendance centrale d'un ensemble de données est une valeur autour de laquelle se concentrent les données et qui nous renseigne sur l'ordre de grandeur des données. Une telle mesure est souvent employée pour résumer en quelque sorte l'ensemble de données. Une mesure de *dispersion*, elle, réfère à l'éparpillement des données autour de la mesure de tendance centrale.

Les concepts numériques présentés dans les prochains paragraphes sont introduits en vue de faire ressortir ces deux caractéristiques. Les mesures de tendance centrale et de dispersion seront appelées des *sommaires numériques*, c'est-à-dire des valeurs numériques qui résument, en quelque sorte, les caractéristiques des données.

La plupart des volumes de statistique présentent brièvement deux ou trois mesures de tendance centrale pour ensuite ne retenir que la *moyenne* arithmétique. Celle-ci est en effet considérée plus pratique que les autres. On utilise rarement ces dernières parce qu'elles ne donnent pas lieu, comme la moyenne, à des développements distributionnels commodes. De même, on définit quelques mesures de dispersion et on retient généralement la *variance* et sa soeur cadette l'*écart-type* pour les mêmes raisons.

Or la popularité de ces sommaires numériques (moyenne arithmétique, variance ou écart-type) ne doit pas égarer celui qui pratique l'analyse exploratoire. Car il arrive fréquemment qu'un paquet de données contienne des *valeurs* dites *aberrantes*, c'est-à-dire qui ne sont pas conformes aux autres données du paquet. La présence de valeurs aberrantes influence la moyenne et la variance, et risque alors de donner une idée fausse ou fort imprécise de la tendance centrale ou de la dispersion des données. Un exemple simple servira à illustrer nos dires.

Considérons les deux paquets de données suivants :

$$P_1 = \{10, 63, 64, 65, 66, 68, 72, 76, 79\}$$
$$P_2 = \{63, 64, 65, 66, 68, 72, 76, 79\}$$

Une seule donnée, « 10 », sépare P_1 de P_2.

Calculons les sommaires numériques traditionnels. Rappelons que pour calculer la moyenne d'un paquet de données, il suffit de faire la somme de toutes les données puis de diviser cette somme par le nombre de données. Afin d'obtenir la variance, il faut soustraire la moyenne de chaque donnée, mettre ces différences au carré, en faire la somme puis diviser cette somme par le nombre de données moins une[1]. L'écart-type est la racine carrée de la variance. Ainsi :

$$\text{moyenne de } P_1 = \frac{10 + 63 + 64 + 65 + 66 + 68 + 72 + 76 + 79}{9} = 62,6$$

$$\text{variance de } P_1 = \frac{(10-62,6)^2 + (63-62,6)^2 + \ldots + (76-62,6)^2 + (79-62,6)^2}{8} = 419$$

---

1. Nous utilisons ce que l'on appelle habituellement la variance d'échantillon.

écart-type de P_1 = $\sqrt{\text{variance}}$ = 20,5

moyenne de P_2 = 69,1

variance de P_2 = 35

écart-type de P_2 = 5,9.

Deux remarques peuvent dès maintenant être faites. D'abord, la moyenne de P_1 représente très mal la tendance centrale puisque toutes les données sauf une se situent au-dessus de cette valeur. Ensuite, les importantes fluctuations de la moyenne de 62,6 pour P_1 à 69,1 pour P_2 et de l'écart-type (respectivement de la variance) de 20,5 (respectivement 419) pour P_1 à 5,9 (respectivement 35) pour P_2 sont dues à une seule donnée, « 10 » : le moins que l'on puisse dire est que ces sommaires semblent carrément instables et non résistants aux valeurs non conformes ou aberrantes.

Malgré leur popularité, ce ne sont pas de bons candidats aux points de repère ou sommaires numériques que l'on souhaite obtenir en A.E.D. On comprend mieux maintenant l'assertion émise au début de ce chapitre qui stipule que les outils utilisés en A.E.D. doivent être résistants aux valeurs aberrantes.

Peut-être devrions-nous chercher ces sommaires numériques plus résistants parmi les mesures de tendance centrale et de dispersion traditionnellement délaissées. La *médiane*, par exemple, ferait peut-être notre affaire. Reprenons les paquets de données P_1 et P_2 et mettons la médiane à l'épreuve. On se souviendra que cette dernière se définit[2] comme le point milieu d'une série de données (en ordre), donc à mi-chemin entre la première et la dernière donnée. C'est-à-dire que la médiane se situe à la position suivante dans la série des données :

$$\frac{\text{Position de la 1}^{\text{re}} \text{ donnée} + \text{position de la dernière donnée}}{2} = \frac{1 + \text{nombre de données}}{2}.$$

En effet, la position de la première donnée est « 1 ». De plus, la position de la dernière donnée correspond toujours au nombre de données du paquet. Reprenons les paquets P_1 et P_2 en indiquant les positions relatives de chaque donnée :

$$P_1 \begin{cases} \text{données} & : \quad 10, \ 63, \ 64, \ 65, \ 66, \ 68, \ 72, \ 76, \ 79 \\ & \quad\ \ \updownarrow \ \ \updownarrow \ \ \updownarrow \ \ \updownarrow \ \ \updownarrow \ \ \updownarrow \ \ \updownarrow \ \ \updownarrow \ \ \updownarrow \\ \text{positions} & : \quad 1, \ \ 2, \ \ 3, \ \ 4, \ \ 5, \ \ 6, \ \ 7, \ \ 8, \ \ 9 \end{cases}$$

$$P_2 \begin{cases} \text{données} & : \quad 63, \ 64, \ 65, \ 66, \ 68, \ 72, \ 76, \ 79 \\ & \quad\ \ \updownarrow \ \ \updownarrow \ \ \updownarrow \ \ \updownarrow \ \ \updownarrow \ \ \updownarrow \ \ \updownarrow \ \ \updownarrow \\ \text{positions} & : \quad 1, \ \ 2, \ \ 3, \ \ 4, \ \ 5, \ \ 6, \ \ 7, \ \ 8 \end{cases}$$

---

2. Il existe bien sûr d'autres définitions plus précises de la médiane. Celle que nous donnons ici a l'avantage d'être très utile pour les calculs et suffisamment précise pour un usage en analyse exploratoire.

On peut maintenant trouver aisément que la position de la médiane de P_1 est $\dfrac{1+9}{2} = 5$. La médiane est donc « 66 ».

De même la position de la médiane de P_2 est $\dfrac{1+8}{2} = 4,5$ à mi-chemin entre la 4e et la 5e donnée.

C'est donc $\dfrac{66+68}{2} = 67$.

Notons tout de suite que la médiane « 66 » semble beaucoup plus représentative de la tendance centrale de P_1 que la moyenne arithmétique « 62,6 » calculée plus haut. De plus, la différence entre la médiane de P_1 et la médiane de P_2 est très mince : 66 vs 67. Ce qui est normal, puisque les deux paquets sont virtuellement semblables, sauf en ce qui concerne la valeur 10.

Nous avons trouvé en la médiane une mesure de tendance centrale qui semble offrir une certaine résistance aux valeurs aberrantes. Ce qui n'est d'ailleurs pas si étonnant puisque le calcul de la médiane s'effectue indépendamment de la distance entre les données.

Serions-nous suffisamment en veine pour obtenir aussi une mesure de dispersion résistante ? Il nous faudrait sans nul doute une mesure qui s'accorde bien avec la médiane, notre sommaire numérique retenu comme indice de tendance centrale. L'*étendue interquartile*[3] (*EI*) en est une : on sait qu'il s'agit de la simple différence entre le 3e (Q_3) et le 1er (Q_1) quartile. Chacun de ces deux quartiles se situe à mi-chemin entre une des deux valeurs extrêmes (première ou dernière) du paquet de données et la médiane (*Md*).

Illustrons ces concepts à l'aide du paquet de données P_1 évoqué plus haut :

$$
\begin{array}{ccccccccc}
& & Q_1 & & Md & & Q_3 & & \\
& & \downarrow & & \downarrow & & \downarrow & & \\
\text{données} & : & 10, & 63, & 64, & 65, & 66, & 68, & 72, & 76, & 79 \\
\text{positions} & : & 1, & 2, & 3, & 4, & 5, & 6, & 7, & 8, & 9
\end{array}
$$

où la position du premier quartile Q_1 est donnée par :

$$
\frac{\text{position de la première donnée} + \text{position de la médiane}}{2} = \frac{1+5}{2} = 3,
$$

et la position du troisième quartile par :

$$
\frac{\text{position de la médiane} + \text{position de la dernière donnée}}{2} = \frac{5+9}{2} = 7
$$

Q_1 est donc en position 3, équivalant à « 64 », et Q_3, en position 7, équivaut à « 72 ».

---

3. On retrouve également l'expression « écart interquartile ».

Ainsi, l'étendue interquartile de $P_1 = Q_3 - Q_1 = 72 - 64 = 8$. On s'aidera du diagramme suivant pour calculer l'étendue interquartile de P_2 à savoir :

étendue interquartile de $P_2 = Q_3 - Q_1 = 74 - 64{,}5 = 9{,}5$.

$$
\begin{array}{ccccccccc}
 & & Q_1 & & \text{Md} & & Q_3 & & \\
 & & \downarrow & & \downarrow & & \downarrow & & \\
\text{données} & : & 63, & 64, & 65, & 66, & 68, & 72, & 76, & 79 \\
\text{positions} & : & 1, & 2, & 3, & 4, & 5, & 6, & 7, & 8
\end{array}
$$

La position de Q_1 est $\dfrac{1 + 4{,}5}{2}$, qu'on approxime par $\dfrac{1 + 4}{2} = 2{,}5$ pour abréger les calculs.

Q_1 est donc à mi-chemin entre les données de la 2e et de la 3e position,

$$Q_1 = \frac{64 + 65}{2} = 64{,}5.$$

La position de Q_3 est $\dfrac{8 + 4{,}5}{2}$, approximée par $\dfrac{8 + 5}{2} = 6{,}5$.

Aussi, $Q_3 = \dfrac{72 + 76}{2} = 74$.

L'étendue interquartile semble très peu varier de P_1 à P_2, passant de 8 à 9,5. Rappelons que pour les mêmes paquets de données, l'écart-type variait de 20,5 à 5,9 et la variance de 419 à 35 ! L'étendue interquartile apparaît sans aucun doute comme une meilleure candidate à un sommaire numérique résistant. D'ailleurs, ceci ne devrait pas trop étonner notre intuition. En effet, par définition même, l'étendue interquartile ne tient pas compte des données (petites ou grandes) situées aux extrémités du paquet.

Remarquons que dans le calcul des quartiles Q_1 et Q_3 du paquet de données P_2, nous avons dû arrondir le nombre 4,5 (qui représente la position de la médiane) de deux façons, tantôt vers le bas, obtenant 4, tantôt vers le haut, obtenant 5, pour bien diviser le paquet en quatre tranches égales. Il existe cependant une autre méthode pour calculer les quartiles en ne s'appuyant pas sur ce double arrondissement un peu gênant. Cette méthode utilise un nouveau concept, la *profondeur* («depth») des données dans un paquet (Tukey [1977, p. 30]). Elle est définie comme suit : si dans un paquet on place les données d'abord en ordre croissant, des plus petites valeurs aux plus grandes, puis en ordre décroissant, des plus grandes valeurs aux plus petites, on obtiendra, pour chaque donnée, deux rangs. Pour chaque donnée, le rang minimum obtenu dans l'un de ces deux arrangements correspond à la profondeur de cette donnée. Reprenons le paquet P_1 et notons les rangs issus de l'ordre croissant et de l'ordre décroissant. La profondeur se trouve alors aisément.

données	:	10,	63,	64,	65,	66,	68,	72,	76,	79
ordre croissant	:	1,	2,	3,	4,	5,	6,	7,	8,	9
ordre décroissant	:	9,	8,	7,	6,	5,	4,	3,	2,	1
profondeurs	:	1,	2,	3,	4,	5,	4,	3,	2,	1

Comme il est vrai que la médiane est située au milieu, la profondeur ne diffère pas de sa position ou de son rang. Ainsi:

$$\text{profondeur de la médiane } = \text{ rang de la médiane } = \frac{1 + \text{nombre de données}}{2}$$

De plus, comme chacun des deux quartiles (Q_1 et Q_3) est situé à égale distance entre la médiane et une des deux extrémités du paquet, ils ont donc la même profondeur, soit

$$\frac{1 + |\text{profondeur de la médiane}|}{2}$$

où nous définissons $|x|$ comme la partie entière[4] du nombre x, c.à.d. la partie du nombre x qui reste lorsque l'on a retranché les décimales ou toute partie fractionnaire.

Ainsi $|4,5| = 4$

$|3,75| = 3$

$|5\frac{1}{2}| = 5$

etc.

Pour montrer que cette nouvelle méthode de calcul des quartiles fonctionne bien, retrouvons les quartiles des paquets P_1 et P_2 à l'aide de ces dernières formules.

Pour P_1, comme la profondeur de la médiane est 5, alors la profondeur des deux quartiles est trouvée en calculant

$$\frac{1 + |5|}{2} = \frac{1 + 5}{2} = 3$$

---

4. On introduit la partie entière dans cette définition parce que l'on veut minimiser les calculs. Ceci ne changera rien lorsque la profondeur de la médiane sera un nombre entier (5, 8, 12, 59, . . .), et minimisera les calculs lorsque la profondeur ne sera pas un nombre entier. Si par exemple la profondeur de la médiane = 4,5, alors, au lieu de calculer $\frac{1 + 4,5}{2} = 2,75$, on aura $\frac{1 + |4,5|}{2} = \frac{1 + 4}{2} = \frac{5}{2} = 2,5$, ce qui approxime bien 2,75.

Les deux quartiles seront donc situés à la profondeur 3, et il s'agit bien de 64 (Q_1) et de 72 (Q_3).

Pour P_2, comme la profondeur de la médiane est 4,5, la profondeur des deux quartiles est donnée par

$$\frac{1 + |4,5|}{2} = \frac{1 + 4}{2} = 2,5$$

Les deux quartiles sont alors situés à mi-chemin entre les données de profondeur 2 et 3, et ce à partir de chaque extrémité du paquet ordonné. Le diagramme suivant nous montre bien où les quartiles de P_2 sont placés:

		Q_1 ↓					Q_3 ↓		
données	:	63,	64,	65,	66,	68,	72,	76,	79
ordre croissant	:	1,	2,	3,	4,	5,	6,	7,	8
ordre décroissant	:	8,	7,	6,	5,	4,	3,	2,	1
profondeurs	:	1,	2,	3,	4,	4,	3,	2,	1

Comme calculé auparavant, nous retrouvons

$$Q_1 = \frac{64 + 65}{2} = 64,5 \text{ et } Q_3 = \frac{72 + 76}{2} = 74$$

Soulignons pour le bénéfice du lecteur que c'est cette façon de calculer les quartiles que nous retiendrons et que nous nommerons la *méthode des profondeurs*.

Il semble donc que l'on peut caractériser chaque paquet de données avec des indices numériques qui sont résistants aux valeurs aberrantes, soit la médiane qui est une mesure de la tendance centrale et l'étendue interquartile qui est une mesure de dispersion des données.

2.3   LE DIAGRAMME EN FEUILLES

Son origine

Au cours de la section précédente, nous avons surtout insisté sur les sommaires numériques résistants qui font ressortir deux caractéristiques d'un paquet de données: la tendance centrale et la dispersion.

Toutefois, ces deux caractéristiques, bien que fort utiles, ne suffisent pas si l'on veut vraiment scruter à fond un paquet de données. L'exemple[5] qui suit le confirme.

---

5.   Reproduit avec permission de Cailliez, F., Pages, J.P., [1976] *Introduction à l'analyse des données*, Société de mathématiques appliquées et de sciences humaines (SMASH), Paris, p. 167.

Voici deux paquets de données:

P_1 = {1 (10), 2 (10), 3 (11), 4 (11), 5 (11), 6 (11), 7 (10), 8 (14), 9 (11), 10 (11), 11 (11), 12 (7), 13 (10), 14 (11), 15 (11)}

P_2 = {1 (18), 2 (9), 3 (6), 4 (2), 5 (10), 6 (19), 7 (14), 8 (9), 9 (4), 10 (10), 11 (11), 12 (17), 13 (20), 14 (9), 15 (2)}

Le nombre entre parenthèses indique la *fréquence* de chaque valeur. Ainsi, 1 (10) signifie que la donnée « 1 » est répétée 10 fois.

Il est facile de se rendre compte que ces deux paquets sont bien différents.

Pour le montrer, nous utiliserons le tableau suivant qui reproduit la fréquence de chaque valeur dans les deux paquets.

TABLEAU 2.1

Distribution des fréquences de deux paquets de données P_1 et P_2

Valeur	Fréquence dans P_1	Fréquence dans P_2
1	10	18
2	10	9
3	11	6
4	11	2
5	11	10
6	11	19
7	10	14
8	14	9
9	11	4
10	11	10
11	11	11
12	7	17
13	10	20
14	11	9
15	11	2

Comme on le voit, les fréquences dans P_1 pour une valeur particulière sont différentes des fréquences dans P_2 pour cette même valeur, sauf pour la valeur 11.

Pourtant, ces deux paquets ont un même nombre total de données, 160, mêmes valeurs inférieure et supérieure, 1 et 15, même étendue totale, 14, même médiane, 8, même étendue interquartile, 7, même moyenne, 7,96, et même variance, 18,27!

Manifestement, il appert qu'un paquet de données ne peut être caractérisé seulement par des mesures de tendance centrale et de dispersion. D'autres caractéristiques d'ordre plus général doivent être cherchées. Il est important de connaître par exemple la façon dont les données sont distribuées les unes par rapport aux autres compte tenu, d'une part, de l'ordre qui existe entre les données et, d'autre part, de la fréquence d'apparition de chaque donnée. En somme, on doit rechercher l'allure générale des données. C'est la caractéristique que nous nommerons la *forme* de la distribution. C'est grâce à cette caractéristique que l'on peut expliquer les différences entre les paquets P_1 et P_2 décrits plus haut.

Or pour étudier cette caractéristique de façon efficace, il convient de représenter les données graphiquement à l'aide de diagrammes appropriés. C'est là une étape fondamentale en analyse exploratoire. Mais quels diagrammes choisir?

Le paquet de données suivant

$$P = \{47, 49, 65, 41, 67, 76, 45, 48, 74, 63, 50, 47, 48, 59, 57, 51, 56, 46, 57, 66,$$
$$64, 61, 62\}$$

donne les résultats en français d'un groupe de 23 élèves de sixième primaire après une année d'enseignement individualisé[6].

L'histogramme (graphe 2.1) et le polygone de fréquences (graphe 2.2) sont deux exemples classiques de diagrammes souvent employés. On voit que les données du paquet P peuvent être décrites, dans le cas de l'histogramme, à l'aide de rectangles juxtaposés les uns aux autres, ou encore, dans le cas du polygone de fréquences, à l'aide d'une série de segments reliés ensemble.

Le lecteur intéressé à connaître les algorithmes de construction de ces diagrammes est renvoyé à Ferguson [1976, p. 33]. Nous ne nous attarderons pas à ces diagrammes classiques car bien que relativement simples à bâtir, ils souffrent d'une carence importante: les données sont perdues de vue. C'est sans doute en partie pour remédier à cet inconvénient que Tukey [1977, p. 7] a inventé une nouvelle façon graphique de représenter les données. En plus de conserver les propriétés utiles des diagrammes déjà présentés, ce nouveau type de graphe permet de garder les données à vue. Nous l'appellerons le *diagramme en feuilles* («stem-and-leaf»). Le graphe 2.3 en présente un exemple.

---

6. Voir Bégin, Y., [1981] Rapport-synthèse de la cinquième année d'évaluation du projet SAGE, Document R-143, INRS-Éducation, Québec.

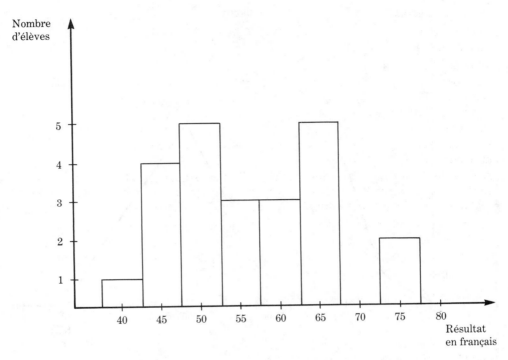

GRAPHE 2.1: Histogramme des résultats (sur 80) en français d'un groupe de 23 élèves de sixième primaire après une année d'enseignement individualisé.

Le nombre situé à gauche du trait vertical de chaque ligne est une *tige* («stem»). Chacune des entités numériques à droite du trait vertical est nommée *feuille* («leaf»).

La colonne titrée (Nb) et située à l'extrême droite du diagramme indique le nombre de feuilles pour chaque tige.

Le graphe 2.3 comprend donc quatre tiges ayant chacune respectivement 8, 6, 7 et 2 feuilles. On compte en tout 23 feuilles qui correspondent aux 23 données du paquet P.

Pour construire un diagramme en feuilles à partir d'un paquet, chaque donnée doit être décomposée en deux parties : la tige et la feuille, la même tige servant pour plusieurs feuilles. Par exemple, pour la donnée 41 du paquet P, le «4» peut être identifié comme une tige et le «1» comme une feuille ; pour 47, la tige sera encore «4» et la feuille «7».

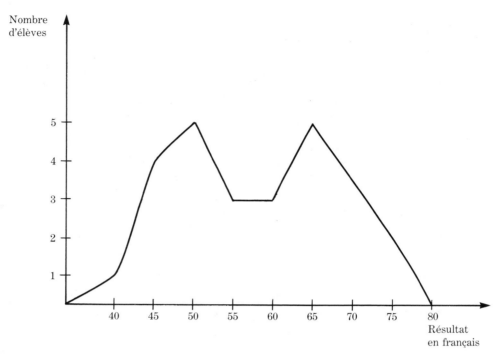

GRAPHE 2.2: Polygone de fréquences des résultats (sur 80) en français d'un groupe de 23 élèves de sixième primaire après une année d'enseignement individualisé.

Tige		feuille	(Nb)
4	1 5 6 7 7 8 8 9		(8)
(5)	0 1 6 7 7 9		(6)
6	1 2 3 4 5 6 (7) → feuille		(7)
7	4 6		(2)

GRAPHE 2.3: Diagramme en feuilles des résultats en français d'un groupe de 23 élèves de sixième primaire après une année d'enseignement individualisé.

Il est à noter que nous avons ordonné les tiges de haut en bas, et les feuilles de gauche à droite. Ainsi, non seulement avons-nous les données à vue, mais en plus nous conservons l'ordre des données.

Les différentes versions

Il n'y a pas de façon unique de construire un diagramme en feuilles. En fait, plusieurs versions de ce diagramme existent. Nous en décrirons quelques-unes dans les prochains paragraphes. Le graphe 2.4 présente les résultats en français d'un groupe de 100 élèves de sixième primaire[7]. Nous avons utilisé le diagramme en feuilles dans sa version simple pour représenter ces données.

La *version simple* convient bien dans le cas du graphe 2.3 où l'on a 23 feuilles et quatre tiges. Cependant, la présentation graphique semble un peu trop compacte pour le graphe 2.4 où 100 feuilles sont réparties à travers seulement sept tiges. Il est possible d'améliorer cette situation en augmentant le nombre de tiges pour obtenir la *version étendue* du diagramme en feuilles, comme au graphe 2.5.

Dans cette version du diagramme, à chaque tige étiquetée d'un astérisque en haut à droite, comme « 3* », sont associées les feuilles correspondant aux chiffres 0, 1, 2, 3, 4. À chaque tige étiquetée d'un point en bas à droite, comme « 2. », sont associées les feuilles correspondant aux chiffres 5, 6, 7, 8, 9.

Les données sont donc distribuées à travers un plus grand nombre de tiges, permettant ainsi une meilleure vision de leurs caractéristiques et en particulier de la forme de la distribution.

Nous avons vu que la construction d'un diagramme en feuilles d'un paquet de données consistait à décomposer chaque donnée en deux parties, une tige et une feuille. Il existe cependant certains cas où quelques modifications doivent être apportées dans la conception du diagramme. L'exemple qui suit le montre bien.

		(Nb)
2	7	(1)
3	389	(3)
4	133345666677788899	(18)
5	0022333333334444556677777778888999	(33)
6	0111112222223577788889	(22)
7	00012222355556677889	(20)
8	012	(3)

GRAPHE 2.4 : Diagramme en feuilles des résultats en français d'un groupe de 100 élèves de sixième primaire (version simple).

---

7. Voir Bégin, Y., [1981] déjà cité.

		(Nb)
2.	7	(1)
3*	3	(1)
3.	89	(2)
4*	13334	(5)
4.	5666677788899	(13)
5*	0022333333334444	(16)
5.	55667777778888999	(17)
6*	0111112222223	(13)
6.	577788889	(9)
7*	000122223	(9)
7.	55556677889	(11)
8*	012	(3)

GRAPHE 2.5 : Diagramme en feuilles des résultats en français d'un groupe de 100 élèves de sixième primaire (version étendue).

Lors d'une enquête portant sur les attitudes des étudiants face aux mathématiques (niveau CEGEP), une question porte principalement sur l'anxiété générale face à cette matière. Les scores peuvent prendre les valeurs 1, 2, 3, 4 ou 5 (« 1 » = très peu d'anxiété, « 5 » = très grande anxiété). Les résultats des 150 étudiants sont distribués comme suit : 25 ont la cote 1, 32 la cote 2, 47 la cote 3, 35 la cote 4 et 11 la cote 5.

Pour représenter visuellement la distribution des résultats il faut innover par rapport aux versions déjà connues du diagramme en feuilles car les données ne sont composées que d'un seul chiffre. On ne peut donc les décomposer en deux parties. Le graphe 2.6 offre une possibilité de représenter ces données.

Mais cette façon est plutôt laborieuse compte tenu du grand nombre de données en mains. De plus, la perspective visuelle qu'elle nous donne est étourdissante au point de faire perdre notre concentration sur les caractéristiques des données. Enfin, est-il utile de répéter 47 fois le même score ? L'information semble vraiment redondante.

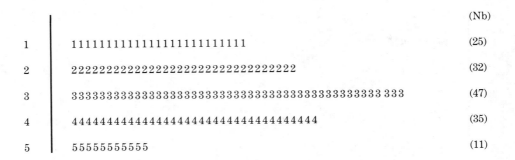

		(Nb)
1	1111111111111111111111111111	(25)
2	22222222222222222222222222222222	(32)
3	33333333333333333333333333333333333333333333333 333	(47)
4	44444444444444444444444444444444444	(35)
5	55555555555	(11)

GRAPHE 2.6 : Diagramme en feuilles des résultats de 150 étudiants de CEGEP à une question sur l'anxiété générale face aux mathématiques.

Nous proposons donc deux autres manières plus parcimonieuses de représenter visuellement les mêmes données. La première (graphe 2.7) utilise la *méthode des bâtonnets* pour comptabiliser le nombre de répondants à chacune des cotes, et ainsi illustrer comment les résultats sont distribués. La seconde (graphe 2.8) procède de façon analogue en utilisant toutefois la *méthode des carrés* due à Tukey [1977, p. 16]. Cette méthode de compter qui constitue un peu une solution de rechange à la méthode des bâtonnets consiste à tracer un sommet, un côté ou une diagonale d'un carré pour chaque fréquence. L'ordre sommet — côté — diagonale doit être respecté pour que cette méthode conserve son efficacité. Ainsi la fréquence

1   sera représentée par un point

2   sera représentée par deux points

3   sera représentée par trois points

4   sera représentée par quatre points (les quatre sommets)

5   sera représentée par quatre points et un côté

6   sera représentée par quatre points et deux côtés

7   sera représentée par quatre points et trois côtés

8   sera représentée par quatre points et quatre côtés

9   sera représentée par quatre points, quatre côtés et une diagonale

10   sera représentée par quatre points, quatre côtés et deux diagonales

Cette méthode est donc plus compacte que la méthode des bâtonnets.

(Nb)

1 | /N/ /N/ /N/ /N/ /N/ (25)

2 | /N/ /N/ /N/ /N/ /N/ /N/ // (32)

3 | /N/ /N/ /N/ /N/ /N/ /N/ /N/ /N/ /N/ // (47)

4 | /N/ /N/ /N/ /N/ /N/ /N/ /N/ (35)

5 | /N/ /N/ / (11)

GRAPHE 2.7: Diagramme en feuilles des résultats de 150 étudiants de CEGEP à une question sur l'anxiété générale face aux mathématiques (version /N/).

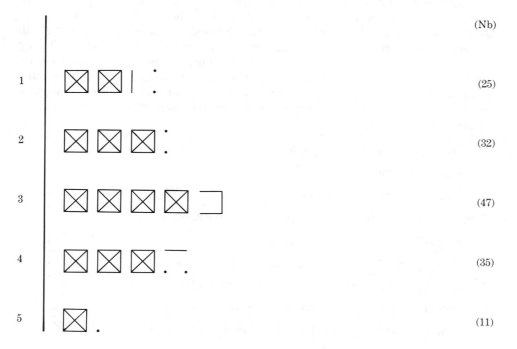

GRAPHE 2.8: Diagramme en feuilles des résultats de 150 étudiants de CEGEP à une question sur l'anxiété générale face aux mathématiques (version ⊠).

Cependant, à cause justement de cette plus grande compacité, la méthode des carrés n'offre pas un avantage visuel apparent sur la méthode des bâtonnets lorsqu'elle est utilisée dans un diagramme en feuilles. Au contraire, nous croyons que cette dernière méthode de compter est parfois plus suggestive des caractéristiques des données. Il faudrait probablement un exemple avec plusieurs centaines de données pour mieux apprécier les avantages de compacité de la méthode des carrés. Quoiqu'il en soit, il appert que l'une ou l'autre des versions illustrées aux graphes 2.7 et 2.8 présente une amélioration sensible par rapport à la version hypnotisante du graphe 2.6.

La dernière version du diagramme en feuilles qui sera présentée ici vaut surtout pour les comparaisons entre deux paquets de données. On l'appelle le *diagramme en feuilles dos-à-dos* ou « back-to-back stem-and-leaf ». Le graphe 2.9

(Nb)	G_1		G_2	(Nb)
(1)	1	4*	0	(1)
(7)	9 8 8 7 7 6 5	4.		
(2)	1 0	5*	0 1	(2)
(4)	9 7 7 6	5.	5	(1)
(4)	4 3 2 1	6*	0 1 1 1 4	(5)
(3)	7 6 5	6.	6 7 8	(3)
(1)	4	7*	0 1 1 4	(4)
(1)	6	7.	8	(1)

GRAPHE 2.9 : Diagramme en feuilles dos-à-dos de la comparaison des résultats en français d'élèves de deux groupes ayant respectivement une année (G_1) et trois années (G_2) dans un système d'enseignement individualisé.

illustre cette version du diagramme. On peut voir qu'il est relativement intéressant à utiliser lorsque les deux paquets de données se situent dans la même fourchette de scores (ex.: scores de deux classes ayant subi le même examen, fréquences d'apparition des mêmes comportements chez deux catégories d'enseignants, nombres d'objectifs spécifiques atteints par des étudiants de deux groupes, etc.)

Comme nous l'avons constaté à quelques reprises au cours des derniers paragraphes, il n'est souvent pas possible de déterminer a priori la version du diagramme en feuilles qui prévaudra pour tel ou tel paquet de données. Il n'y a en effet pas réellement de règles fixes pour la construction d'un diagramme en feuilles. Même si nous avons présenté plusieurs versions distinctes de ce diagramme, une foule d'autres versions existent, ou sont à découvrir. Il convient, bien sûr, de choisir la représentation visuelle la mieux adaptée aux données, celle qui fait le mieux ressortir la forme de la distribution du paquet de données.

Mais le chercheur devrait se permettre une très grande flexibilité lors de la construction d'un diagramme en feuilles. Il s'avère en outre prudent de faire plusieurs versions du diagramme avec le même paquet de données. Après tout, le diagramme en feuilles doit être perçu comme un instrument de travail, et à ce titre devrait être apprécié beaucoup plus pour ses qualités pratiques qu'esthétiques.

Son utilité

Représenter au mieux l'allure générale des données, telle est la fonction principale d'un diagramme en feuilles. En fait, le diagramme en feuilles permet de mettre les données en rang et d'obtenir d'un simple coup d'oeil une « vue » de ce que nous avons appelé « la forme de la distribution ».

Puisque, dans un diagramme en feuilles, les données sont en rang, il est possible et peut-être même souhaitable de calculer la médiane et l'étendue interquartile à partir de celui-ci.

La méthode des profondeurs présentée au cours de la section 2.2 sera utilisée pour ces calculs. Le graphe 2.10 illustre comment on peut y arriver à l'aide des données du graphe 2.5.

On doit tout d'abord noter le nombre total de données au bas de la colonne (Nb). Ici $n = 100$.

Puis, à partir du nombre de feuilles par tige, on peut compléter la colonne des profondeurs.

Afin d'y arriver, on trouve d'abord la profondeur de la médiane. On se souviendra que la profondeur de la médiane est égale au rang de la médiane. Ici, comme $n = 100$, la profondeur de la médiane est

$$\frac{1 + 100}{2} = 50{,}5.$$

			(Nb)	(Pr)
	2.	7	(1)	(1)
	3*	3	(1)	(2)
	3.	8 9	(2)	(4)
	4*	1 3 3 3 4	(5)	(9)
	4.	5 6 6 6 6 7 7 7 8 8 8 9 9	(13)	(22)
Q_1	5*	0 0 2 2 3 3 3 3 3 3 3 3 4 4 4 4	(16)	(38)
Md	5.	5 5 6 6 7 7 7 7 7 7 8 8 8 9 9 9	(17)	—
	6*	0 1 1 1 1 1 2 2 2 2 2 2 3	(13)	(45)
Q_3	6.	5 7 7 7 8 8 8 8 9	(9)	(32)
	7*	0 0 0 1 2 2 2 2 3	(9)	(23)
	7.	5 5 5 5 6 6 7 7 8 8 9	(11)	(14)
	8*	0 1 2	(3)	(3)

$(n = 100)$

Md	(50,5)		58		
Q	(25,5)	52		68	16
		27		82	55

GRAPHE 2.10:   Diagramme en feuilles des résultats en français d'un groupe de 100 élèves de sixième primaire (avec sommaires numériques).

En commençant à chaque extrémité du diagramme, on calcule ensuite pour chaque tige, la profondeur de la feuille la plus éloignée de cette extrémité et on l'enregistre dans la colonne (Pr). Ce calcul s'arrête lorsqu'on atteint, à partir d'une extrémité ou de l'autre, la tige qui contient la médiane. Le calcul de la profondeur est grandement simplifié si l'on note qu'elle correspond au cumul des nombres de la colonne (Nb) d'une ligne à l'autre. Par exemple, on trouve la profondeur de la donnée 44 en cumulant les nombres 1, 1, 2 et 5 de la colonne (Nb). On obtient donc 9. De même, le calcul de la profondeur de la donnée 65 s'effectue en additionnant les nombres 3, 11, 9 et 9; résultat: 32.

Une fois la colonne des profondeurs complétée, on calcule les quartiles Q_1 et Q_3 situés chacun à une profondeur de

$$\frac{1 + |50,5|}{2} = \frac{1 + 50}{2} = 25,5.$$

Tel qu'indiqué par des flèches appropriées sur le diagramme, on obtient alors $Md = 58$, $Q_1 = 52$, $Q_3 = 68$.

Il est pratique de résumer ces informations en utilisant le schéma suivant :

Profondeur de la médiane	Médiane		
Profondeur des quartiles	Premier quartile	Troisième quartile	Étendue interquartile
	Valeur inférieure	Valeur supérieure	Étendue

Dans ce cas,

Md (50,5)	58		
Q (25,5)	52	68	16
	27	82	55

Il est intéressant de regarder le *schéma numérique* en débutant par le coin inférieur gauche (valeur inférieure) et en terminant par le coin inférieur droit (valeur supérieure) tel que représenté :

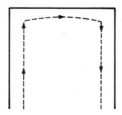

On obtient alors une vue non seulement synthétique, mais presque dynamique du paquet de données.

Comme nous venons de le voir, le diagramme en feuilles peut être très efficace pour le calcul des sommaires numériques, mais son utilité première reste bien sûr la représentation visuelle de la forme de la distribution d'un paquet de données.

Le graphe 2.11 illustre, à l'aide d'un diagramme en feuilles dos-à-dos, la distinction de forme entre les distributions des paquets P_1 et P_2 du tableau 2.1 décrits au tout début de cette section.

On s'efforcerait en vain de trouver deux distributions avec des formes aussi distinctes, autant pourrions-nous le croire à première vue ! Pourtant, rappelons-le, ces deux paquets ont le même nombre total de données, mêmes valeurs inférieure et supérieure, même étendue totale, même médiane, même étendue interquartile, même moyenne et même variance.

Forme standard

Afin de nous aider à étudier la forme d'une distribution des données décrite par un diagramme en feuilles, nous établirons une *forme standard*, c'est-à-dire une forme de référence plutôt neutre à laquelle nous pourrons comparer les autres formes. La distribution du paquet P_3, au graphe 2.12, respecte bien cette forme plutôt neutre.

(Pr)	(Nb)	P_1 leaves	stem	P_2 leaves	(Nb)	(Pr)
(10)	(10)	/N/ /N/	1	/N/ /N/ /N/ ///	(18)	(18)
(20)	(10)	/N/ /N/	2	/N/ ////	(9)	(27)
(31)	(11)	/ /N/ /N/	3	/N/ /	(6)	(33)
(42)	(11)	/ /N/ /N/	4	//	(2)	(35)
(53)	(11)	/ /N/ /N/	5	/N/ /N/	(10)	(45)
(64)	(11)	/ /N/ /N/	6	/N/ /N/ /N/ ////	(19)	(64)
(74)	(10)	/N/ /N/	7	/N/ /N/ ////	(14)	(78)
—	(14)	//// /N/ /N/	8	/N/ ////	(9)	—
(72)	(11)	/ /N/ /N/	9	////	(4)	(73)
(61)	(11)	/ /N/ /N/	10	/N/ /N/	(10)	(69)
(50)	(11)	/ /N/ /N/	11	/N/ /N/ /	(11)	(59)
(39)	(7)	// /N/	12	/N/ /N/ /N/ //	(17)	(48)
(32)	(10)	/N/ /N/	13	/N/ /N/ /N/ /N/	(20)	(31)
(22)	(11)	/ /N/ /N/	14	/N/ ////	(9)	(11)
(11)	(11)	/ /N/ /N/	15	//	(2)	(2)

GRAPHE 2.11 : Diagramme en feuilles dos-à-dos (version /N/) de deux paquets de données de formes distinctes mais avec mêmes mesures de tendance centrale et de dispersion.

	P_1			P_2
1	XXXX		1	X
2	XXXXXX		2	XX
3	XXXXX		3	XX
4	XXXX		4	XXX
5	XXX		5	XXXX
6	XX		6	XXXXX
7	XX		7	XXXXXX
8	X		8	XXX
9	X		9	

	P_3			P_4
1	X		1	X
2	XX		2	XXXXXX
3	XXX		3	XXXXX
4	XXXX		4	XXX
5	XXXXX		5	X
6	XXXX		6	XXX
7	XXX		7	XXXX
8	XX		8	XXXXXX
9	X		9	XX

GRAPHE 2.12: Diagramme en feuilles de quatre paquets présentant diverses formes de distribution.

En effet, contrairement aux autres paquets, les données du paquet P_3 sont distribuées symétriquement par rapport au centre ($Md = 5$), c'est-à-dire qu'il y a une symétrie par rapport au centre; de plus, on ne distingue qu'un seul sommet, soit un seul endroit où une tige comprend plus de données que les autres, et ce sommet se situe au centre.

Le *degré de symétrie* et le *nombre de sommets* sont deux éléments d'une distribution dont nous devons tenir compte prioritairement lorsque nous étudions la forme. On peut dire par exemple que les distributions des paquets P_1 et P_2 du graphe 2.12 ont une forme typiquement asymétrique, alors que le paquet P_4 comprend plusieurs sommets. Nous verrons au cours des chapitres subséquents l'importance de ces caractéristiques des distributions lorsque l'on effectue une analyse des données.

2.4 LE DIAGRAMME EN BOÎTE

Nous avons vu que le diagramme en feuilles permettait de mettre en valeur certaines caractéristiques d'un paquet de données. Il est possible en effet de calculer, à partir de ce diagramme, la médiane, les quartiles et d'étudier la forme de la distribution.

Cependant, le diagramme en feuilles a aussi ses limites. La souplesse de construction de ce genre de diagramme, qu'on a déjà soulignée plus haut, lui confère néanmoins une certaine imprécision. En effet, même si l'on peut aisément identifier la médiane et les quartiles, il est difficile de visualiser l'étendue inter-quartile à partir d'un tel diagramme. Du même coup, il devient malaisé d'étudier une autre caractéristique d'un paquet de données: la présence de valeurs aberrantes, c'est-à-dire de valeurs non conformes aux autres, de valeurs en quelque sorte éloignées du centre du paquet.

Le diagramme en feuilles du graphe 2.13, par exemple, montre une distribution de forme relativement symétrique, à un sommet. Il s'agit d'une forme bien standard. Le schéma au bas du diagramme donne les sommaires numériques. En somme, aucune caractéristique notoire n'est révélée par ce diagramme, du moins à première vue. Pourtant, en y regardant de plus près, on se rend compte que la donnée «40» est digne d'attention. Elle se démarque des autres données par sa petite valeur. Mais la façon dont le diagramme en feuilles est construit cache cette observation. En effet, le diagramme en feuilles n'est pas approprié pour détecter avec justesse la présence de valeurs aberrantes.

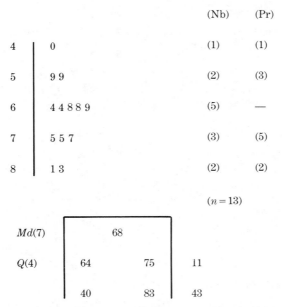

GRAPHE 2.13: Diagramme en feuilles de treize données fictives (avec sommaires numériques).

Le *diagramme en boîte* («box-and-whiskers plot»), qui nous vient aussi de Tukey [1977, p. 40], est présenté en partie pour combler ce genre de lacune. Comme nous pouvons le voir au graphe 2.14, qui représente le paquet de données du graphe 2.13, ce diagramme est construit à l'échelle.

Il comprend une boîte rectangulaire, à l'intérieur de laquelle se trouve un trait horizontal, et des traitillés (appelés moustaches) qui prolongent la boîte aux deux extrémités. Comme indiqué sur le diagramme, les extrémités de la boîte correspondent aux deux quartiles (calculés à l'échelle) et le trait horizontal à l'intérieur de la boîte correspond à la médiane. Ainsi, la dimension verticale de la boîte représente la différence réelle entre Q_3 et Q_1, soit l'étendue interquartile. On pourrait dire en fait que le diagramme en boîte permet de visualiser l'effet dynamique du schéma des sommaires numériques dont on a déjà parlé à la section précédente. Mais l'utilité de ce diagramme en tant qu'outil visuel va beaucoup plus loin.

Le diagramme en boîte permet en effet de détecter les valeurs aberrantes d'un simple coup d'oeil. Pour ce faire, il faut formaliser un peu plus ce que l'on entend par *valeur aberrante*. Tukey [1977, p. 44] souligne qu'une donnée se démarque des autres et peut donc être appelée valeur aberrante si elle est située à plus d'un saut de l'un ou l'autre des deux quartiles, où un *saut* égale une fois et demie la longueur de l'étendue interquartile. Dans notre exemple,

$$EI = Q_3 - Q_1 = 75 - 64 = 11.$$

Ainsi, le saut ici est $11 + 5,5 = 16,5$.

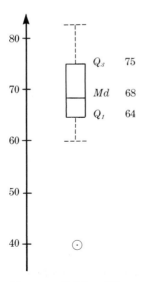

GRAPHE 2.14:   Diagramme en boîte de treize données fictives.

Donc toutes les données se trouvant soit en deçà de $64 - 16,5 = 47,5$, soit au delà de $75 + 16,5 = 91,5$, doivent être considérées comme des valeurs suspectes et potentiellement aberrantes. On identifie alors ces valeurs sur le diagramme par un signe bien distinctif comme « $\odot$ ». Comme on peut le constater au graphe 2.14, une seule valeur, 40, est située à plus d'un saut d'un des deux quartiles.

Afin de mieux voir l'étendue des données qui ne sont pas des valeurs aberrantes, des traitillés prolongent la boîte aux deux extrémités et correspondent aux données du paquet qui ne sont pas dans la boîte, mais qui restent cependant en deçà d'un saut de l'un ou l'autre quartile. Ainsi, au graphe 2.14, nous avons dessiné des traitillés en haut de la boîte jusqu'à la hauteur de la donnée la plus élevée du paquet qui n'est pas une valeur aberrante, donc 83. Nous avons ensuite dessiné des traitillés en bas de la boîte jusqu'à la plus petite donnée du paquet qui ne soit pas une valeur aberrante, donc 59.

D'un simple coup d'oeil, le diagramme en boîte permet donc d'évaluer de façon très précise la médiane, les quartiles Q_1 et Q_3, l'étendue interquartile et de détecter les valeurs aberrantes. Ce diagramme donne de plus une indication du degré de symétrie qui existe au centre de la distribution, soit entre le premier et le troisième quartile. En effet, plus le trait horizontal représentant la médiane se situe au milieu de la boîte, plus on pourra parler de symétrie au centre de la distribution.

L'utilité du diagramme en boîte ne s'arrête pas là: il permet aussi d'établir facilement une comparaison entre plusieurs paquets de données. On a vu, à la section 2.3, que le diagramme en feuilles dos-à-dos pouvait servir à une comparaison grossière entre deux paquets de données. Cependant, le diagramme en feuilles n'est parfois pas approprié pour comparer plus de deux paquets. Comme on peut le voir au graphe 2.15, il est bien difficile de visualiser les différences entre les caractéristiques des trois distributions.

Le graphe 2.16 présente les mêmes données sous forme de diagrammes en boîte. Cette fois, les distinctions entre les distributions sont exposées de façon beaucoup plus visible. On note en effet très clairement que la médiane augmente, mais que l'étendue interquartile diminue de P_1 à P_2 et de P_2 à P_3. On voit aussi de façon immédiate que la seule valeur aberrante appartient au paquet P_3.

Jusqu'ici, nous n'avons fait que louanger le diagramme en boîte pour ses multiples utilités. Mais attention, ce diagramme ne montre pas toutes les caractéristiques d'une distribution.

Regardons plutôt le graphe 2.17. On distingue deux diagrammes en boîte identiques en tous points. Pourtant, il existe une sérieuse différence entre les deux distributions comme on peut le constater au graphe 2.18. La distribution de P_1 comporte un seul sommet alors que la distribution de P_2 en comprend deux. Conclusion: ne jamais s'en tenir uniquement au diagramme en boîte pour étudier les caractéristiques d'une distribution. Tout comme le diagramme en feuilles, le diagramme en boîte a aussi ses limites.

P_1

		(Nb)	(Pr)
4*	1	(1)	(1)
$Q_1\to$4.	5677889	(7)	(8)
5*	0 1	(2)	(10)
$Md\to$5.	6779	(4)	—
$Q_3\to$6*	1234	(4)	(9)
6.	567	(3)	(5)
7*	4	(1)	(2)
7.	6	(1)	(1)
8*			

(n = 23)

P_2

		(Nb)	(Pr)
4*	4	(1)	(1)
4.	6	(1)	(2)
$Q_1\to$5*	0 3	(2)	(4)
$Md\to$5.	5	(1)	(5)
6*	4	(1)	(5)
$Q_3\to$6.	5 5	(2)	(4)
7*	3	(1)	(2)
7.			
8*	0	(1)	(1)

(n = 10)

P_3

		(Nb)	(Pr)
4*	0	(1)	(1)
4.			
5*	0 1	(2)	(3)
5.	5	(1)	(4)
$Q_1\to$			
$Md\to$6*	0 1 1 1 4	(5)	—
6.	6 7 8	(3)	(8)
$Q_3\to$7*	0 1 1 4	(4)	(5)
7.	8	(1)	(1)
8*			

(n = 17)

$Md(12)$	57		
$Q(6,5)$	48	63,5	15,5
	41	76	35

$Md(5,5)$	59,5		
$Q(3)$	50	65	15
	44	80	36

$Md(9)$	64		
$Q(5)$	60	70	10
	40	78	38

GRAPHE 2.15 : Diagramme en feuilles des résultats[8] en français de trois groupes d'élèves de sixième primaire ayant cheminé respectivement une (P_1), deux (P_2) et trois (P_3) années dans un système d'enseignement individualisé (avec sommaires numériques).

---

8. Voir Bégin, Y., déjà cité.

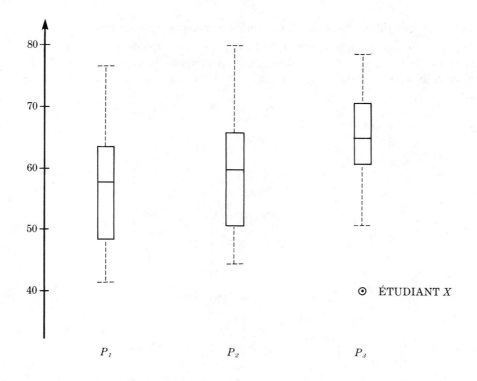

GRAPHE 2.16: Diagrammes en boîte des résultats en français de trois groupes d'élèves de sixième primaire ayant cheminé respectivement une (P_1), deux (P_2) et trois (P_3) années dans un système d'enseignement individualisé.

En vérité, ces deux types de diagrammes sont complémentaires.

C'est donc uniquement à partir de l'information combinée de ces diagrammes qu'il est possible d'étudier de façon adéquate les principales caractéristiques d'une distribution. Nous en ferons l'expérience plus d'une fois au cours du prochain chapitre.

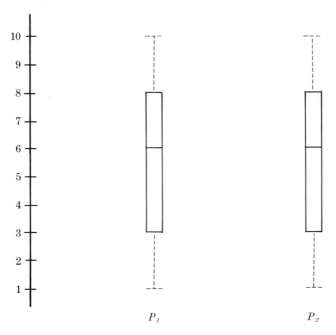

GRAPHE 2.17: Diagrammes en boîte identiques de deux distributions présentant des formes différentes.

	P_1						P_2	
(Pr)	(Nb)						(Nb)	(Pr)
(2)	(2)		XX	1	XX		(2)	(2)
(5)	(3)		XXX	2	XXXX		(4)	(6)
(8)	(3)	Q_1	XXX	3	XXX	Q_1	(3)	(9)
(11)	(3)		XXX	4	XX		(2)	(11)
(14)	(3)		XXX	5	X		(1)	(12)
—	(4)	Md	XXXX	6	X	Md	(1)	—
(11)	(3)		XXX	7	XXX		(3)	(12)
(8)	(3)	Q_3	XXX	8	XXX	Q_3	(3)	(9)
(5)	(3)		XXX	9	XXXX		(4)	(6)
(2)	(2)		XX	10	XX		(2)	(2)

GRAPHE 2.18: Diagramme en feuilles dos-à-dos de deux distributions de formes distinctes mais possédant un diagramme en boîte identique.

2.5 CONCLUSION

Cette initiation à l'analyse exploratoire s'est concentrée sur la présentation de quelques concepts utiles pour exposer visuellement les principales caractéristiques d'une distribution. On a su noter l'inestimable importance de représenter graphiquement les données à analyser.

Le diagramme en feuilles auquel on a maintes fois fait référence est un outil simple, visuel, et économique qui renferme un maximum d'informations pertinentes. En effet, ce type de diagramme permet de garder les données à vue en même temps qu'il nous renseigne sur la forme de la distribution: il fait fonction de tableau de référence aussi bien que de diagramme de distribution de fréquences. En outre, les multiples versions qu'il nous a été permis de présenter témoignent de la grande souplesse du diagramme en feuilles.

Nous avons choisi la médiane et l'étendue interquartile comme sommaires numériques. Ces mesures de tendance centrale et de dispersion sont moins populaires que la moyenne et la variance, mais plus fiables et plus résistantes aux valeurs aberrantes. En ajoutant à ces sommaires les quartiles (Q_1 et Q_3), les valeurs inférieure et supérieure du paquet de données ainsi que l'étendue totale, nous avons pu constituer un schéma qui s'est montré un bien fidèle compagnon du diagramme en feuilles.

C'est surtout pour nous aider à détecter des valeurs aberrantes et pour comparer plusieurs paquets de données que le diagramme en boîte a été introduit. Simple, suggestif, visuel et précis puisque construit à l'échelle, ce diagramme nous a fait voir comment il pouvait mettre en évidence la dispersion ainsi que les valeurs aberrantes d'un paquet de données.

Nous verrons au prochain chapitre comment les qualités diagnostiques du diagramme en boîte aideront à la poursuite de l'analyse exploratoire.

C'est en discutant d'un point qui n'a pas encore été traité que nous allons conclure ce chapitre : la sous-utilisation des diagrammes en analyse des données. Il peut sembler défendable de ne voir que très peu de diagrammes en feuilles ou de diagrammes en boîte dans les articles de revues scientifiques et dans les volumes de statistique appliquée. Après tout, la diffusion à grande échelle de ces graphiques est encore récente et souvent difficile d'accès. En effet, Tukey a son propre vocabulaire qui s'éloigne parfois beaucoup de la terminologie traditionnelle et qui n'est repris que partiellement par les autres spécialistes de l'analyse exploratoire. Le résultat en est une terminologie hybride mal assimilée et quelquefois erronée.

Il est cependant beaucoup plus étrange de ne voir que trop rarement, dans ces mêmes articles ou volumes, des représentations graphiques classiques comme l'histogramme, le graphe cartésien... Question d'argent, d'espace, ou de techniques d'impression ? Cela fait-il trop « descriptif » ? Quoiqu'il en soit, nous pensons que le dicton « une image vaut mille mots » demeure toujours vrai et que, bien souvent même, rien ne peut remplacer la fonction pédagogique d'un graphique.

Nous faisons le double voeu en terminant que d'une part, les nouveaux diagrammes présentés ici facilitent, par leur simplicité de construction et leur richesse visuelle, une éclosion ou une redécouverte de l'utilisation des graphiques, et que d'autre part, ils donnent au *chercheur* le goût de l'analyse des données, de *ses* données.

2.6 RECOMMANDATIONS ET LECTURES PROPOSÉES

Recommandations

1) Employer la médiane et l'étendue interquartile comme sommaires numériques : ils sont souvent plus résistants et plus appropriés que la moyenne et la variance pour l'analyse exploratoire.

2) Utiliser le diagramme en feuilles, plutôt que les diagrammes conventionnels comme l'histogramme ou le polygone de fréquences, pour représenter la forme de la distribution tout en conservant les données à vue.

3) Utiliser des schémas de sommaires numériques, puisqu'ils constituent un bon moyen d'enrichir les informations données par un diagramme en feuilles.

4) Se servir du diagramme en boîte pour mieux mettre en évidence les valeurs aberrantes et pour comparer plusieurs paquets de données.

5) Représenter les données d'un paquet de données au moyen des deux diagrammes complémentaires, le diagramme en feuilles et le diagramme en boîte, constitue une excellente façon d'étudier les caractéristiques d'une distribution.

Lectures proposées

ERICKSON, B.H., NOSANCHUK, T.A., [1977] *Understanding Data*, McGraw-Hill Ryerson Ltd, Toronto, chap. 2, 3, 4.

HARTWIG, F., DEARING, B.E., [1979]*Exploratory data analysis*, SAGE Publications INC, Beverly Hills, pp. 13-31.

HOAGLIN, D.C., MOSTELLER, F., TUKEY, J.W., [1983] *Understanding robust and exploratory data analysis*, John Wiley & Sons, New York, chap. 1, 2 et 3.

LEINHARDT, G., LEINHARDT, S., [1980] Exploratory data analysis: New tools for the analysis of empirical data, *Review of Research in Education*, Vol. 8.

MOSTELLER, F., TUKEY, J.W., [1968] Data analysis, including statistics, *The Handbook of Social Psychology*, Vol. II, pp. 112-122.

MOSTELLER, F., FIENBERG, S.E., ROURKE, R.E.K., [1983]*Beginning statistics with data analysis*, Addison-Wesley, Reading, Mass., chap. 1, 2.

TUKEY, J.W., [1977] *Exploratory data analysis*, Addison-Wesley, Reading, Mass., chap. 1, 2.

VELLEMAN, P.F., HOAGLIN, D.C., [1981] *Applications, basics and computing of exploratory data analysis*, Duxbury Press, Boston, Mass., chap. 1, 2, 3.

WAINER, H., THISSEN, D., [1981] Graphical data analysis, *Annual Review of Psychology*, Vol. 32, pp. 191-241.

CHAPITRE 3

Méthodes de l'analyse exploratoire

3.1 INTRODUCTION

Jusqu'ici, nous avons présenté certains concepts exploratoires en vue d'exposer les données le mieux possible de façon graphique et de faire ressortir les principaux sommaires numériques. Il nous a été permis d'apprécier plus d'une fois l'importance de représentations graphiques ou schématiques adéquates. Le chapitre précédent a en effet initié le lecteur au diagramme en feuilles, servant à exposer l'allure générale d'une distribution de données, au diagramme en boîte, utile pour repérer les valeurs aberrantes ou comparer plusieurs paquets de données, et aux schémas des sommaires numériques garantissant une synthèse agencée des sommaires retenus.

Ces outils en main, il va être possible maintenant de vivre, étape par étape, une analyse exploratoire. Celle-ci se voulant plutôt informelle, les procédures que nous présenterons au cours des prochaines sections devront être comprises comme des suggestions, sans plus. Chaque paquet de données étant unique en soi, les procédures doivent être simples, interchangeables et même doivent permettre certaines innovations à l'utilisateur. C'est dans ce contexte que le présent chapitre a été rédigé.

Les concepts, méthodes et procédures présentées dans ce chapitre sont adaptées de Tukey [1977], Erickson et Nosanchuk [1977], Hartwig et Dearing [1979], Mosteller et Tukey [1977], Leinhardt et Leinhardt [1980], Leinhardt et Wasserman [1979 a], Velleman et Hoaglin [1981], Mosteller, Fienberg et Rourke [1983] et Hoaglin, Mosteller et Tukey [1983].

3.2 MODÈLES ET PROCÉDURES

Lors de l'étude exploratoire d'un ou de plusieurs paquets de données, il importe de rendre compte le plus fidèlement possible de la distribution du ou des paquets de données. Il faut décrire au mieux leurs principales caractéristiques: mesure de tendance centrale, mesure de dispersion, forme (degré de symétrie, nombre de sommets), et valeurs aberrantes éventuelles.

Nous avons développé au cours du dernier chapitre plusieurs outils pour mettre en évidence ces caractéristiques: le lecteur se souviendra d'outils graphiques comme le diagramme en feuilles, le diagramme en boîte, ou d'outils plus proprement numériques comme le schéma des sommaires numériques. Toutefois, comment procéder pour les mettre en valeur? Nous voulons décrire de façon analytique, soit! Mais par quelles caractéristiques débuter? De quelle façon se servira-t-on des outils à notre disposition? Quel sera le lien de cette étude exploratoire avec l'analyse confirmatoire subséquente?

La ou les réponses universellement reconnue(s) à ces questions n'existent pas. Nous ne parlerons donc pas de *la* procédure à suivre en analyse des données exploratoire. Par contre, *une* procédure peut être tentée, en tenant compte du contexte, c'est-à-dire des objectifs de l'analyse en question, des distributions de données en main, etc. C'est là un aspect sur lequel nous avons déjà attiré l'attention: en analyse exploratoire, il y a peu de lois fixes, de recettes indéfectibles, mais au contraire beaucoup de place pour le jugement (du chercheur), pour l'innovation. Ce qui a fait dire d'ailleurs que l'A.E.D. tient beaucoup de l'art[1]: l'expérience pratique que l'on en fait est au moins aussi importante que son étude.

Cependant, le lecteur novice en A.E.D. trouvera à n'en pas douter, dans les éléments présentés par la suite, des suggestions qui pourront grandement lui servir pour ses futurs travaux exploratoires. Nous soulignerons au passage les «suggestions» qui nous paraissent très difficilement négociables (nous avons promis «peu de lois fixes» et non «*pas* de loi fixe», d'accord!).

Comme première suggestion (d'ailleurs entérinée par la plupart des auteurs déjà cités en A.E.D.), nous proposons un *modèle général* qui emploie une procédure itérative:

$$\text{DONNÉE} = \boxed{\text{AJUSTEMENT} \mid \text{RÉSIDU}}$$

Toute donnée sera donc considérée comme étant la résultante de deux composantes: un *ajustement* à une des caractéristiques déjà étudiée d'une distribution et un *résidu* comprenant les autres caractéristiques (non ajustées).

Concrétisons un peu cette procédure itérative et ce modèle. Procédure itérative signifie pour nous une étude de chaque caractéristique des distributions, une à la fois. Par exemple, nous étudierons d'abord la tendance centrale (ex. médiane) d'une distribution, la comparant d'un paquet à l'autre, recherchant des indices pour

---

1. Voir Mosteller et Tukey [1977, p. 1].

expliquer les écarts, etc. Puis, lorsque l'étude de cette mesure sera effectuée à notre satisfaction, nous devrons la mettre de côté, l'enlever pour mieux percevoir une autre caractéristique intéressante de la distribution, comme par exemple la dispersion. Pour ce faire, nous aurons en tête le *modèle additif*:

$$\text{donnée} = \text{médiane} + \text{résidu}$$

où chaque donnée sera ajustée à la médiane. L'étude des résidus (donc des données épurées de la caractéristique «tendance centrale» mesurée par la médiane) nous permettra de mieux voir la caractéristique «dispersion».

Un exemple numérique servira à améliorer la compréhension de cette procédure. Le graphe 3.1 présente les données du graphe 2.15 ainsi que les résidus après ajustement à la médiane de chacun des trois paquets considérés. Comme on peut le vérifier aisément, l'ajustement a pour conséquence d'annuler la médiane de chacun des paquets de résidus.

En fait, l'intérêt de l'ajustement d'un paquet de données est double. Il permet de conserver intactes les autres caractéristiques de la distribution étudiée: les résidus auront la même dispersion, la même forme et la (les) même(s) valeur(s) aberrante(s) (le cas échéant) que les données initiales. De plus, il permet de mieux comparer visuellement les autres caractéristiques des distributions et en particulier la dispersion.

Comme on peut le voir au graphe 3.2, le fait d'égaliser les trois médianes initiales à une médiane commune «0» (d'ajuster les données à la médiane) favorise l'inspection de la mesure de dispersion retenue (soit l'étendue interquartile) pour comparer les trois paquets de données. Par exemple, il est apparent selon ce diagramme que l'étendue interquartile (c.-à-d. l'étendue des boîtes) de P_1 et de P_2 ne diffère pas beaucoup mais que celle de P_3 semble sensiblement inférieure aux deux premières. Cette lecture serait peut-être un peu moins aisée à effectuer à partir des diagrammes des données initiales (voir graphe 2.16), compte tenu des différences de médiane. En général, plus les médianes seront distinctes d'un paquet à l'autre, plus la comparaison visuelle entre les mesures de dispersion des divers paquets sera complexe, et donc plus l'ajustement sera d'un apport utile. Le graphe 3.3 en offre un cas flagrant. Après avoir ajusté ces données à la médiane pour chaque paquet, on obtient les diagrammes en boîte des résidus au graphe 3.4. Ne serait-il pas plus simple de comparer l'étendue interquartile entre ces cinq paquets à l'aide de ce dernier graphe? C'est au lecteur à en juger.

Une fois complétée l'étude de cette dernière caractéristique (la dispersion) avec les données ajustées à la médiane (c.-à-d. les résidus), il est possible de la

P_1 (données)

```
        4*  | 1
Q₁ →    4.  | 5677889  ↓
        5*  | 01
Md →    5.  | 6779  ↓
Q₃ →    6*  | 1234  ↓
        6.  | 567
        7*  | 4
        7.  | 6
        8*  |
```
(*Md* = 57)

P_2 (données)

```
        4*  | 4
        4.  | 6  ↓
Q₁ →    5*  | 03  ↓
Md →    5.  | 5
        6*  | 4  ↓
Q₃ →    6.  | 55
        7*  | 3
        7.  |
        8*  | 0
```
(*Md* = 59,5 tronquée à 59)

P_3 (données)

```
          4*  | 0
          4.  |
          5*  | 01
          5.  | 5
Q₁ →
Md →      6*  | 01114  ↓   ↓
          6.  | 678  ↓
Q₃ →      7*  | 0114
          7.  | 8
          8*  |
```
(*Md* = 64)

P_1 (résidus)

```
       -1.  | 6
       -1*  | 2100
       -0.  | 99876
       -0*  | 1
        0*  | 0024
        0.  | 56789
        1*  | 0
        1.  | 79
        2*  |
```
(*Md* = 0)

P_2 (résidus)

```
       -1.  | 5
       -1*  | 3
       -0.  | 96
       -0*  | 4
        0*  |
        0.  | 566
        1*  | 4
        1.  |
        2*  | 1
```
(*Md* = 0,5 tronquée à 0)

P_3 (résidus)

```
       -2*  | 4
       -1.  |
       -1*  | 43
       -0.  | 9
       -0*  | 4333
        0*  | 0234
        0.  | 677
        1*  | 04
        1.  |
```
(*Md* = 0)

GRAPHE 3.1: Diagrammes en feuilles des données de base et des résidus (ajustés à la médiane) de trois groupes d'élèves.

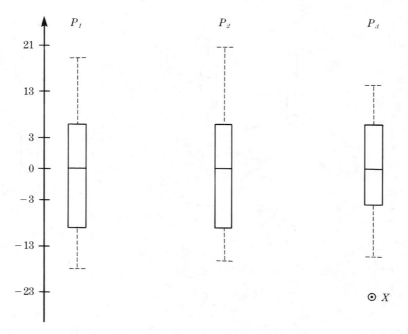

GRAPHE 3.2: Diagrammes en boîte des données ajustées à la médiane de trois groupes d'élèves.

mettre de côté elle aussi en ajustant ces résidus à l'aide de la mesure de dispersion déjà étudiée. Il s'agit donc d'égaliser cette mesure à travers les distributions considérées. Or le lecteur réalisera très rapidement, en tentant l'expérience, que le modèle additif mis de l'avant dans le cas de la médiane est inadéquat pour égaliser l'étendue interquartile (notre mesure de dispersion) entre les paquets de données étudiées.

Nous devrons plutôt penser à un *modèle multiplicatif* pour traiter les mesures de dispersion:

$$\text{donnée } (Md) = \text{ajustement} \times \text{résidu},$$

en se souvenant que la «donnée (Md)» ici est déjà ajustée à la médiane (elle est donc en quelque sorte un résidu elle aussi) et que l'ajustement réfère à la mesure de dispersion choisie, soit l'étendue interquartile.

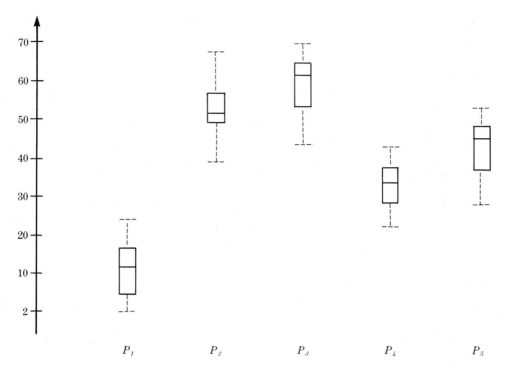

GRAPHE 3.3: Diagrammes en boîte de cinq paquets de données avec médianes distinctes.

Nous avons donc plus précisément:

donnée initiale − médiane = étendue interquartile × résidu
ou bien,

$$\text{résidu} = \frac{\text{donnée initiale} - \text{médiane*}}{\text{étendue interquartile}}$$

Nous appellerons ces résidus des données *standardisées*, car la médiane de ces résidus est 0 et leur étendue interquartile est 1.

Ce dernier ajustement permettra de mieux étudier les caractéristiques des distributions non encore égalisées: soit la forme (degré de symétrie, nombre de sommets) et les valeurs aberrantes (le cas échéant).

---

* Cette équation doit sûrement rappeler à plusieurs lecteurs la bonne vieille cote $z = \dfrac{x - m}{e}$ de moyenne 0 et d'écart-type 1, où m signifie moyenne et e, écart-type.

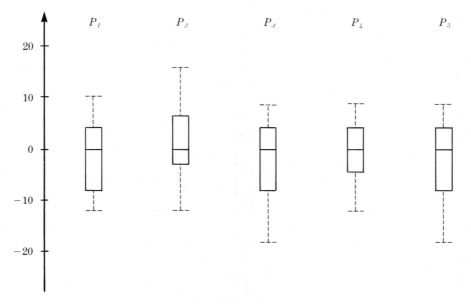

GRAPHE 3.4: Diagrammes en boîte des résidus de cinq paquets de données ajustées à la médiane.

Le graphe 3.5 présente les diagrammes en boîte de cinq paquets de données (voir les graphes précédents) ajustées à la médiane («0») et à l'étendue interquartile («1»). Ce graphe nous montre que les mesures de tendance centrale et de dispersion n'expliquent pas complètement (les différences entre) ces distributions. En effet, même après avoir tenu compte de ces mesures (en les égalisant à travers les paquets!), on note des distinctions entre les distributions. On peut voir par exemple que P_4 semble posséder une forme plutôt symétrique au centre (Q_3 et Q_1 sont situés à la même distance de Md) alors que P_2 est nettement asymétrique vers le haut (Q_3 est plus éloigné de Md que Q_1) et que P_1, P_3 et P_5 paraissent posséder aussi une forme asymétrique, mais vers le bas cette fois-ci (Q_1 plus éloigné de Md que Q_3).

Remarquons que pour poursuivre l'étude de la forme de ces distributions, nous aurions besoin des divers diagrammes en feuilles, en particulier pour vérifier le nombre de sommets.

Enfin, comme on peut le constater sur le graphe 3.5, aucun paquet ne possède de valeur(s) aberrante(s).

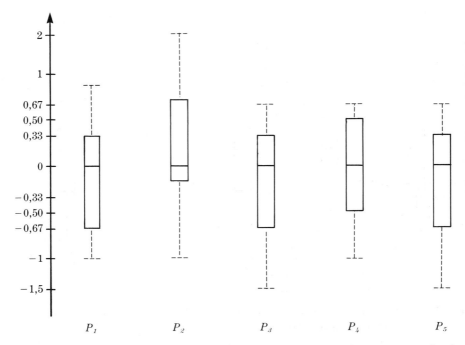

GRAPHE 3.5:   Diagrammes en boîte des résidus de cinq paquets de données
ajustées à la médiane et à l'étendue interquartile.

Une fois que les différences de formes perçues entre les distributions sont
expliquées et interprétées à la convenance du chercheur, il adviendra de mettre de
côté cette caractéristique pour aller encore plus loin dans l'analyse exploratoire.

Alors que l'ajustement aux mesures de tendance centrale et de dispersion
constitue une simple «suggestion» intéressante pour mieux voir les autres caractéristiques des distributions, l'ajustement à la forme (aussi appelé transformation),
lui, est un élément essentiel à l'analyse (disons très fortement recommandé dans la
plupart des cas!). C'est de ce sujet d'une importance capitale dont il sera question
au cours de la prochaine section.

3.3   TRANSFORMATION DES DONNÉES

Nous avons vu précédemment que l'ajustement à la médiane se faisait en sous-
trayant de chaque donnée la médiane du paquet concerné, en vue d'obtenir une
médiane identique pour chaque paquet de données ajustées (résidus), soit 0.

Le modèle utilisé était alors:

$$\text{résidu} = \text{donnée} - \text{médiane}.$$

De même, l'ajustement à l'étendue interquartile s'est fait en divisant les données ajustées à la médiane (c.-à-d. les résidus ci-dessus) par l'étendue interquartile du paquet concerné en vue d'obtenir une étendue interquartile identique pour chaque paquet de données ajustées, soit 1. Nous avons alors utilisé le modèle:

$$\text{résidu} = \frac{\text{donnée} - \text{médiane}}{\text{étendue interquartile}}$$

Par analogie, pour l'ajustement à la forme, nous voulons que la forme de chaque paquet de données ajustées soit la même. Laquelle?

Eh bien! Il est clair que nous voudrons autant que possible une forme simple, bien définie et facile à identifier. La *forme standard* dont il a été question à la section 2.3 semble très bien respecter ces critères. Sa symétrie et son sommet unique lui confèrent une apparence bien précise, plutôt neutre. De plus, nous devrons maintes fois avoir recours à une variante de cette forme de distribution plus loin dans le texte[2]. Alors, c'est entendu, suffisamment d'éléments militent en faveur de cette forme standard. Nous l'adoptons. L'ajustement à la forme sera fait de manière à ce que chaque paquet de données étudié obtienne cette même forme standard.

Comment procéderons-nous pour ajuster les données à la forme? Divisons le problème en deux. La forme standard comporte deux éléments: la symétrie et l'unicité du sommet. Étudions d'abord ce dernier point, nettement plus simple. Nous voulons savoir comment traiter une distribution de données qui montre plusieurs sommets. Nous proposons de scinder le paquet initial de données en autant de (sous-) paquets qu'il y a de sommets, de telle sorte que l'on obtienne pour chaque nouveau (sous-) paquet un seul et unique sommet. Il va sans dire que le jugement de l'analyste y est pour beaucoup dans cette décision. C'est lui qui devra diagnostiquer d'une manière subjective s'il y a vraiment de multiples sommets. Cette étude pourra parfois se montrer complexe, mais bien souvent l'analyste saura diviser les paquets de données de façon naturelle: comme dans le cas où l'on a regroupé les scores à un examen de rendement scolaire de deux classes, chacune obtenant des performances bien distinctes. Le graphe 3.6 montre un cas bien typique d'une distribution qui a deux sommets[3]. Or la réalité est rarement si

---

2.   Nous verrons au cours des chapitres suivants que plusieurs méthodes d'analyse des données confirmatoire exigent une distribution de forme dite «normale». Celle-ci peut être généralement assez bien approximée par notre forme «standard».

3.   Rappelons au passage que l'étude de sommets multiples s'effectue à l'aide du diagramme en feuilles.

```
1 │ XXXX

2 │ XXXXX

3 │ XXXXXX

4 │ XXXXXX

5 │ XXX

6 │ XXXXX

7 │ XXXXXXX

8 │ XXXXX

9 │ XXX
```

GRAPHE 3.6: Diagramme en feuilles d'une distribution quelconque à deux sommets.

révélatrice. Regardons plutôt le graphe 3.7 constitué de données réelles. La situation est un peu moins évidente. La branche «4.», qui contient sept feuilles ou sept données, rivalise d'assez près avec la branche «6*» avec ses neuf données. On a donc une possibilité de deux sommets. Mais peut-être s'agit-il là simplement d'un élément d'asymétrie? Un retour à l'analyse de la provenance de ces données pourra nous éclairer: en vérité, les données du graphe 3.7 constituent le regroupement des données des deux paquets P_1 et P_3 exposés au graphe 3.1! L'analyste serait donc justifié ici de scinder ces données en deux paquets d'une façon bien naturelle et d'étudier séparément la distribution de chaque paquet.

Lorsque la recherche et le traitement des sommets multiples (le cas échéant) d'une distribution sont terminés, une tâche beaucoup plus subtile attend l'analyste. Il s'agit de déterminer le degré d'asymétrie de la distribution et de le corriger.

Comme pour l'étude de sommets multiples, l'analyse de l'asymétrie d'une distribution se pratique à l'aide de diagrammes. Cet élément de la forme se perçoit donc mieux visuellement ou géométriquement. Encore ici, le diagramme en feuilles peut être d'une grande utilité, comme le montre le graphe 3.8.

4*	0 1
4.	5 6 7 7 8 8 9
5*	0 0 1 1
5.	5 6 7 7 9
6*	0 1 1 1 1 2 3 4 4
6.	5 6 6 7 7 8
7*	0 1 1 4 4
7.	6 8

GRAPHE 3.7: Diagramme en feuilles d'une distribution de scores d'étudiants à un examen de rendement scolaire en français.

XX	1	X
XXXXXXX	2	XX
XXXXX	3	XXX
XXXX	4	XXX
XXX	5	XXXX
XX	6	XXXXX
XX	7	XXXXX
X	8	XXXXXX
X	9	XXXXXXX
	10	XXXXXXXXX
	11	XXX
	12	

GRAPHE 3.8: Diagramme en feuilles dos-à-dos de deux distributions de forme asymétrique.

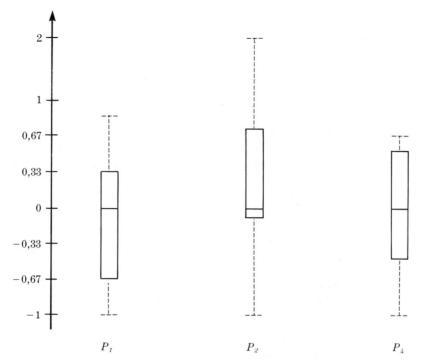

GRAPHE 3.9 :   Diagrammes en boîte de trois distributions montrant une asymétrie différente.

Cependant, comme il arrive fréquemment que l'on doive comparer plusieurs paquets des données en même temps pour rechercher l'asymétrie commune de ces diverses distributions, nous ferions mieux de nous habituer dès maintenant à utiliser le diagramme en boîte. On se rappellera que ce diagramme est très bien adapté pour comparer plusieurs paquets de données simultanément. Le recours aux deux types de diagrammes agissant de façon complémentaire n'est bien sûr pas exclu non plus, au contraire.

Voyons un peu comment on peut étudier visuellement l'asymétrie d'une distribution à l'aide du diagramme en boîte.

Les diagrammes en boîte des paquets P_1, P_2 et P_4 du graphe 3.5 sont repris au graphe 3.9. On constate que la médiane (Md) de P_4 est située à égale distance entre les deux quartiles Q_1 et Q_3: elle divise la boîte ainsi formée en deux parties égales. On dira alors que la distribution de P_4 est «symétrique au centre».

Nous porterons généralement une très grande attention à ce type de symétrie. Les distributions de P_1 et P_2 souffrent de manque de symétrie au centre. Pour P_2, la distance entre Md et Q_1 est plus petite que celle entre Md et Q_3: nous dirons qu'il y a *asymétrie au centre vers le haut*. Comme le phénomène inverse existe pour P_1, nous dirons que cette distribution est *asymétrique au centre vers le bas*.

Jusqu'à présent, nous avons simplement constaté de façon visuelle l'asymétrie de certaines distributions. Les exemples étudiés semblaient assez clairs. Or il n'en est pas toujours ainsi: des cas beaucoup plus subtils d'asymétrie peuvent se présenter et confondre l'oeil du néophyte. De plus, nous ne pouvons nous borner au seul constat visuel, il nous faut corriger l'asymétrie. C'est pourquoi nous avons besoin d'outils objectifs (un peu algébriques) nous permettant non seulement d'identifier, mais aussi de corriger cet élément capital de la forme d'une distribution.

Pourquoi faut-il corriger la forme de la distribution? Voici un exemple qui l'illustre. Le graphe 3.10 présente la distribution d'un paquet de données P qui manifeste une asymétrie vers le haut, et plusieurs valeurs aberrantes semblent présentes.

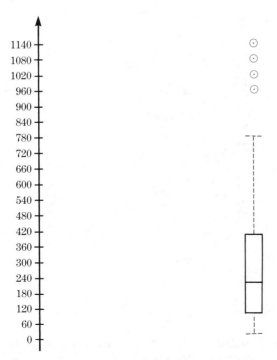

GRAPHE 3.10:   Diagramme en boîte d'un paquet de données avec distribution asymétrique vers le haut et plusieurs valeurs aberrantes.

On a $P = \{16, 25, 25, 36, 49, 100, 100, 121, 144, 169, 225, 256, 324, 361, 361, 400,$
784, 961, 1024, 1089, 1156\}

Il serait difficile ici d'interpréter ces nombreuses valeurs aberrantes, compte tenu de la grande particularité de cette forme. Afin de corriger ce problème, nous n'avons d'autre choix que de changer cette forme particulière pour en arriver à notre forme standard qui nous permettra d'interpréter adéquatement ces valeurs aberrantes. Nous appellerons ce changement de forme une *transformation*. Le graphe 3.11 présente les données transformées du graphe 3.10 à l'aide de la fonction «racine carrée». Nous voyons bien qu'il n'y a plus de valeurs aberrantes. Notre transformation a rapproché ces valeurs du reste des données du paquet.

En fait, il semble que ce soit cette forme asymétrique qui rendait suspectes certaines données.

Ainsi, il semble plus adéquat de faire l'étude des valeurs aberrantes lorsque la forme de la distribution est standard, ou après une transformation vers cette forme.

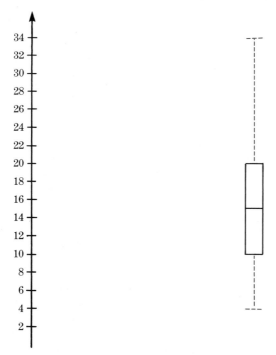

GRAPHE 3.11: Diagramme en boîte d'un paquet de données transformées par la fonction $\sqrt{X}$; on distingue une symétrie au centre et l'absence de valeurs aberrantes.

Nous exposerons à la section suivante certaines règles qui nous permettront de choisir la bonne fonction ($\sqrt{X}$, Log (X), $-1/X, \ldots$) pour transformer les données vers la forme standard.

3.4 RÈGLES DE TRANSFORMATIONS

Introduction

Souvenons-nous que l'idée de transformer les données a été introduite pour corriger les problèmes d'asymétrie. Notre objectif principal sera donc de rechercher des transformations qui peuvent modifier la forme asymétrique d'une distribution, afin de se rapprocher le plus possible de la forme standard. Ceci constituera une étape de plus dans notre procédure itérative (section 3.3), qui nous permettra d'aller encore plus à fond dans l'analyse exploratoire des données.

Quelles transformations utiliserons-nous? Les transformations que nous proposerons seront toutes *monotones*[4] non linéaires. En réalité, le choix de l'une ou l'autre des transformations dépendra du type d'asymétrie observée (vers le haut ou vers le bas, prononcée ou pas).

Plusieurs règles peuvent être proposées pour choisir la bonne transformation qui rendra les données symétriques. Cette opération pourra se faire à l'aide d'un scalpel ou d'une hache. Le type de chirurgie utilisé changera donc de façon mineure ou au contraire de façon draconienne la forme originale de la distribution.

Avant de présenter le modèle que nous adopterons pour ajuster une distribution à la forme standard, il importe de faire les constatations suivantes.

L'ajustement à la forme se fait sur les *données initiales* et non sur les données ajustées à la médiane et à l'étendue interquartile. En effet, comme nous le verrons, il est souvent très intéressant de faire l'étude comparative des mesures de tendance centrale et de dispersion de plusieurs paquets de données *après* une transformation. Or, il est clair que si l'on transforme les données déjà ajustées à la médiane et à l'étendue interquartile, cette étude n'est plus possible puisque les divers paquets ont alors même mesure de tendance centrale et même mesure de dispersion.

En fait, comme l'ajustement à la forme a pour objectif d'obtenir la forme standard, l'analyste est en droit d'effectuer une étude approfondie de toutes les caractéristiques des distributions *après transformation*. Mais alors le lecteur peut se demander l'utilité d'un quelconque travail ou d'une quelconque étude de ces caractéristiques (en particulier des mesures de tendance centrale et de dispersion) *avant transformation*: c'est-à-dire comme nous l'avons entrepris (et *suggéré*) à la section 3.3!

---

4. Voir l'appendice I.

Nous pouvons bien sûr affirmer que l'étude, puis l'ajustement préalable des données aux mesures de tendance centrale et de dispersion, ont permis d'une part une première comparaison de ces mesures entre les paquets concernés, et d'autre part une estimation visuelle plus adéquate des éléments de la forme des distributions. Cependant, dans cette matière comme dans bien d'autres, l'A.E.D. n'offre pas de réponse unique. Ça dépend!

Nous tenterons tout de même une *suggestion* face à ce dilemme: par quelle(s) caractéristique(s) de la distribution devrions-nous débuter l'analyse?

Nous suggérons à l'analyste de débuter son étude par la caractéristique qui lui semble la plus *apparente*, celle qui ressort le plus des données. Ceci permettra du même coup de débuter par une caractéristique qui paraît le mieux expliquer (les différences entre) les distributions étudiées et d'ajuster cette caractéristique, puisque si elle est très apparente, elle doit cacher les autres caractéristiques et en empêcher une étude adéquate.

Si, par exemple, après avoir comparé visuellement les diagrammes en feuilles et en boîte de plusieurs paquets, on se rend compte que les distributions semblent sensiblement symétriques à un sommet, et d'étendues interquartiles comparables, mais que par contre les médianes sont nettement distinctes d'un paquet à l'autre, on pourra être justifié de débuter l'analyse par l'étude, puis l'ajustement des médianes.

D'un autre côté, si l'asymétrie de plusieurs paquets est flagrante mais que ni les sommets multiples, ni la différence des mesures de tendance centrale, ni la différence des mesures de dispersion ne semblent très apparentes, c'est alors par une transformation des données (ajustement à la forme) qu'il faut débuter l'analyse: la comparaison des mesures de tendance centrale et de dispersion se fera à l'aide des données une fois transformées[5].

Même l'étude des sommets multiples peut se faire après transformation, dans un cas par exemple où il y a incertitude: on observe dans les données initiales plusieurs regroupements, mais on ne peut s'assurer qu'il s'agit de plusieurs sommets. Les données transformées seront susceptibles de révéler, à l'aide du diagramme en feuilles, si cette tendance se confirme ou non. Si c'est le cas, la même procédure de division en sous-paquets est alors de rigueur, mais cette fois-ci avec les données transformées.

Un dernier point: l'interprétation définitive des *valeurs aberrantes* devrait se faire *après* la transformation seulement (le cas échéant). En effet, les valeurs

---

5.   À ce chapitre, il convient d'indiquer que les transformations de données dont nous parlerons respectent l'ordre des données, donc des médianes et des étendues interquartiles: par exemple, si la médiane d'un paquet A est plus petite que la médiane du paquet B, la médiane du paquet A transformé sera plus petite que la médiane du paquet B transformé.

aberrantes détectées avant une transformation peuvent simplement être causées par une forme très éloignée de la forme standard, comme dans le cas d'une distribution fortement asymétrique. Nous avons observé un tel cas au graphe 3.10.

Le modèle de puissance

Revenons maintenant à notre *modèle* qui servira à ajuster les distributions étudiées à la forme standard. Il peut être décrit par l'équation:

résidu $= \pm$(donnée)^m, où m est défini de telle sorte que cette relation soit monotone[6].

Expliquons un peu plus ce modèle. On emploiera

résidu $= +$(donnée)^m si m est positif

et résidu $= -$(donnée)^m si m est négatif

de façon à conserver, pour les données transformées, l'ordre initial des données.

Par exemple, pour $m = 2$, le modèle se réduit à résidu $=$ (donnée)^2, et les données transformées sont constituées tout simplement des carrés des données initiales[7]. Pour les données 2, 8, 9, 10,..., on aura 4, 64, 81, 100,... On voit que l'ordre initial des données est conservé par cette transformation.

D'un autre côté, si on doit prendre $m = -1$, alors le modèle sera:

$$\text{résidu} = -(\text{donnée})^{-1} = \frac{-1}{\text{donnée}}$$

Ainsi, les données 2, 3, 6, 10 deviennent avec cette transformation $-1/2$, $-1/3$, $-1/6$, $-1/10$. L'ordre initial des données est encore ici conservé, car $-1/2$ est plus petit que $-1/10$.

Le cas $m = 0$ est particulier dans notre modèle. Lorsqu'il sera requis d'utiliser cette valeur, le modèle sera[8]:

$$\text{résidu} = \text{Log (donnée)}.$$

Jusqu'ici, il serait bien difficile de demander un plus joli modèle de transformations des données. Là où les problèmes débutent, c'est lorsque l'on veut déterminer le fameux «m». Plusieurs règles peuvent être proposées pour ce faire. Nous en avons retenu deux.

---

6. Nous suggérons au lecteur non initié aux relations de puissance, de lire l'appendice II.

7. Il est toujours possible, voire préférable de rendre *positives* nos données initiales *avant* d'appliquer le modèle en additionnant une certaine constante à toutes les données. Par exemple, si l'on a les données -3, -1, $-1/2$, 0, 3, 4, en additionnant 4 aux données, on aura 1, 3, 3½, 4, 7, 8.

8. L'appendice II initie le lecteur aux logarithmes.

Première règle

La *première règle*, plus simple, est présentée d'abord par souci pédagogique. Elle initiera l'analyste en herbe au vaste domaine des transformations de données.

L'essentiel de cette règle consiste à déterminer en premier lieu si l'asymétrie (au centre surtout) des distributions étudiées est vers le bas ou vers le haut, tel que défini précédemment, puis d'examiner le degré de cette asymétrie. Ceci fait, il suffit alors d'avoir recours à l'*échelle des transformations* du tableau 3.1.

TABLEAU 3.1

Échelle des transformations[9]

m	-2	-1	$-1/2$	$-1/3$	0	$1/3$	$1/2$	1	$3/2$	2	$5/2$	3
Transformations	$-1/X^2$	$-1/X$	$\dfrac{-1}{\sqrt[2]{X}}$	$\dfrac{-1}{\sqrt[3]{X}}$	Log(X)	$\sqrt[3]{X}$	$\sqrt[2]{X}$	X	$\sqrt[2]{X^3}$	X^2	$\sqrt[2]{X^5}$	X^3
Effet obtenu	Corrige l'asymétrie vers le haut							Aucune correction	Corrige l'asymétrie vers le bas			
Intensité de la correction	← Plus forte correction							Aucune correction	Plus forte correction →			

Reprenons notre modèle de puissance. Cette échelle montre que pour $m = 1$, *aucune transformation* n'est pratiquée, car alors

$$\text{résidu} = +(\text{donnée})^1 = \text{donnée}.$$

Pour $m < 1$, les transformations visent à corriger l'asymétrie *vers le haut*. Supposons que l'on choisisse la transformation logarithmique ($m = 0$). Ainsi, des données qui présentent une distribution asymétrique vers le haut, comme celles du paquet P_1 que l'on peut voir au graphe 3.12, seront corrigées par cette transformation. La distribution de P_1^1, le paquet des données transformées, ne présente plus cette asymétrie (au centre du moins).

Pour $m > 1$, les transformations tendent à corriger l'asymétrie vers le bas. Regardons plutôt l'exemple qui suit. Le graphe 3.13 montre au paquet P_2 une légère asymétrie vers le bas. Une fois élevées au carré, les données du paquet P_2^1 (transformées) offrent alors une distribution (au centre) approximativement symétrique.

Or tout ceci ne devrait pas rester un mystère. Ce n'est pas en effet dû au «hasard» si notre modèle de puissance corrige les distributions asymétriques, vers

---

9.   Reproduit avec permission de Erickson, B.H., Nosanchuk, T.A., [1977] *Understanding data*, McGraw-Hill Ryerson Limited, Toronto, p. 104.

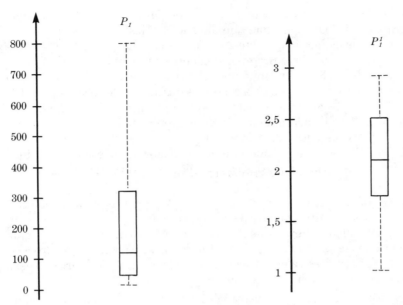

GRAPHE 3.12 : Diagrammes en boîte de données initiales (P_1) et transformées (P_1^I) à l'aide du logarithme.

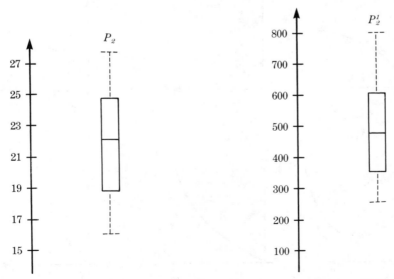

GRAPHE 3.13 : Diagrammes en boîte de données initiales (P_2) et transformées (P_2^I) à l'aide du carré.

le haut pour $m < 1$ et vers le bas pour $m > 1$. Comparons plutôt les relations illustrées au graphe 3.14. On remarque que dans le cas des relations où $m < 1$, toutes les courbes ont le même comportement: la pente est plus prononcée pour les petites valeurs de X, puis diminue progressivement pour se stabiliser lorsque X prend des valeurs élevées. Si on pratique une telle transformation, ceci a surtout pour effet de rapprocher les valeurs élevées les unes des autres, les écarts entre les petites valeurs étant moins affectés. Dans notre exemple du graphe 3.12, on peut voir que la transformation logarithmique a surtout rapproché les unes des autres les valeurs initiales situées entre 125, dont le logarithme est 2,1 et 790, dont le logarithme est 2,9. Pas étonnant donc que ces transformations corrigent une asymétrie vers le haut, les écarts entre les valeurs élevées étant rétrécis progressivement.

Par contraste, dans le cas des relations où $m > 1$, la pente de la courbe est moins prononcée pour les petites valeurs de X; elle s'accentue peu à peu et devient très grande pour les valeurs élevées de X. C'est le phénomène inverse de celui observé plus haut dans le cas où $m < 1$. L'effet obtenu est bien sûr le rapprochement plus prononcé des petites valeurs les unes des autres que les valeurs élevées: c'est la correction de l'asymétrie vers le bas.

Une fois qu'on a établi si l'asymétrie est vers le haut ou vers le bas, il convient de choisir la bonne transformation pour corriger ce défaut de forme. Par exemple,

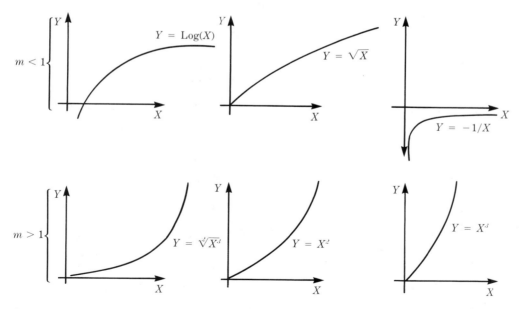

GRAPHE 3.14:   Courbes des relations où $m < 1$ et des relations où $m > 1$.

si une asymétrie vers le haut est détectée, le tableau 3.1 montre qu'on a le choix d'utiliser l'une ou l'autre des transformations $\sqrt{X}$, Log (X), $-1/X, \ldots$

Afin d'effectuer ce choix de façon judicieuse, il importe d'étudier le degré de l'asymétrie.

Remarquons tout d'abord sur le graphe 3.14 que même si la forme des courbes est semblable pour les relations où $m < 1$, l'intensité de la pente change d'une courbe à l'autre: la pente de $\sqrt{X}$ débute modérément raide pour les petites valeurs de X (nos données initiales), puis diminue mais très lentement, alors que pour $-1/X$, la pente débute de façon très abrupte, puis diminue beaucoup plus rapidement que $\sqrt{X}$, pour devenir presque nulle. En conséquence, $-1/X$ corrigera des asymétries beaucoup plus prononcées que $\sqrt{X}$. Un argument analogue mais bien sûr inversé peut être repris pour les distributions asymétriques vers le bas (X^3 corrigeant plus que $X^2 \ldots$). Ces constatations nous amènent à formuler la *première règle de transformation*: plus l'asymétrie est prononcée, plus m doit s'éloigner de 1, donc plus on doit se rapprocher des transformations situées aux extrémités de l'échelle (tableau 3.1), tout en gardant en mémoire que les transformations où $m < 1$ corrigent l'asymétrie vers le haut et les transformations où $m > 1$ corrigent l'asymétrie vers le bas.

Cette première règle peut être utilisée comme approximation pour le choix d'une transformation.

Regardons un peu comment appliquer cette règle dans un cas bien concret. Supposons que nous soyons intéressés à étudier un seul paquet de données.

La partie gauche du graphe 3.15 présente le diagramme en boîte des données du graphe 2.13.

On remarque que la forme de cette distribution à un sommet est asymétrique au centre vers le haut, ce qui est un peu ennuyeux, et nous aimerions la corriger. De plus, l'étudiant A avec un score de 27 *semble* un cas aberrant: il est situé à plus d'un saut ($1,5 \times EI$) de Q_1.

Comme l'asymétrie est modérée, nous débutons par une transformation logarithmique qui constitue très souvent un utile compromis dans le cas d'asymétrie modérée vers le haut.

Le résultat est exposé dans la partie centrale du graphe 3.15. Si nous fixons notre regard sur la boîte, c'est-à-dire la partie centrale de la distribution, nous voyons qu'une légère asymétrie vers le haut demeure. C'est pourquoi nous avons utilisé la transformation $-1/X$, sachant que l'intensité de correction de cette irrégularité est plus grande qu'avec Log (X), comme mentionné précédemment.

La partie droite du même graphe montre bien que l'asymétrie au centre est alors presque complètement disparue. Cependant, un phénomène important s'est déroulé entre-temps: l'une (Log (X)) et l'autre ($-1/X$) transformations laissent

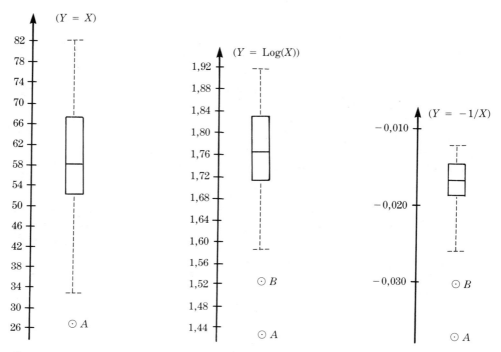

GRAPHE 3.15 :   Diagrammes en boîte de données initiales $(Y = X)$ et transformées selon $Y = \mathrm{Log}(X)$ et $Y = -1/X$.

voir deux valeurs aberrantes (élève A, élève B), plutôt qu'une seule dans la distribution initiale. De plus, comme ces données transformées ont une distribution plus conforme, plus près de la forme standard, on devra tenir compte de ces deux valeurs aberrantes, comme prescrit plus haut. On fera donc enquête pour voir si, lors de l'administration de cet examen de français, les élèves A et B étaient malades, nouveaux, en retard ou si tout simplement une erreur de correction ou de transcription n'aurait pas été commise.

Avant de terminer l'exposé de cette première règle de transformation, *donnons* une *règle du pouce* pour nous aider à trouver une transformation adéquate grâce à l'échelle déjà mentionnée. Comme nous voulons surtout obtenir une symétrie au centre, le rapport

$$\frac{Md - Q_1}{Q_3 - Md}$$

devrait nous être utile, dans le cas d'asymétrie *vers le haut*.

Il correspond au rapport de longueur entre d'une part la distance séparant le premier quartile et la médiane, et d'autre part la distance séparant la médiane et le troisième quartile. Dans le cas d'asymétrie vers le haut, $Md \geqslant Q_1$, mais $Q_3 > Md$, c'est-à-dire $Md - Q_1 \geqslant 0$ et $Q_3 - Md > 0$. Ce rapport est donc toujours positif (ou nul). De plus, comme il s'agit d'asymétrie vers le haut, nous avons toujours $Md - Q_1 \leqslant Q_3 - Md$. Donc, la valeur maximale de ce rapport est atteinte lorsqu'il y a symétrie au centre, c'est-à-dire lorsque le rapport est égal à 1. La valeur minimale est atteinte lorsqu'il y a asymétrie parfaite vers le haut, c'est-à-dire lorsque $Md = Q_1$; dans ce cas, le rapport est égal à 0.

Dans le cas d'asymétrie *vers le bas*, on prendra le rapport

$$\frac{Q_3 - Md}{Md - Q_1},$$

qui variera lui aussi entre 0 (asymétrie parfaite) et 1 (symétrie parfaite).

Dans l'un comme dans l'autre cas, nous rechercherons donc des transformations qui feront tendre ce rapport vers 1.

Pour l'exemple du graphe 3.15, ce rapport est respectivement égal à 0,67 pour les données initiales $(Y = X)$, 0,76 pour les données transformées selon $Y = \text{Log}(X)$, et 0,86 pour $Y = -1/X$.

Toutefois, comme nous l'avons vu, cette première règle de transformation procède par «essais et erreurs» et fait grandement appel à la subjectivité de l'analyste. De plus, un problème plus ennuyeux encore peut accabler les adeptes de cette règle. L'exemple suivant en fait foi.

Nous voyons, au graphe 3.16, cinq distributions parfaitement symétriques au centre et aux extrémités: nous pourrions vérifier aisément que le rapport $\frac{Md - Q_1}{Q_3 - Md}$ vaut 1 pour chaque distribution. En conséquence, selon notre première règle, aucune transformation ne devrait être employée.

En scrutant plus à fond ces cinq diagrammes en boîte, nous pouvons observer un fait troublant: il appert que les médianes et les étendues interquartiles des paquets évoluent conjointement. En effet, les médianes élevées (resp. faibles) se retrouvent dans les paquets où l'étendue interquartile est elle-même élevée (resp. faible). Ce phénomène de relation entre les mesures de tendance centrale et de dispersion est bien connu (Leinhardt et Wasserman [1979 a, p. 338], Leinhardt et Leinhardt [1980, p. 118], Erickson et Nosanchuk [1977, p. 112], Tukey [1977]).

Par ailleurs, dans le cas où l'analyste cherche à comparer la valeur des mesures de tendance centrale entre les paquets, cette relation est très ennuyeuse car elle peut masquer les écarts cherchés.

Le remède: égaliser les mesures de dispersion des distributions en transformant les données de manière à annihiler cette relation indésirable.

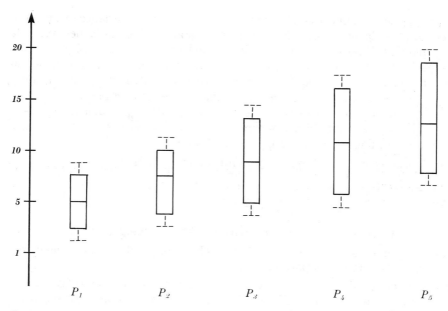

GRAPHE 3.16: Diagrammes en boîte de cinq paquets dont les distributions sont symétriques.

Deuxième règle

La *deuxième règle de transformation* que nous présentons (et qui se retrouve chez les divers auteurs précités) a été conçue justement pour corriger ce problème de *relation «tendance centrale-dispersion»*. Mais il y a plus. Le lecteur sera en effet réjoui d'apprendre qu'en plus de maîtriser cet épineux problème, notre deuxième règle tend aussi (bien souvent) à «symétriser» les distributions transformées. Cette règle peut s'énoncer ainsi:

Pour chaque paquet, calculer la médiane (Md), l'étendue interquartile (EI), le Log (Md), le Log (EI), et faire le graphe cartésien de Log (EI) en fonction du Log (Md); puis, trouver la pente «b» de la droite qui semble représenter le mieux l'alignement des points (représentant chaque paquet) sur le graphe et utiliser le modèle (de puissance)

$$\text{résidu} = \pm (\text{donnée})^{1-b}$$

pour transformer les données initiales en se référant à l'échelle des transformations (tableau 3.1).

Avant de relire ce paragraphe (ce que nous conseillons d'ailleurs vivement), il importe de se rappeler l'objectif de cette règle: égaliser les mesures de dispersion à travers les paquets pour mieux étudier (lire: comparer) les mesures de tendance centrale.

Si les mesures de dispersion sont égalisées nous aurons, en particulier pour des étendues interquartiles provenant de deux paquets distincts, $EI_1 = EI_2$; donc aussi $\text{Log}(EI_1) = \text{Log}(EI_2)$. Ainsi, $\text{Log}(EI_1) - \text{Log}(EI_2) = 0$ et enfin $\dfrac{\text{Log}(EI_1) - \text{Log}(EI_2)}{\text{Log}(Md_1) - \text{Log}(Md_2)} = 0$.

Or, cette dernière équation veut justement dire que la pente b de la droite prescrite par cette règle est nulle. La transformation requise sera alors l'identité puisque notre modèle donne:

$$\text{résidu} = \pm(\text{donnée})^{1-0} = \text{donnée}.$$

C'est logique: même dispersion entre les paquets, pas de transformation.

On voit donc que la deuxième règle, que nous demandons au lecteur de relire maintenant, est moins ésotérique que nous aurions pu le pressentir au premier abord[10].

Notons, pour terminer la présentation de cette importante règle, que la «pente de la droite qui représente le mieux l'alignement des points sur le graphe» peut être calculée de façon approximative, par la méthode du fil noir (Mosteller, Fienberg et Rourke [1983, p. 75]). Il s'agit tout simplement de placer un fil noir (qui concrétise la droite) sur le graphe dans une position qui représente de façon approximative l'alignement des points. Si les points sont assez bien alignés, comme au graphe 3.17, une bonne estimation de la droite cherchée est alors très rapidement trouvée: on prendra la droite (d) qui relie n'importe quels deux points (par exemple P_1 et P_4). La pente sera donnée de façon usuelle[11] par le rapport des différences d'ordonnées sur le rapport des différences d'abscisses, soit $\dfrac{y_4 - y_1}{x_4 - x_1}$.

Par contre, si les points ne sont vraiment pas bien alignés comme au graphe 3.18, il faut être plus ingénieux pour trouver une droite représentative. Le travail avec le fil noir risque d'être un peu plus long, mais notre expérience nous enseigne que l'oeil de l'analyste qui pratique cette méthode s'exerce très rapidement. Dans le cas présent, nous avons choisi la droite (d) qui a une pente intermédiaire entre celle qui relie P_1 à P_2 et celle qui relie P_3 à P_4.

---

10. Une justification plus formelle de cette règle se trouve chez Leinhardt et Wasserman [1979a, pp. 339-341].

11. L'appendice I pourrait servir à ceux et celles qui l'ont oubliée.

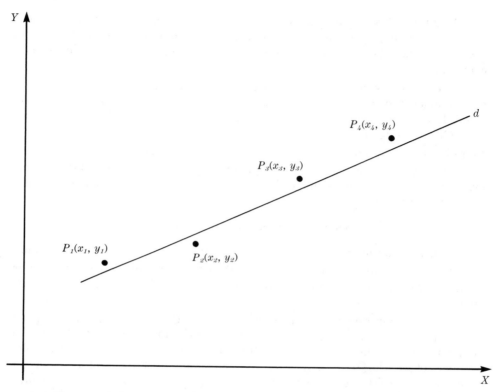

GRAPHE 3.17:   La droite « d » représente bien l'alignement des points P_1 à P_4.

Quoiqu'il en soit, il est toujours prudent, après avoir trouvé une transformation jugée appropriée, de vérifier en calculant le rapport

$$\frac{EI \text{ résidu } (P_i)}{EI \text{ résidu } (P_j)}$$

pour chaque couple de points étudiés (P_i, P_j).

Comme notre objectif est d'égaliser les étendues interquartiles, ce rapport devrait tendre vers 1 si la transformation est vraiment appropriée. En plaçant au numérateur la plus petite EI, le rapport sera toujours compris entre 0 et 1.

Remarquons, pour terminer ce commentaire sur la recherche de la pente b, qu'une «bonne» approximation est amplement suffisante. En effet, les transformations de la forme, résidu $= \pm (\text{donnée})^{1-b}$ que nous utiliserons, devront être elles

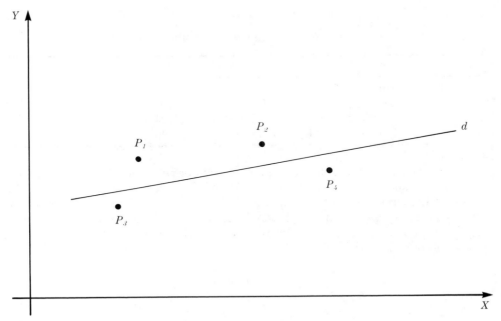

GRAPHE 3.18:   La droite « *d* » approxime l'alignement des points P_1 à P_4.

aussi approximatives. À supposer par exemple que la pente de la droite élue vaille 0,56. Alors, pour être très précis, nous devrions effectuer la transformation

$$\text{résidu} \;=\; \pm(\text{donnée})^{(1 \,-\, 0,56)} \;=\; (\text{donnée})^{0,44}!!!$$

Ce qui serait certes très juste mais fort peu maniable. Dans ce cas, un choix plus approprié serait probablement

$$\text{résidu} \;=\; \sqrt{\text{donnée}}, \text{ c.-à-d. } m \;=\; \tfrac{1}{2}.$$

Si nous reprenons maintenant les données du graphe 3.16 aux prises avec un problème de relation «médiane — étendue interquartile» et que nous voulions appliquer cette nouvelle règle de transformation, nous devrons procéder comme suit:

Calculons en premier lieu Md, EI, Log (Md) et Log (EI) pour les cinq distributions. Le tableau 3.2 présente les résultats de ces calculs.

TABLEAU 3.2

Données provenant du graphe 3.16

	P_1	P_2	P_3	P_4	P_5
Md	5	7	9	11	13
EI	4	6	8	10	12
Log (Md)	0,70	0,85	0,95	1,04	1,11
Log (EI)	0,60	0,78	0,90	1,00	1,08

     Cela nous permet de représenter adéquatement au graphe 3.19 les valeurs de Log (EI) en fonction de celles de Log (Md). Remarquons ici que les cinq points du graphe 3.19 correspondent aux cinq paquets du tableau 3.2. Comme les points sont alignés de façon presque parfaite, il est simple de trouver une droite qui représente assez bien la tendance décrite. Nous avons choisi la droite reliant les deux paquets (ou les deux points) P_1 et P_5.

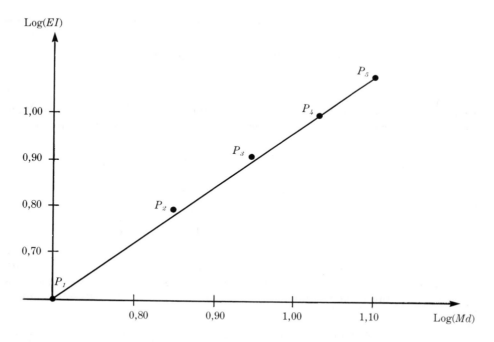

GRAPHE 3.19 :   Représentation de Log(EI) en fonction de Log(Md) pour les cinq paquets du tableau 3.2.

Ainsi, d'après le tableau 3.2,

$$b = \frac{1{,}08 - 0{,}60}{1{,}11 - 0{,}70} = \frac{0{,}48}{0{,}41} = 1{,}17.$$

Donc $1 - b = 1 - 1{,}17 = -0{,}17$, ce qui semble suffisamment près de «0» pour que l'on puisse adopter une transformation logarithmique.

Ainsi, notre modèle donne

$$\text{résidu} = \text{Log (donnée)}.$$

Le graphe 3.20 montre les diagrammes en boîte des résidus, c'est-à-dire des données qui ont subi une transformation logarithmique. Nous pouvons noter avec enthousiasme que les EI sont maintenant bien comparables. Les rapports $\dfrac{EI \text{ résidu } (P_i)}{EI \text{ résidu } (P_j)}$ sont tous approximativement égaux à 1. En réalité, celui qui s'écarte le plus de l'unité est

$$\frac{EI \text{ résidu } (P_1)}{EI \text{ résidu } (P_4)} = \frac{\text{Log }(Q_3) - \text{Log }(Q_1) \text{ pour } P_1}{\text{Log }(Q_3) - \text{Log }(Q_1) \text{ pour } P_4} = \frac{0{,}85 - 0{,}48}{1{,}20 - 0{,}78} = \frac{0{,}37}{0{,}42} = 0{,}88.$$

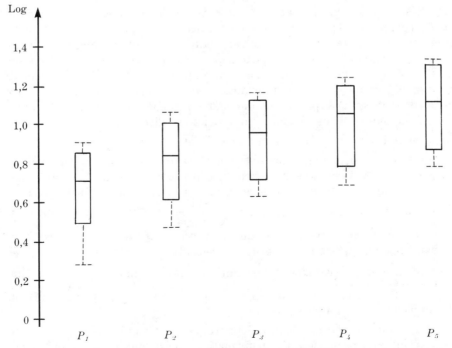

GRAPHE 3.20: Diagrammes en boîte des résidus des cinq paquets du graphe 3.16.

Observons que pour les données initiales, ces rapports d'étendues interquartiles étaient plus faibles. Par exemple, en se référant au tableau 3.2, on peut calculer que ce rapport vaut $\frac{4}{12} = 0,33$ pour les paquets P_1 et P_5.

Nous avons donc réussi à stabiliser en grande partie les mesures de dispersion entre les paquets considérés.

Deux remarques semblent quand même s'imposer ici. Tout d'abord, en étudiant la symétrie au centre des distributions du graphe 3.20, nous avons une mauvaise surprise. La belle symétrie de départ (graphe 3.16) n'existe plus. Il fallait bien s'y attendre un peu, puisque nous avons transformé des données provenant de distributions déjà symétriques. C'est le prix qu'il a fallu payer pour vaincre la relation «médiane — étendue interquartile». Est-ce payer trop cher cette irrégularité? La réponse est bien sûr encore ici: ça dépend. Mais nous pouvons quand même élaborer cette réponse un peu plus. En effet, *si* l'objectif de l'analyste est avant tout de comparer les médianes entre ces paquets, la réponse est plutôt *non*: le problème de relation indésirable entre la médiane et l'étendue interquartile doit autant que possible être résolu comme nous l'avons déjà mentionné, et ce au détriment même d'une légère asymétrie.

Mais heureusement pour lui, l'analyste aura rarement à faire le choix entre la symétrie des distributions et l'absence de relation indésirable. Car l'exemple considéré au graphe 3.16 porte sur des données fictives dont les distributions sont parfaitement symétriques, un cas plutôt rare. (Le lecteur comprendra que si nous avons utilisé cet exemple rare, c'est surtout par souci pédagogique, pour exposer très clairement ce type de relation). Au contraire, tel qu'exprimé déjà, l'asymétrie et la relation «médiane — étendue interquartile» vont souvent de pair: ces maux sont donc souvent corrigés par un seul et même remède. Le prochain exemple, constitué de données réelles, fournira un appui à ces dires.

La seconde remarque concerne la transformation choisie.

Avec $1 - b = -0,17$ nous avons opté pour la transformation *connue* située la plus près de $m = -0,17$ dans l'échelle des transformations. C'était la transformation logarithmique ($m = 0$). Nous aurions pu aussi utiliser une transformation plus raffinée et plus près de $m = -0,17$, comme $\dfrac{-1}{\sqrt[4]{\text{donnée}}}$, donc celle correspondant à $m = -0,25$. Nous pourrons vérifier qu'elle corrige un peu mieux la relation indésirable. Cependant, cette transformation accentue encore plus l'asymétrie et puis, reconnaissons-le, travailler avec une relation comme $-\dfrac{1}{\sqrt[4]{X}}$ est plus pénible... D'ailleurs, l'amélioration apportée par cette relation par rapport au logarithme n'est pas vraiment appréciable.

Conclusion: une fois l'ordre de grandeur trouvé pour la puissance $m = 1 - b$, le choix approprié entre plusieurs transformations possédant la même force relative de correction (donc situées près les unes des autres sur l'échelle) peut se faire sur la base de considérations bien pragmatiques.

Nous sommes maintenant prêts à présenter une autre application (avec des données réelles) de la seconde règle de transformation. Nous utiliserons les données du graphe 3.21 représentées sous forme de diagrammes en boîte. Nous

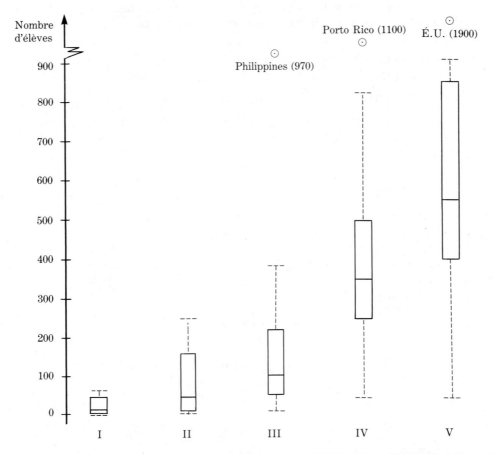

GRAPHE 3.21 :   Diagrammes[12] en boîte du nombre d'élèves (par 100 000 habitants) engagés dans un programme d'enseignement supérieur pour cinq groupes de pays divisés selon le P.N.B.

---

12. Reproduit avec permission de Erickson, B.H., Nosanchuk, T.A., [1977] *Understanding data*, McGraw-Hill Ryerson Limited, Toronto, p. 107, tableau 6.5.

remarquons sans peine une asymétrie au centre vers le haut pour les cinq paquets, ainsi que trois valeurs aberrantes. De plus, une relation «médiane-étendue inter-quartile» est sans nul doute présente. Et comme l'étude comparative des mesures de tendance centrale risque fort d'être intéressante pour cet exemple, il vaut mieux contrôler cette relation indésirable.

Au graphe 3.22, nous avons calculé les points de Log (EI) en fonction de Log (Md) pour cet exemple. On se rend compte que la droite reliant les paquets I et V représente assez bien l'alignement général des cinq points. Or cette droite a comme pente

$$\frac{\text{Log } (EI) \text{ de } V \,-\, \text{Log } (EI) \text{ de } I}{\text{Log } (Md) \text{ de } V \,-\, \text{Log } (Md) \text{ de } I} \;=\; \frac{2,65 \,-\, 1,60}{2,74 \,-\, 1,15} \;=\; 0,66.$$

Notre deuxième règle nous suggère alors d'utiliser la transformation:

$$\text{résidu} \;=\; \pm (\text{donnée})^{1\,-\,0,66} \;=\; (\text{donnée})^{0,34}.$$

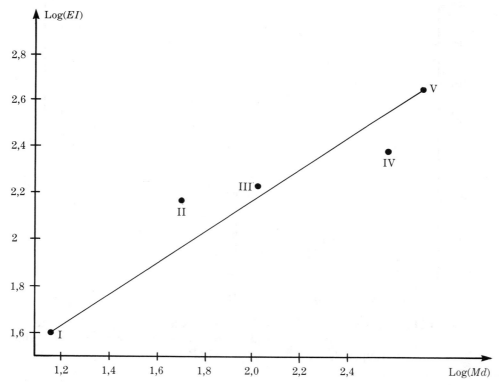

GRAPHE 3.22:   Représentation de Log(EI) en fonction de Log(Md) pour les cinq paquets du graphe 3.21.

En regardant notre échelle des transformations, et en remarquant que 0,34 se trouve entre 0 et ½ = 0,5, on voit qu'un choix doit être fait entre la transformation logarithmique ($m = 0$), la transformation racine carrée ($m = 0,5$) et la transformation racine cubique ($m = 0,33$).

Regardons plutôt le tableau 3.3 qui présente les étendues interquartiles des cinq paquets pour les données initiales (X), puis pour les données obtenues respectivement après transformation logarithmique (Log), racine carrée ($\sqrt[2]{}$) et racine cubique ($\sqrt[3]{}$).

La dernière colonne, particulièrement révélatrice, donne un indice de la stabilité des EI pour les données initiales, puis pour les données transformées. Cet indice consiste en la valeur minimale du rapport déjà connu:

$$\frac{EI \text{ résidu } (P_i)}{EI \text{ résidu } (P_j)}.$$

Il est calculé en divisant, pour chaque ligne, la plus petite valeur de EI par la plus grande valeur de EI.

Ainsi, $\dfrac{40}{450} = 0,09$, $\dfrac{0,30}{1,11} = 0,27$, $\dfrac{4}{9,15} = 0,44$ et $\dfrac{1,58}{3,11} = 0,51$.

Il appert donc que $\sqrt[2]{}$ donne une stabilité plus grande que Log, mais moindre que $\sqrt[3]{}$. Or l'amélioration observée entre $\sqrt[2]{}$ et Log est plus considérable: si nous avions un choix à faire entre ces deux transformations sur la base de ces indices, $\sqrt[2]{}$ devrait être employée. Mais le choix entre $\sqrt[2]{}$ et $\sqrt[3]{}$ est plus serré. La racine carrée nous est plus familière, mais la racine cubique donne une plus grande stabilité des EI (et elle n'est quand même pas si étrangère). Du reste, seul le paquet *II*, soit P_2, montre une EI nettement plus grande dans le cas de $\sqrt[3]{}$; les quatre autres paquets montrent une homogénéité de dispersion particulièrement remarquable. Optons donc pour cette dernière transformation.[13]

TABLEAU 3.3

Stabilité des EI pour diverses transformations

	P_1	P_2	P_3	P_4	P_5	$MIN\left(\dfrac{EI \text{ rés.}(P_i)}{EI \text{ rés.}(P_j)}\right)$
$EI\ X$	40	147,5	164	245	450	0,09
EI Log	0,74	1,11	0,59	0,30	0,33	0,27
$EI\ \sqrt[2]{}$	4	9,11	7,35	6,44	9,15	0,43
$EI\ \sqrt[3]{}$	1,58	3,11	2,21	1,61	2,10	0,51

13. Le choix de $\sqrt[3]{}$ permettra en outre au lecteur de comparer nos résultats à ceux de Erickson et Nosanchuk [1977, pp. 113-114] qui traitent cet exemple en utilisant $\sqrt[3]{}$

Le graphe 3.23 présente les diagrammes en boîte des données transformées grâce à la racine cubique. Comme prévu, les étendues interquartiles des distributions nous apparaissent plutôt du même ordre de grandeur, sauf peut-être pour le paquet *II*. De toute façon, nous pouvons *voir* qu'il y a une nette amélioration à ce chapitre par rapport aux données initiales (voir graphe 3.21).

De plus, l'asymétrie au centre vers le haut qui a été remarquée pour les données originales semble s'être sensiblement amoindrie en effectuant la transformation $\sqrt[3]{\ }$ (sauf pour le paquet *I*): comme nous l'avions souhaité (voire même promis) antérieurement.

Il peut également être noté qu'un même nombre de valeurs aberrantes (trois) est observé autant pour les données originales que pour les données transformées.

Toutefois, l'utilisation de la transformation racine carrée aurait entraîné l'apparition de *cinq* valeurs aberrantes (Erickson et Nosanchuk [1977, p. 111]).

Ces résultats semblent donc tous reconfirmer la pertinence du choix préalable de la transformation $\sqrt[3]{\ }$.

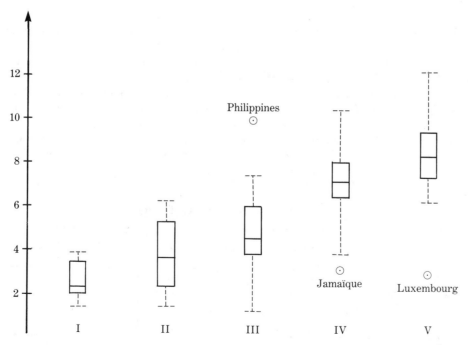

GRAPHE 3.23: Diagrammes en boîte des résidus après transformation $\sqrt[3]{\ }$ pour les données du graphe 3.21.

Deux remarques sont de mise avant de conclure cette section. Il peut arriver que nous n'ayions pas vraiment le choix d'une des deux règles de transformation. Soulignons deux cas particuliers où ce choix est singulièrement limité:

1) il y a une relation «tendance centrale-dispersion» et nous sommes très intéressés à comparer les mesures de tendance centrale entre les paquets: ici, le choix de la *seconde règle* paraît incontestable.

2) il n'y a qu'un paquet de données à étudier: nous devons alors «choisir» la *première règle*, puisque la seconde règle requiert au moins deux paquets pour être applicable!

Lorsque l'on compare plusieurs paquets, il peut arriver que certains paquets aient une distribution asymétrique vers le haut, et d'autres une distribution asymétrique vers le bas (voir par exemple le graphe 3.5). Il ne faut *en aucun cas* utiliser un type de transformation pour certains paquets (ex.: Log pour une correction de l'asymétrie vers le haut) et un autre type pour d'autres (ex.: le carré pour une correction de l'asymétrie vers le bas): les paquets transformés ne seraient alors plus comparables. Il vaut mieux ne pas faire de transformation, surtout si l'asymétrie n'est pas très prononcée, ou bien tout simplement effectuer deux études bien distinctes.

En guise de conclusion concernant les transformations, nous présentons à la figure 3.1, un *ordinogramme* qui met en évidence l'ordre logique *suggéré* dans une procédure d'analyse exploratoire «classique» où nous sommes intéressés à comparer les médianes entre les paquets.

On remarque que nous étudions tout d'abord la possibilité de sommets multiples. En effet, si une telle éventualité était présente, il faudrait alors reprendre du début, la médiane ne représentant que bien piètrement une telle distribution. Puis, nous enquêtons pour voir si une relation indésirable existe entre la médiane et l'étendue interquartile. Nous croyons avoir suffisamment insisté sur l'importance de cette irrégularité dans le cas de la comparaison entre plusieurs médianes. Nous pouvons ensuite débuter l'étude de l'asymétrie. Il est à remarquer que chaque transformation doit être suivie d'une recherche de sommets multiples. Subséquemment, nous faisons l'étude comparative des médianes, des étendues interquartiles et nous ajustons au besoin. Il est à noter que l'étape de détection des valeurs aberrantes doit se faire à la toute fin de la procédure, donc en particulier après transformation des données, le cas échéant.

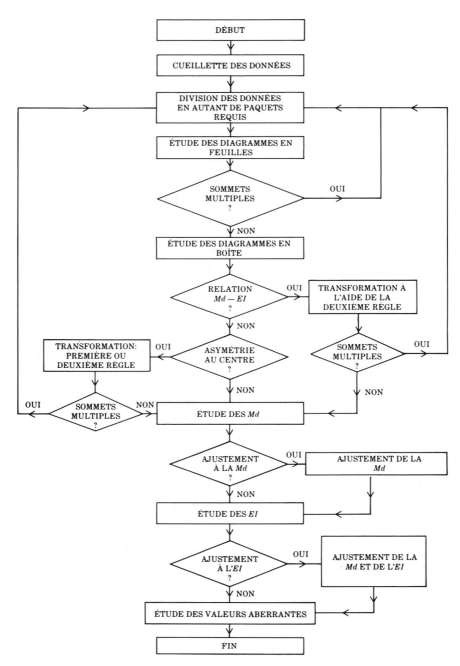

FIGURE 3.1 Ordinogramme d'une procédure d'analyse exploratoire.

3.5   RELATIONS ENTRE DEUX VARIABLES

Représentation graphique

Jusqu'à maintenant, nous ne nous sommes guère intéressés qu'à l'étude exploratoire des données relative à une seule variable, que ce soit le score en français pour
trois groupes d'étudiants (graphes 3.1, 3.15) ou encore le nombre d'étudiants
engagés dans un programme d'enseignement supérieur (graphe 3.21).

L'approche considérée dans cette section consiste à étudier les relations entre
deux variables, notées X et Y. On appelle habituellement X la variable indépendante et Y la variable *dépendante*, c.-à-d. celle dont les valeurs varient en fonction
(donc *dépendent*) des valeurs de X. Ces deux variables seront observées sur le
même groupe de sujets.

Supposons par exemple que lors d'une étude de fidélité, nous soyons intéressés à vérifier l'équivalence de deux formes d'un test de lecture en français
administrées au même groupe d'élèves. Les résultats[14] sont donnés au tableau 3.4.

Il semble assez clair que les deux séries de scores évoluent sensiblement de la
même façon: en général, les scores élevés (resp. faibles) pour la variable X correspondent aux scores élevés (resp. faibles) pour la variable Y. Cependant, nous
aimerions obtenir une meilleure *vision* intuitive de ce phénomène. Quoi de mieux
que la représentation graphique!

Le graphe 3.24 nous montre le «nuage» des 55 points, (x_i, y_i), représentant les
55 paires de scores où x_i est le résultat de l'élève N° «i» pour la variable X, et y_i est
le résultat du même élève pour la variable Y.

À l'aide de ce repère géométrique, il est possible de *voir* la tendance émise plus
haut concernant l'évolution conjointe des valeurs de X et de Y. Mais une fois cette
tendance observée à l'aide du nuage de points, il serait opportun de la formaliser
pour explorer un peu mieux les trois grandes caractéristiques d'une relation, soit la
forme, l'*intensité* et la *direction*. Les lignes qui suivent décrivent ces différentes
caractéristiques.

Nous pouvons remarquer au graphe 3.25, six nuages de points exposant
diverses relations possibles entre la variable X et la variable Y. Les nuages ①, ②
et ③ ont des formes distinctes. La forme de ③ correspond à une relation *mono-*

---

14.   Adaptés de Ferguson [1976, p. 108]: Comme cet auteur présentait les données sous forme d'inter-
      valles, nous avons dû «choisir» les résultats précis de façon aléatoire à l'intérieur de ces intervalles.

TABLEAU 3.4

Résultats[15] de 55 élèves à deux formes d'un test de lecture en français

Élève (Nº)	X (Forme A)	Y (Forme B)	Élève (Nº)	X (Forme A)	Y (Forme B)
1	1	4	29	18	21
2	2	7	30	15	22
3	7	8	31	19	23
4	7	7	32	18	23
5	7	5	33	16	22
6	9	4	34	16	20
7	7	11	35	15	20
8	6	14	36	22	19
9	8	12	37	20	19
10	11	3	38	22	20
11	11	7	39	22	22
12	10	12	40	23	20
13	10	12	41	21	30
14	14	11	42	20	27
15	15	14	43	22	29
16	14	15	44	23	25
17	14	17	45	28	35
18	16	18	46	28	32
19	17	15	47	26	31
20	15	16	48	25	28
21	15	18	49	26	27
22	17	17	50	27	27
23	15	18	51	32	25
24	15	16	52	34	32
25	16	18	53	38	33
26	18	17	54	39	32
27	11	20	55	39	38
28	15	23			

15. Reproduit avec permission de Ferguson, G.A., [1976] *Statistical analysis in psychology and education*, McGraw-Hill Book Company, New York, N.Y., p. 108, tableau 7.3.

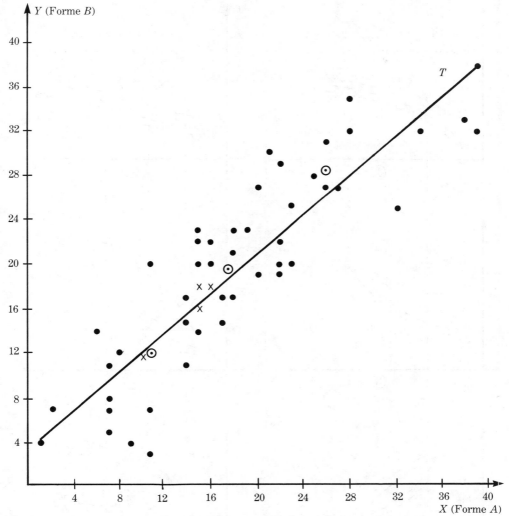

GRAPHE 3.24 : Nuage de points de 55 couples de scores (x_i, y_i) correspondant à deux formes d'un test de lecture et droite de Tukey (T) approximant le nuage.

LÉGENDE : (●), point simple (x_i, y_i), représentant un score à la forme A, x_i, et un score à la forme B, y_i, pour un individu «i».

« x », point double représentant deux fois le même couple de scores pour deux individus.

« ⊙ », point sommaire.

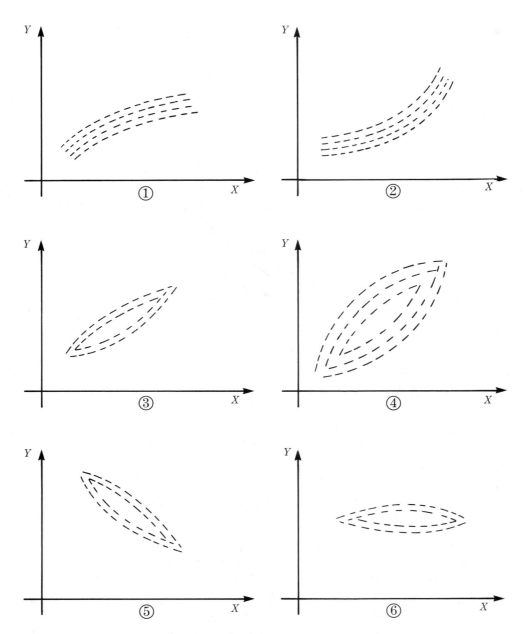

Graphe 3.25:   Divers exemples de relations entre X et Y variant selon la forme, l'intensité et la direction.

tone linéaire[16]: elle est approximée par une droite passant au milieu du nuage et d'équation $Y = a + bX$, où «b» est la pente (positive) et «a» est l'ordonnée à l'origine. Par contre, les nuages ① et ② présentent une forme où la relation est *monotone non linéaire*: une courbe passant au milieu du nuage approxime ce type de relation. Des équations du genre $Y = \sqrt{X}$, $Y = Log\ X$ représentent le type ①, alors que des équations comme $Y = X^2$, $Y = X^3$ représentent le type ②. Voilà pour la *forme*.

Si nous traçons une droite au milieu du nuage ③ et que nous faisons de même pour le nuage ④, nous pourrions bien obtenir une droite similaire dans les deux cas. Pourtant on sent bien qu'il y a une distinction à faire entre ces deux nuages. Les points de ③ seront plus rapprochés de cette droite en général que les points de ④. Nous dirons alors que l'*intensité* de la relation du nuage ③ est plus grande que celle de la relation du nuage ④.

Comparons maintenant les nuages de points ③ et ⑤. Ils ont même forme de relation (linéaire), même intensité (approximativement), mais une différence importante demeure. Pour ③, plus les valeurs de la variable indépendante X augmentent, plus les valeurs de la variable dépendante Y augmentent: c'est ce qui donne une *pente* positive à la droite qui approxime cette relation. Or pour ⑤, la situation inverse prévaut: plus les valeurs de X augmentent, plus les valeurs de Y diminuent. La pente de la droite approximant cette relation sera négative. Les relations des nuages ③ et ⑤ n'ont donc pas la même *direction*. Un dernier cas: la relation du nuage ⑥. Comme on peut le voir, l'augmentation de X n'a aucune influence sur Y, dont les valeurs restent constantes. La droite approximant cette relation aura donc une pente nulle: elle sera d'équation $Y = a + 0 . X = a$, où «a» est une constante. Aucune relation notable n'existe alors entre X et Y.

Si nous retournons à présent au graphe 3.24, nous pouvons nous rendre compte que nous avons affaire à une relation plutôt linéaire, d'intensité assez forte et de pente positive. Nous verrons plus loin comment il est possible de formaliser cette relation en analyse exploratoire à l'aide de la droite de Tukey.

Mais auparavant, nous devons traiter du modèle utilisé pour étudier la relation entre les variables X et Y.

Le modèle

Rappelons-nous le cas de l'étude d'une variable. Nous avons été confrontés à des questions similaires. La stratégie de rigueur était d'employer une procédure itérative: étudier à fond une caractéristique, l'enlever pour mieux voir les autres, puis étudier une seconde caractéristique, l'enlever et ainsi de suite.

---

16. Voir Appendice I.

Souvenons-nous également que pour utiliser cette procédure itérative, nous avions besoin d'ajuster les données à une certaine caractéristique standard. Par exemple, l'ajustement à la forme se faisait en employant comme standard une forme symétrique à un sommet. Ceci nous aidait à comparer la ou les distributions étudiée(s), à pousser plus à fond l'étude des autres caractéristiques.

De façon analogue ici, nous utiliserons une procédure itérative avec ajustements successifs. Reste donc à trouver ou à choisir une relation standard vers laquelle nous ajusterons les données étudiées: notons que dans le cas présent, les données sont des couples (x_i, y_i) représentés géométriquement sur un graphe formant un nuage de points. Nous devrons donc opter pour une relation simple, plutôt neutre, qui facilitera la comparaison avec d'autres relations. Si nous nous rapportons au graphe 3.25 et à la façon dont nous avons employé le nuage ③ pour effectuer les diverses comparaisons de forme, d'intensité et de direction, le choix de la *relation linéaire* comme *relation standard* apparaît donc tout indiqué.

Le *modèle* utilisé, dit *linéaire*, sera du même type que ceux employés au cours des sections précédentes de ce chapitre. Chaque donnée (x_i, y_i) sera donc fonction de deux composantes: un ajustement et un résidu.

Ce qui revient à écrire que, pour chaque x_i,

$$\boxed{y_i} = \boxed{\hat{y}_i} + \boxed{\text{résidu}} \text{ où } \hat{y}_i = a + bx_i.$$

Ainsi, les *résidus* seront donc des termes du type $y_i - \hat{y}_i = y_i - (a + bx_i)$.

En somme, il s'agit d'ajuster les données initiales à l'aide d'une droite, puis d'étudier les résidus pour *voir* s'ils ne recèlent pas une autre relation qui était restée masquée par la relation linéaire.

Les nuages des résidus

Si nous exceptons les problèmes causés par les valeurs aberrantes dont nous traiterons plus loin, quatre formes de nuage de résidus peuvent se présenter. Les graphes 3.26, 3.27, 3.28 et 3.29 illustrent ces formes. Tout d'abord le graphe 3.26 montre que les points présentent une forme plutôt rectangulaire, se distribuant uniformément autour de la droite $Y - \hat{Y} = 0$. Ceci est un signe que tout va bien: c'est-à-dire que l'ajustement linéaire semble efficace. Il ne semble pas, en effet, exister d'autres relations entre ces points.

Par contre, au graphe 3.27, nous voyons bien la forme rectangulaire des résidus, mais le rectangle semble penché. Ceci indique que l'ajustement linéaire est en effet adéquat mais que la pente de la droite utilisée pour effectuer cet ajustement est trop élevée. Il faudrait prendre une droite de pente plus faible pour ajuster ces données et ainsi retrouver un nuage de points des résidus aussi respectable que celui du graphe 3.26.

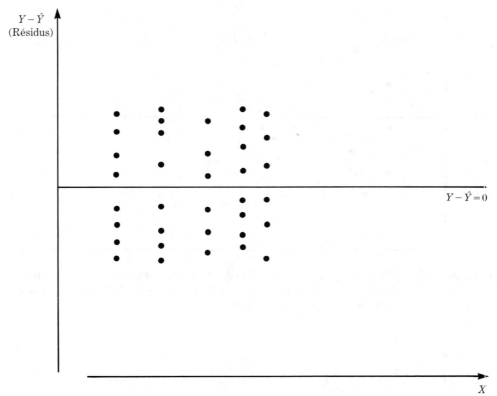

GRAPHE 3.26: Nuage de points des résidus de forme rectangulaire: l'ajustement linéaire des données est adéquat.

Or un nuage des résidus $Y - \hat{Y}$ en fonction de X est rarement aussi respectable. Il arrive, par exemple, que le nuage ait une forme curvilinéaire comme au graphe 3.28, montrant que l'ajustement linéaire n'est pas complètement efficace. Il semble exister ici une autre relation, dite *curvilinéaire*, entre les points.

Il arrive aussi que la forme du nuage soit plutôt triangulaire, comme au graphe 3.29. Ceci indique que la dispersion des y_i augmentent en fonction des x_i. Il y a donc une relation entre les x_i et les mesures de dispersion des y_i. Cette relation, connue sous le nom d'*hétéroscedasticité*, n'est pas sans rappeler la relation «tendance centrale-dispersion» observée au cours de la section précédente du présent chapitre.

Que faire maintenant lorsque la forme du nuage des résidus n'est pas tout à fait respectable? Nous savons alors que l'ajustement linéaire utilisé n'est pas parfaite-

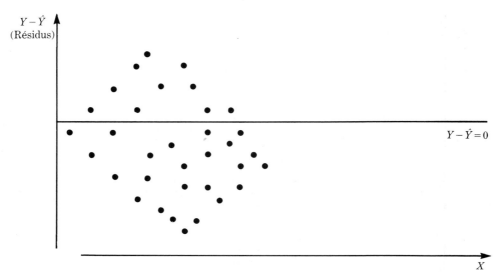

GRAPHE 3.27 :   Nuage de points des résidus de forme rectangulaire mais penchée :
l'ajustement linéaire est adéquat mais la pente de la droite utilisée
pour cet ajustement est trop élevée.

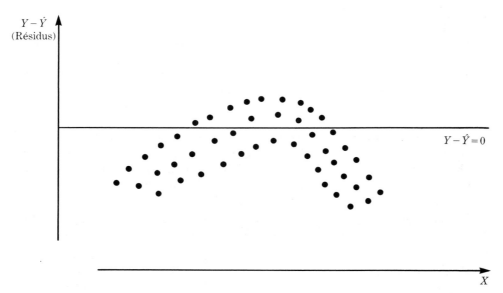

GRAPHE 3.28 :   Nuage de points des résidus de forme curvilinéaire : l'ajustement
linéaire n'est pas adéquat. Une relation curvilinéaire demeure.

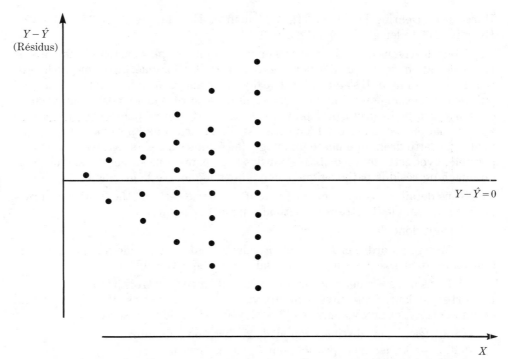

GRAPHE 3.29 : Nuage de points des résidus de forme triangulaire : l'ajustement linéaire n'est pas adéquat. Une relation entre la dispersion des y_i et les x_i demeure, signe d'une hétéroscedasticité.

ment adéquat. Cet ajustement est insuffisant pour expliquer adéquatement la relation entre X et Y. Trois cas pathologiques peuvent être considérés. Ils correspondent aux graphes 3.27, 3.28 et 3.29 jugés non respectables. Nous étudierons ces trois cas un à un.

La droite de Tukey

Il existe plusieurs façons de calculer l'équation de la droite qui rend compte de la relation entre les variables X et Y. Nous verrons au chapitre 6 que cette équation peut être calculée à partir de la méthode des moindres carrés. Or cette méthode, plus classique, est peu résistante aux valeurs aberrantes et convient donc moins bien à une analyse exploratoire des données. C'est pourquoi nous utiliserons ici une autre méthode plus résistante. Due à Tukey, cette dernière méthode est reprise sous une forme ou sous une autre par Erickson et Nosanchuk [1977, p. 195],

Hartwig et Dearing [1979, p. 34], Velleman et Hoaglin [1981, p. 121] et enfin Hoaglin, Mosteller et Tukey [1983, p. 130].

Nous décrivons cette méthode ici en nous appuyant plus particulièrement sur la présentation des deux derniers textes cités. La logique de la méthode est relativement simple. Il s'agit d'abord de diviser le nuage de points en trois parties, puis de calculer un point sommaire résistant (basé sur les médianes) pour chacune des trois parties. La droite de Tukey se calcule à partir de ces points sommaires par approximations successives. L'objectif est d'arriver à une approximation (de la pente) de cette droite qui laisse un nuage de résidus sans pente. Il n'est donc pas possible, avec cette méthode basée sur des approximations successives, d'obtenir un nuage de résidus pathologique comme nous le montre le graphe 3.27.

Nous détaillerons maintenant les neuf étapes de cette méthode. Par la suite, un exemple simple illustrera la méthode, point par point.

Il s'agit donc de:

1) Mettre en ordre croissant les n valeurs x_i de la variable indépendante X tout en gardant associées aux x_i, les valeurs y_i de la variable Y.

2) Diviser les n valeurs x_i, maintenant ordonnées, en trois paquets P_{bx}, P_{mx}, P_{ex} correspondants respectivement aux valeurs les plus basses (P_{bx}), aux valeurs du milieu (P_{mx}) et aux valeurs les plus élevées (P_{ex}), de telle sorte que:

a)   si tous les x_i sont distincts, on ait la répartition suivante:
  • si $n = 3k$, les trois paquets ont k valeurs chacun;
  • si $n = 3k + 1$, P_{bx} et P_{ex} ont k valeurs et P_{mx}, $k + 1$ valeurs;
  • si $n = 3k + 2$, P_{mx} a k valeurs alors que P_{bx} et P_{ex} ont $k + 1$ valeurs.

b)   si les x_i ne sont pas tous distincts, on obtient tout d'abord la répartition indiquée en «a)», puis on s'assure que les valeurs égales vont dans le même paquet en favorisant les paquets P_{bx} et P_{ex}. Il est recommandé que les paquets P_{bx} et P_{ex} obtiennent au moins trois valeurs chacun. Sinon, la droite risque de ne pas être très résistante.

3) Associer à chaque paquet P_{bx}, P_{mx}, P_{ex}, le paquet des valeurs correspondantes de la variable Y: P_{by}, P_{my}, P_{ey}.

4) Calculer la médiane de chacun de ces six paquets, soit respectivement X_b, X_m, X_e, et Y_b, Y_m, Y_e, pour obtenir les *points sommaires* résistants (X_b, Y_b), (X_m, Y_m), (X_e, Y_e).

Le reste de la méthode consiste à calculer, par approximations successives, la pente de la droite cherchée et par la suite l'ordonnée à l'origine. Il s'agit de:

5) Trouver la première approximation de la pente en faisant

$$b_1 = \frac{Y_e - Y_b}{X_e - X_b}$$

puis de calculer les premiers résidus, dits *partiels*[17], $y_i - b_1 x_i$ correspondant au paquet des valeurs basses et au paquet des valeurs élevées. On trouve ensuite la médiane de ces résidus partiels pour chacun des deux paquets, soit $Y_b^{(1)}$ et $Y_e^{(1)}$, et on obtient la pente résiduelle

$$b_1^1 = \frac{Y_e^{(1)} - Y_b^{(1)}}{X_e - X_b}.$$

Si $|b_1^1|$ est nulle ou plus petite qu'un certain seuil (en pratique[18] $|b_1^1| \leqslant 0,0001\,|b_1|$), nous retenons alors b_1 comme pente finale de la droite, soit b_f. Si $|b_1^1|$ n'est pas nulle, la procédure doit se poursuivre à l'étape 6, puisque l'ajustement linéaire des valeurs initiales à l'aide de la droite de pente b_1 laisse une pente au niveau des résidus (comme au graphe 3.27).

6) Nous savons maintenant que b_1 n'est pas la pente cherchée. Elle est soit trop élevée, dans lequel cas b_1^1 est négative (situation analogue au graphe 3.27), soit trop faible, dans lequel cas b_1^1 est positive. Nous cherchons une seconde approximation de la pente, soit b_2, qui fait changer le signe de la pente des résidus, c'est-à-dire tel que b_2^1 soit de signe contraire à b_1^1: ceci nous indique en effet que la pente (finale) de la droite cherchée se situe entre b_1 et b_2, parce que l'une est trop élevée et l'autre trop faible.

On prendra alors $b_2 = b_1 + cb_1^1$ comme seconde approximation où c est une constante entière et positive, c.-à-d. $c = 1, 2, 3, \ldots$

Il faut d'abord essayer $c = 1$. Habituellement, cette valeur suffira pour que b_2^1 soit de signe contraire à b_1^1. Sinon, il faut ensuite essayer $c = 2$ (comme dans l'exemple du tableau 3.14), puis après les autres constantes $c = 3$, $c = 4 \ldots$

Très rarement, la constante c devra être supérieure à 2.

Remarquons que la pente résiduelle b_2^1 se trouve de la même façon qu'à l'étape précédente: on calcule les deuxièmes résidus partiels $y_i - b_2 x_i$, puis les médianes de ces résidus partiels, $Y_b^{(2)}$, $Y_e^{(2)}$, et enfin $b_2^1 = \dfrac{Y_e^{(2)} - Y_b^{(2)}}{X_e - X_b}$.

Si $|b_2^1|$ est plus petite que le seuil accepté, nous retenons alors b_2 comme pente finale de la droite, soit b_f.
Si $|b_2^1|$ n'est pas plus petite que ce seuil, la procédure se poursuit à l'étape 7.

7) Prendre $b_3 = b_2 - b_2^1 \left[\dfrac{(b_2 - b_1)}{(b_2^1 - b_1^1)} \right]$ tel que suggère Velleman et Hoaglin [1981, p. 132], comme troisième approximation. Puis, on calcule b_3^1 comme à l'étape précédente.

---

17. On utilise les résidus partiels ici uniquement pour simplifier les calculs. L'emploi des résidus $y_i - a - b_1 x_i$ donnerait les mêmes résultats en bout de course.

18. Il est bien sûr possible d'utiliser un autre seuil que $0,0001\,|b_1|$.

Si $|b_3^l|$ est plus petite que le seuil accepté, b_3 est la pente finale, b_f.
Si $|b_3^l|$ n'est pas plus petite que ce seuil, la procédure se poursuit à l'étape 8.

8) Prendre successivement $b_z = b_s - b_s^l \left[\dfrac{b_s - b_t}{b_s^l - b_t^l} \right]$, où $z = 4, 5, 6 \ldots$ comme prochaine approximation, où b_s est la pente qui a la plus petite pente résiduelle b_s^l (en valeur absolue) parmi celles qui ont été calculées jusqu'à maintenant, et b_t est la pente qui a la plus petite pente résiduelle b_t^l (en valeur absolue) parmi celles qui sont de signe contraire à b_s^l.

Si $|b_z^l|$ est plus petite que le seuil accepté, c'est b_z la pente finale, b_f.
Si $|b_z^l|$ n'est pas plus petite que ce seuil, il faut alors recalculer une nouvelle b_z selon la formule en prenant bien soin d'utiliser les nouvelles b_s et b_t conformément à leurs définitions.

Il faut donc itérer l'étape 8 jusqu'à ce que l'on trouve une pente b_z, dont la pente résiduelle $|b_z^l|$ soit plus petite que le seuil établi.

9) Calculer l'ordonnée à l'origine a_f qui est en fait la médiane des derniers résidus partiels $y_i - b_f x_i$ prise sur l'ensemble des «n» valeurs.

La *droite de Tukey* est alors donnée par l'équation $\hat{Y} = a_f + b_f X$.

Exemples

L'exemple suivant illustrera cette méthode. Les deux premières colonnes du tableau 3.5 présente quinze couples de valeurs. Nous suivrons point par point la méthode de construction de la droite de Tukey.

1) La disposition des données du tableau 3.5 permet de voir que les quinze valeurs x_i sont en ordre croissant.

2) On peut montrer que $P_{bx} = \{2, 3, 4, 4, 5\}$, $P_{mx} = \{6, 6, 7, 8\}$ et que $P_{ex} = \{9, 9, 10, 12, 12, 15\}$. En effet, il existe des valeurs x_i égales et $n = 15 = 3 \times 5$. Nous avons donc tout d'abord divisé les quinze valeurs x_i en trois paquets de cinq valeurs chacun. Puis, comme il existait une valeur «9» dans le paquet du milieu et une valeur «9» dans le paquet des valeurs élevées, nous avons changé cette répartition initiale pour favoriser P_{ex}, en plaçant les deux valeurs 9 dans ce dernier paquet.

3) À partir du tableau 3.5, nous voyons que les paquets des valeurs correspondantes de la variable Y sont
$P_{by} = \{2, 2, 6, 8, 10\}$, $P_{my} = \{4, 8, 10, 13\}$, $P_{ey} = \{10, 12, 12, 14, 14, 16\}$.

4) Les points sommaires sont alors
$(X_b, Y_b) = (4, 6)$, $(X_m, Y_m) = (6,5, 9)$ et $(X_e, Y_e) = (11, 13)$.

5) Ainsi, $b_1 = \dfrac{Y_e - Y_b}{X_e - X_b} = \dfrac{13 - 6}{11 - 4} = \dfrac{7}{7} = 1$.

TABLEAU 3.5

Quinze couples de valeurs ordonnées sur X avec résidus partiels pour les pentes b_1, b_2 et b_3

	X	Y	$Y - b_1X$	$Y - b_2X$	$Y - b_3X$
Niveau b	2	2	0	0,142857	0,105264
	3	2	-1	$-0,785714$	$-0,842104$
	4	6	2	2,285714	2,210528
	4	10	6	6,285714	6,210528
	5	8	3	3,357143	3,263160
Niveau m	6	4	-2	$-1,571429$	$-1,684208$
	6	13	7	7,428571	7,315792
	7	10	3	3,50000	3,368424
	8	8	0	0,571429	0,421056
Niveau e	9	12	3	3,642857	3,473688
	9	14	5	5,642857	5,473688
	10	10	0	0,714286	0,526320
	12	12	0	0,857143	0,631584
	12	14	2	2,857143	2,631584
	15	16	1	2,071429	1,789480

La troisième colonne du tableau 3.5 donne les premiers résidus partiels $y_i - b_1x_i$.

On trouve ensuite $Y_b^{(1)} = 2$, $Y_e^{(1)} = 1{,}5$

et $b_1^I = \dfrac{1{,}5 - 2}{11 - 4} = \dfrac{-0{,}5}{7} = -0{,}071429$.

Comme $b_1 = 1$, alors $|b_1| = 1$ et donc le seuil est $0{,}0001$.

Puisque $|b_1^I| > 0{,}0001$, nous poursuivons la procédure.

6) Nous essayons d'abord $c = 1$, soit $b_2 = b_1 + b_1^I = 1 - 0{,}071429 = 0{,}928571$. La quatrième colonne du tableau 3.5 donne les deuxièmes résidus partiels $y_i - b_2x_i$.

Nous trouvons $Y_b^{(2)} = 2{,}285714$ et $Y_e^{(2)} = 2{,}464286$,

et $b_2^I = \dfrac{2{,}464286 - 2{,}285714}{7} = 0{,}025510$.

Comme b_2^I est de signe contraire à b_1^I, nous gardons alors $b_2 = b_1 + b_1^I$ comme seconde approximation. Puisque $|b_2^I| > 0,0001$ la procédure se poursuit.

7) Soit $b_3 = b_2 - b_2^I \left[\dfrac{(b_2 - b_1)}{(b_2^I - b_1^I)} \right]$

$$= 0,928571 - 0,025510 \left[\dfrac{-0,071429}{0,096939} \right]$$

$$= 0,947368$$

La cinquième colonne du tableau 3.5 donne les troisièmes résidus partiels $y_i - b_3 x_i$.

On trouve $Y_b^{(3)} = 2,210528$, $Y_e^{(3)} = 2,210532$

et $b_3^I = \dfrac{2,210532 - 2,210528}{7} = \dfrac{0,000004}{7} = 0,0000006$.

Comme $|b_3^I| < 0,0001$ la procédure est terminée: $b_3 = b_f$ est la pente finale.

L'étape 8 n'est pas nécessaire dans ce cas.

9) La dernière colonne du tableau 3.5 donne les derniers résidus partiels. Comme il y a 15 valeurs en tout, la médiane sera située au rang $\dfrac{1 + 15}{2} = 8$. C'est donc $a_f = 2,210528$.

La droite de Tukey cherchée est alors $\hat{Y} = 2,21 + 0,95X$.

Cette droite est représentée au graphe 3.30.

Cet exemple simple nous montre comment on peut arriver à la droite de Tukey après seulement quelques itérations, tout en exigeant un niveau de précision assez élevé (soit 0,0001).

Mais même avec des données plus complexes, il est souvent possible d'obtenir la pente finale de la droite de Tukey en moins de quatre ou cinq itérations.

Prenons par exemple les données du tableau 3.4, qui nous sont maintenant familières, pour concrétiser cette dernière assertion. Ici encore nous décrirons la procédure point par point.

1) Le tableau 3.6 montre les 55 valeurs x_i en ordre croissant et les valeurs y_i associées.

2) Toujours au tableau 3.6, nous avons divisé ces 55 valeurs x_i en trois paquets correspondant aux valeurs basses (niveau b), aux valeurs du milieu (niveau m) et aux valeurs élevées (niveau e) de X. Comme $n = 55 = (3 \times 18) + 1$ et que les x_i ne sont pas tous distincts, nous commençons par attribuer 18 valeurs à P_{bx} et à P_{ex}, et les 19 autres à P_{mx}. Or comme la valeur 15 apparaît dans P_{bx} et dans P_{mx}, nous devons réaménager ces deux paquets pour que les «15» soient tous dans le même

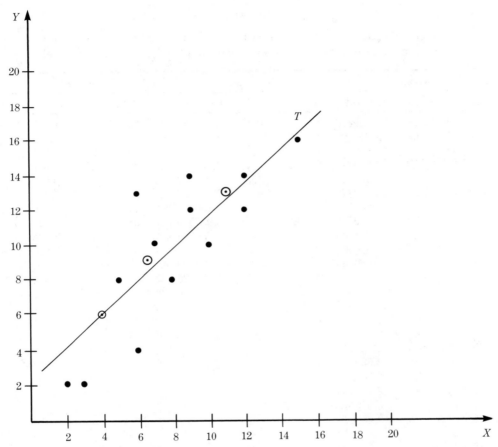

GRAPHE 3.30:   Nuage de points des données du tableau 3.5 avec points sommaires (⊙) et droite de Tukey (T).

paquet, et ce en favorisant P_{bx}. C'est pourquoi P_{bx} compte finalement 25 valeurs, P_{mx} en compte 12 et P_{ex} reste avec les 18 valeurs de départ.

3) Comme on peut le voir au tableau 3.6, nous avons associé les paquets P_{by}, P_{my} et P_{ey} à chacun des trois paquets déjà constitués P_{bx}, P_{mx}, P_{ex}.

4) Le calcul des points sommaires donne $(X_b, Y_b) = (11,12)$, $(X_m, Y_m) = (17,5, 19,5)$, $(X_e, Y_e) = (26, 28,5)$.

5) Ainsi, $b_1 = \dfrac{28,5 - 12}{26 - 11} = \dfrac{16,5}{15} = 1,1$.

Au tableau 3.6, nous voyons les premiers résidus partiels $y_i - b_1 x_i$.

TABLEAU 3.6

Les 55 couples de valeurs du tableau 3.4 ordonnées sur X selon les trois niveaux avec premiers $(Y - b_I X)$ et derniers $(Y - b_f X)$ résidus partiels

Niveau b				Niveau m				Niveau e			
X	Y	$Y - b_I X$	$Y - b_f X$	X	Y	$Y - b_I X$	$Y - b_f X$	X	Y	$Y - b_I X$	$Y - b_f X$
1	4	2,9	3,108696	16	18	0,4	3,739136	21	30	6,9	11,282616
2	7	4,8	5,217392	16	20	2,4	5,739136	22	22	−2,2	2,391312
6	14	7,4	8,652176	16	18	0,4	3,739136	22	29	4,8	9,391312
7	8	0,3	1,760872	16	22	4,4	7,739136	22	20	−4,2	0,391312
7	7	−0,7	0,760872	17	17	−1,7	1,847832	22	19	−5,2	−0,608688
7	11	3,3	4,760872	17	15	−3,7	−0,152168	23	20	−5,3	−0,499992
7	5	−2,7	−1,239128	18	17	−2,9	0,956528	23	25	−0,3	4,500008
8	12	3,2	4,869568	18	23	3,2	6,956528	25	28	2,7	5,717400
9	4	−5,9	−4,021736	18	21	1,2	4,956528	26	27	−1,6	3,826096
10	12	1,0	3,086960	19	23	2,1	6,065224	26	31	2,4	7,826096
10	12	1,0	3,086960	20	27	5,0	9,173920	27	27	−2,7	2,934792
11	7	−5,1	−2,804344	20	19	−3,0	1,173920	28	35	4,2	10,043488
11	3	−9,1	−6,804344					28	32	1,2	7,043488
11	20	7,9	10,195656					32	25	−10,2	−3,521728
14	11	−4,4	−1,478256					34	32	−5,4	1,695664
14	15	−0,4	2,521744					38	33	−8,8	−0,869552
14	17	1,6	4,521744					39	32	−10,9	−2,760856
15	16	−0,5	2,630440					39	38	−4,9	3,239144
15	20	3,5	6,630440								
15	16	−0,5	2,630440								
15	14	−2,5	0,630440								
15	23	6,5	9,630440								
15	18	1,5	4,630440								
15	22	5,5	8,630440								
15	18	1,5	4,630440								

Il ressort que $Y_b^{(1)} = 1$ et $Y_e^{(1)} = -2,45$.

Ainsi, $b_I^I = \dfrac{-2,45 - 1}{26 - 11} = \dfrac{-3,45}{15} = -0,23$.

Le seuil ici est $0,0001 |b_I| = 0,00011$.

Comme $|b_I^I| > 0,00011$, nous poursuivons la procédure.

6) Nous essayons d'abord $c = 1$, soit $b_2 = b_1 + b_1^I = 1,1 - 0,23 = 0,87$. En calculant les deuxièmes résidus partiels $y_i - b_2 x_i$, non reportés ici, nous obtenons $Y_b^{(2)} = 3,3$, $Y_e^{(2)} = 3,79$ et $b_2^I = \dfrac{3,79 - 3,3}{26 - 11} = 0,032667$.

Comme b_2^l est de signe contraire à b_1^l, nous conservons $b_2 = b_1 + b_1^l$ comme seconde approximation. Puisque $|b_2^l| > 0,00011$, la procédure se poursuit.

7) Soit alors
$$b_3 = b_2 - b_2^l \left[\frac{(b_2 - b_1)}{(b_2^l - b_1^l)} \right]$$

$$= 0,87 - 0,032667 \left[\frac{-0,23}{0,262667} \right]$$

$$= 0,898604.$$

En calculant les troisièmes résidus partiels, $y_i - b_3 x_i$, non reportés ici, on trouve $Y_b^{(3)} = 3,013959$, $Y_e^{(3)} = 2,846066$ et
$$b_3^l = \frac{2,846066 - 3,013959}{15} = -0,011193.$$

Comme $|b_3^l| > 0,00011$, la procédure continue.

8) Soit $b_z = b_s - b_s^l \left[\dfrac{b_s - b_t}{b_s^l - b_t^l} \right]$ pour $z = 4$.

Comme la plus petite pente résiduelle b_s^l (en valeur absolue) calculée jusqu'à maintenant est b_3^l, alors $b_s = b_3$.

Comme la plus petite pente résiduelle b_t^l parmi celles qui sont de signe contraire à b_3^l est b_2^l, alors $b_t = b_2$.

Ainsi,
$$b_4 = b_3 - b_3^l \left[\frac{(b_3 - b_2)}{(b_3^l - b_2^l)} \right]$$

$$= 0,898604 - (-0,011193) \left[\frac{0,028604}{-0,043860} \right]$$

$$= 0,891304.$$

Nous trouvons les quatrièmes résidus partiels $y_i - b_4 x_i$, puis nous calculons que $Y_b^{(4)} = 3,086960$ et $Y_e^{(4)} = 3,086968$.

Ainsi, $b_4^l = \dfrac{3,086968 - 3,086960}{15} = 0,0000005.$

Comme $|b_4^l| < 0,00011$, la pente recherchée et finale est $b_4 = b_f$. Les derniers résidus partiels sont reportés au tableau 3.6.

9) L'ordonnée à l'origine a_f est la médiane des derniers résidus partiels $y_i - b_f x_i$, soit 3,239144. De sorte que la droite de Tukey peut s'écrire $\hat{Y} = 3,24 + 0,89X$.

Les points sommaires ainsi que la droite de Tukey sont représentés au graphe 3.24, qui se trouve au tout début de cette section. La méthode de construction de la droite de Tukey implique beaucoup de calculs. Heureusement on trouve, dans Velleman et Hoaglin [1981, p. 148], deux programmes informatiques pour calculer cette droite. Il existe un programme écrit en BASIC et un autre écrit en FORTRAN. Nous avons utilisé, à plusieurs reprises, le programme écrit en FORTRAN, appelé RLINE, et nous l'avons trouvé très fiable. Il faut noter cependant que RLINE nécessite l'emploi des programmes CINIT, SORT, PSORT, INTFN, FLOOR et MEDIAN décrits en appendice B.2 de cet excellent volume américain.

Procédure pour l'étude de la curvilinéarité

Qu'arrive-t-il maintenant si, après ajustement des données à la droite de Tukey, le graphe des résidus ressemble au graphe 3.28? Les paragraphes qui suivent présentent une procédure qui permet de détecter puis de corriger une relation curvilinéaire entre X et Y. Voici les huit étapes de cette procédure.

1) Construction du nuage de points des données initiales.

2) Construction de la droite de Tukey pour ajuster les données initiales.

3) Construction du nuage des résidus.

Il s'agit d'inspecter visuellement ici si l'ajustement linéaire est adéquat. Le nuage des résidus a-t-il une forme (approximativement) rectangulaire?

4) Règle de transformation[19].

Le principe de cette règle est basé sur l'alignement des trois points sommaires (X_b, Y_b), (X_m, Y_m), (X_e, Y_e) décrits antérieurement lors de la construction de la droite de Tukey. Plus ces points seront alignés, plus l'ajustement linéaire risque d'être adéquat. Afin de vérifier cet alignement, nous comparerons la pente b_{bm} de la droite passant par les points (X_b, Y_b) et (X_m, Y_m) à la pente b_{me} de la droite passant par les points (X_m, Y_m) et (X_e, Y_e).

Nous calculerons donc le rapport des deux quantités,

$$b_{bm} = \frac{Y_m - Y_b}{X_m - X_b}$$

$$\text{et } b_{me} = \frac{Y_e - Y_m}{X_e - X_m},$$

en plaçant au numérateur de ce rapport la plus petite des pentes en valeur absolue: ceci nous assure que le rapport sera toujours compris entre 0 et 1 (pour une relation monotone).

---

19. Reproduit avec permission de Erickson, B.H., Nosanchuk, T.A., [1977] *Understanding data*, McGraw-Hill Ryerson Limited, Toronto, p. 221.

Une fois ces calculs effectués, il convient de distinguer les trois situations suivantes.

a) Si le rapport des pentes est plus grand ou égal à 0,9, l'ajustement linéaire doit être considéré adéquat.

b) Si le rapport des pentes se situe entre 0,5 et 0,9, il peut être utile de transformer X et/ou Y au jugement de l'analyste ou du chercheur. L'expérience d'un des deux auteurs montre cependant que la plupart du temps, avec un rapport compris entre 0,5 et 0,9, il vaut mieux *ne pas* transformer les données.

c) Si le rapport des pentes est plus petit que 0,5, il est nécessaire de transformer X et/ou Y[20].

5) Allure de la courbe et type de transformation.

Une fois déterminé si une transformation est souhaitable, il faut décider du type de transformation à utiliser. Celui-ci dépendra en fait de l'allure de la courbe représentée par les points sommaires. Le tableau 3.7 indique les transformations à effectuer selon la courbure des données représentée par les points sommaires. On notera que l'allure de la courbe correspond à des propriétés bien précises des pentes.

6) Choix de la variable à transformer.

À ce point-ci, il convient de choisir si c'est X qui devra être transformée ou encore Y, ou même les deux variables. Ce choix dépendra de la forme des distributions en cause. Il faudra d'abord transformer la variable dont la distribution s'écarte le plus de la forme standard (symétrique, un sommet, pas de valeurs aberrantes) de manière à obtenir une forme similaire pour les distributions des deux variables, X et Y. Il peut être nécessaire de transformer les deux variables pour y arriver. Une fois choisie la variable à transformer, c'est le tableau 3.7 qui nous indiquera quel type de transformation employer.

7) Choix de la transformation.

Une fois trouvé, à l'étape 5, le cas qui représente le mieux l'allure de la relation en cause et, à l'étape 6, la ou les variable(s) à transformer, on doit choisir une transformation précise en se servant de l'échelle bien connue et présentée au tableau 3.1.

Supposons par exemple que nous soyons manifestement en présence du cas 2 (voir tableau 3.7) et que X soit beaucoup plus asymétrique que Y, nous choisirons alors de transformer X. Nous aurons donc le choix entre les transformations $\sqrt{X}$, Log(X), $-1/X$, ...

---

20. Si le rapport des pentes est négatif, aucune transformation (monotone) ne doit être effectuée, car alors même les données transformées ne seront pas en relation linéaire.

TABLEAU 3.7

Types[21] de transformations correspondant à la courbure des données représentée par les points sommaires (X_b, Y_b), (X_m, Y_m), (X_e, Y_e)

	Allure de la courbe	Propriétés	Transformations sur X	Transformations sur Y
CAS 1	(X_m, Y_m) (X_e, Y_e) (X_b, Y_b)	$b_{bm} > b_{me}$ et $b_{bm}, b_{me} > 0$	$\sqrt{X}$, Log(X),…	$Y^2, Y^3,…$
CAS 2		$\lvert b_{bm}\rvert > \lvert b_{me}\rvert$ et $b_{bm}, b_{me} < 0$	$\sqrt{X}$, Log(X),…	$\sqrt{Y}$, Log(Y),…
CAS 3		$b_{bm} < b_{me}$ et $b_{bm}, b_{me} > 0$	$X^2, X^3,…$	$\sqrt{Y}$, Log(Y),…
CAS 4		$\lvert b_{bm}\rvert < \lvert b_{me}\rvert$ et $b_{bm}, b_{me} < 0$	$X^2, X^3,…$	$Y^2, Y^3,…$

Pour faire ce choix, il est suggéré d'établir un tableau comme celui-ci:

X	$\sqrt{X}$	Log(X)	$-1/X$	Y
X_b	$\sqrt{X_b}$	Log(X_b)	$-1/X_b$	Y_b
X_m	$\sqrt{X_m}$	Log(X_m)	$-1/X_m$	Y_m
X_e	$\sqrt{X_e}$	Log(X_e)	$-1/X_e$	Y_e

puis de calculer les pentes:

$$b_{bm} = \frac{Y_m - Y_b}{X_m - X_b} \quad \text{et} \quad b_{me} = \frac{Y_e - Y_m}{X_e - X_m},$$

$$b_{bm}^1 = \frac{Y_m - Y_b}{\sqrt{X_m} - \sqrt{X_b}} \quad \text{et} \quad b_{me}^1 = \frac{Y_e - Y_m}{\sqrt{X_e} - \sqrt{X_m}},$$

21. Reproduit avec permission de Erickson, B.H., Nosanchuk, T.A., [1977] *Understanding data*, McGraw-Hill Ryerson Limited, Toronto, p. 222, tableau 12.5.

$$b_{bm}^{11} = \frac{Y_m - Y_b}{\text{Log}(X_m) - \text{Log}(X_b)} \quad \text{et} \quad b_{me}^{11} = \frac{Y_e - Y_m}{\text{Log}(X_e) - \text{Log}(X_m)},$$

$$b_{bm}^{111} = \frac{Y_m - Y_b}{(-1/X_m) - (-1/X_b)} \quad \text{et} \quad b_{me}^{111} = \frac{Y_e - Y_m}{(-1/X_e) - (-1/X_m)},$$

et enfin de trouver les rapports tels $\dfrac{b_{me}^{1}}{b_{bm}^{1}}$ ou $\dfrac{b_{bm}^{1}}{b_{me}^{1}}$,

$\dfrac{b_{me}^{11}}{b_{bm}^{11}}$ ou $\dfrac{b_{bm}^{11}}{b_{me}^{11}}$, $\dfrac{b_{me}^{111}}{b_{bm}^{111}}$ ou $\dfrac{b_{bm}^{111}}{b_{me}^{111}}$ en plaçant toujours la plus petite pente

au numérateur.

La transformation à utiliser sera celle qui correspondra au rapport le plus élevé.

8) Vérification (étape finale).

La transformation choisie, il convient de tracer le graphe des données transformées, c'est-à-dire de Y^1 (lire: Y transformée) en fonction de X^1 (lire: X transformée). Bien entendu, il est possible que seulement une variable soit transformée.

Il s'agit par la suite de tracer la droite de Tukey avec ces données transformées, et le graphe des résidus correspondant. Si ce graphe des résidus est conforme à notre modèle rectangulaire, c'est que les transformations effectuées sont adéquates et que $\hat{Y}^1 = a + bX^1$ constitue un ajustement linéaire adéquat. Sinon, il faut peut-être choisir une autre transformation, plus puissante ou moins puissante selon le cas, en utilisant le tableau 3.1.

Cette étape termine la présentation de la procédure pour l'étude de la curvilinéarité de la relation entre deux variables X et Y. Cependant, avant de donner des exemples de cette procédure, il est important de mentionner que l'étude de la curvilinéarité entre X et Y n'exclut pas l'étude de chacune des variables séparément, tout comme nous l'avons montré au cours de la section précédente. Ainsi, pour chacune des deux variables et ce avant l'étude de la relation entre X et Y, il peut être judicieux de construire le diagramme en feuilles et le diagramme en boîte, de vérifier le degré d'asymétrie, les sommets multiples et les valeurs aberrantes. L'étude exploratoire de chacune des variables X et Y peut d'ailleurs nous permettre de gagner du temps au niveau de l'étude exploratoire de la relation entre ces variables. En effet, si l'une des deux variables, soit X, n'a définitivement pas une forme standard, on peut décider de la transformer lors de l'étude particulière de la distribution de X plutôt que d'attendre au moment de l'étude de la relation. Cette décision de transformer avant même d'étudier la relation entre les deux variables permettra probablement d'écourter considérablement la procédure.

Applications de la procédure

Premier cas

Les données du tableau 3.4 représentées au graphe 3.24 nous serviront de premier exemple de cette procédure.

1) C'est le graphe 3.24 qui constitue le nuage de points.

2) La droite de Tukey a été calculée précédemment et se trouve au graphe 3.24.

3) Les résidus partiels $Y - b_f X$ de ces données ont déjà été calculés au tableau 3.6. Pour obtenir les résidus $Y - a_f - b_f X$, il suffit de retrancher $a_f = 3{,}239144$ aux résidus partiels. Ces résidus sont représentés en fonction de X au graphe 3.31.

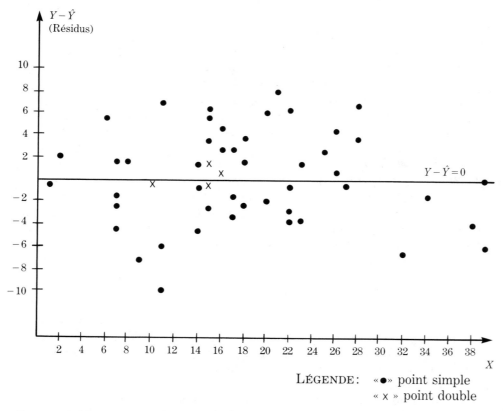

LÉGENDE :   « • » point simple
           « x » point double

GRAPHE 3.31 :   Nuage de points des résidus calculés à partir des résidus partiels $Y - b_f X$ du tableau 3.6.

Après inspection, nous pouvons voir qu'aucune relation notable ne semble se dégager de ce graphe. La forme rectangulaire semble «assez bien» respectée.

4) Les trois points sommaires ont déjà été calculés et reportés au graphe 3.24. Ils semblent «assez bien» alignés. Rappelons que $(X_b, Y_b) = (11,12)$, $(X_m, Y_m) = (17,5, 19,5)$, $(X_e, Y_e) = (26, 28,5)$.

Ainsi, $b_{bm} = \dfrac{Y_m - Y_b}{X_m - X_b} = \dfrac{19,5 - 12}{17,5 - 11} = \dfrac{7,5}{6,5} = 1,15$

$b_{me} = \dfrac{Y_e - Y_m}{X_e - X_m} = \dfrac{28,5 - 19,5}{26 - 17,5} = \dfrac{9}{8,5} = 1,06$

Donc $\dfrac{b_{me}}{b_{bm}} = 0,92$ et l'ajustement linéaire doit être considéré adéquat dans ce cas, comme nous l'avions d'ailleurs observé plus informellement en regardant le graphe des résidus.

La procédure s'arrête donc ici pour cet exemple, puisqu'il n'y a pas lieu de transformer les données.

Second cas

Nous donnerons donc un second exemple plus simple, mais moins conforme, ce qui nous permettra d'utiliser les huit étapes de la procédure.

Cet exemple porte sur des données fictives de 15 élèves en difficulté d'apprentissage au niveau primaire. Le tableau 3.8 présente les scores de ces élèves à un test de compréhension en lecture X et à un test de problèmes écrits en mathématiques Y.

Nous sommes intéressés à étudier la relation entre X et Y pour voir si la compréhension en lecture influence la résolution de problèmes écrits chez ces élèves, de façon linéaire ou curvilinéaire.

Nous suivrons pas à pas la procédure en huit étapes exposée précédemment afin d'étudier cette relation entre X et Y.

1) Le graphe 3.32 présente le nuage de points des données initiales. La forme de ce nuage est intrigante: elle semble curvilinéaire.

Mais allons plus loin.

2) Nous avons les paquets suivants:

$P_{bx} = \{1, 2, 3, 4, 4\}$, $P_{mx} = \{6, 6, 8, 8, 8\}$, $P_{ex} = \{9, 10, 11, 11, 12\}$
$P_{by} = \{1, 1, 2, 2, 3\}$, $P_{my} = \{2, 3, 3, 4, 4\}$, $P_{ey} = (3, 4, 5, 5, 5)$.

TABLEAU 3.8

Scores de quinze élèves à un test de lecture X et à un test de mathématiques Y avec valeurs ajustées $\hat{Y}$ et résidus $Y - \hat{Y}$

X	Y	$\hat{Y}$	$Y - \hat{Y}$
1	1	1	0
2	2	1,36	0,64
3	1	1,73	$-0,73$
4	2	2,09	$-0,09$
4	3	2,09	0,91
6	3	2,82	0,18
6	4	2,82	1,18
8	2	3,55	$-1,55$
8	3	3,55	$-0,55$
8	4	3,55	0,45
9	5	3,91	1,09
10	3	4,28	$-1,28$
11	4	4,64	$-0,64$
11	5	4,64	0,36
12	5	5	0

Calculons la médiane de chacun de ces paquets.

Ainsi, $X_b = 3$, $X_m = 8$, $X_e = 11$

$Y_b = 2$, $Y_m = 3$, $Y_e = 5$.

La droite de Tukey est donnée par $\hat{Y} = 0{,}636 + 0{,}364X$ après 3 itérations.

Cette droite est représentée au graphe 3.32.

3) Au tableau 3.8, nous avons calculé les valeurs ajustées $\hat{Y}$ et les résidus $Y - \hat{Y}$. Ces calculs ont servi ensuite à la construction du graphe 3.33, le nuage des résidus. Après inspection de ce graphe, on remarque plus clairement la tendance curvilinéaire dont nous avons parlé à l'étape 1 en regardant le graphe des données initiales. La forme du nuage des résidus ne semble pas du tout rectangulaire. Mais poursuivons encore plus loin.

4) D'après les calculs obtenus à l'étape 2, on a:

$$b_{bm} = \frac{Y_m - Y_b}{X_m - X_b} = \frac{3 - 2}{8 - 3} = \frac{1}{5} = 0{,}2$$

et $\quad b_{me} = \frac{Y_e - Y_m}{X_e - X_m} = \frac{5 - 3}{11 - 8} = \frac{2}{3} = 0{,}667$

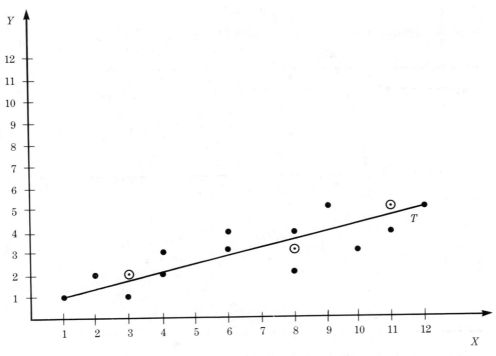

GRAPHE 3.32 :   Nuage de points des données du tableau 3.8 avec points sommaires ($\odot$) et droite de Tukey (T).

Ainsi, $\dfrac{b_{bm}}{b_{me}} = \dfrac{0{,}2}{0{,}667} = 0{,}3.$

Comme ce rapport est nettement plus petit que 0,5, nous devrons procéder à une ou plus d'une transformation(s).

5) Nous avons affaire à un «cas 3» selon le tableau 3.7, puisque $b_{bm} < b_{me}$, b_{bm} et b_{me} positives.

6) Un regard au graphe 3.34 montre que X est légèrement asymétrique (au centre) vers le bas, alors que Y est symétrique (au centre). Nous transformerons donc la variable X.

7) Puisque nous avons un «cas 3» et que nous transformons X, nous devrons utiliser les puissances plus grandes que 1, soit X^2, X^3 d'après le tableau 3.7.

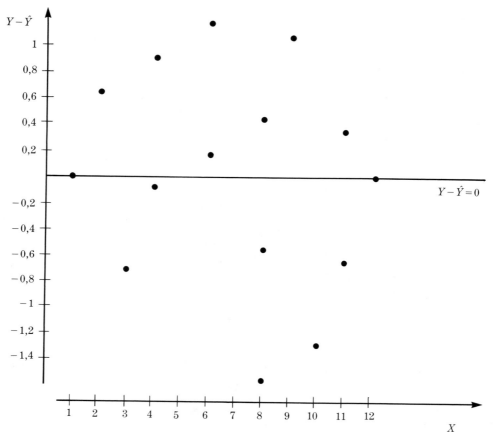

GRAPHE 3.33 :   Nuage des résidus $Y - \hat{Y}$ en fonction de X. Les calculs ont été faits au tableau 3.8.

Afin de choisir la bonne transformation pour X, nous calculerons les points sommaires X_b, X_m, X_e transformés, puis nous ferons un rapport de pentes comme suggéré à cette étape de la procédure:

Y	X	X^2	X^3
$Y_b = 2$	$X_b = 3$	$X_b^2 = 9$	$X_b^3 = 27$
$Y_m = 3$	$X_m = 8$	$X_m^2 = 64$	$X_m^3 = 512$
$Y_e = 5$	$X_e = 11$	$X_e^2 = 121$	$X_e^3 = 1331$

On sait déjà que $\dfrac{b_{bm}}{b_{me}} = 0,3$ pour X.

Or pour X^2, $\dfrac{b_{bm}}{b_{me}} = \dfrac{0,018}{0,035} = 0,51$.

Et pour X^3, $\dfrac{b_{bm}}{b_{me}} = \dfrac{0,0021}{0,0024} = 0,875$.

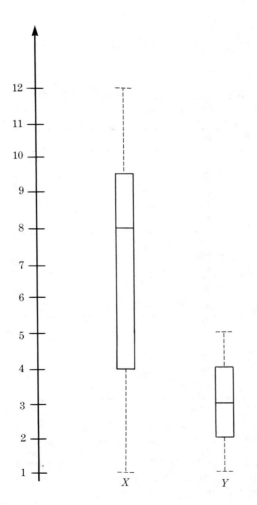

GRAPHE 3.34 : Diagrammes en boîte des données du tableau 3.8.

Hum! Il semble bien que cette orientation soit très fructueuse. Nous utiliserons donc X^3 au lieu de X, ce qui permettra d'aligner les points sommaires et de rendre plus symétrique la variable indépendante.

8) Nos nouvelles données (transformées) sont représentées dans les deux premières colonnes du tableau 3.9.

Calculons maintenant la droite de Tukey sur ces données transformées. En procédant de la même façon qu'à l'étape 2, on trouve les points sommaires:

$(X_b^3 , Y_b) = (27 , 2)$

$(X_m^3 , Y_m) = (512 , 3)$

$(X_e^3 , Y_e) = (1331 , 5)$.

TABLEAU 3.9

Données transformées du tableau 3.8, valeurs ajustées $\hat{Y}$ à la droite de Tukey et résidus $Y - \hat{Y}$

X^3	Y	$\hat{Y}$	$Y - \hat{Y}$
1	1	1,99	$-0,99$
8	2	2,00	0
27	1	2,04	$-1,04$
64	2	2,11	$-0,11$
64	3	2,11	0,89
216	3	2,38	0,62
216	4	2,38	1,62
512	2	2,91	$-0,91$
512	3	2,91	0,09
512	4	2,91	1,09
729	5	3,30	1,7
1000	3	3,79	$-0,79$
1331	4	4,39	$-0,39$
1331	5	4,39	0,61
1728	5	5,1	$-0,1$

Le graphe 3.35 présente le nuage de points des données transformées ainsi que la droite de Tukey (T) dont l'équation est $\hat{Y} = 1,99 + 0,0018X$ après 3 itérations.

L'ajustement linéaire semble satisfaisant, les points sommaires sont assez bien alignés, enfin beaucoup mieux qu'au graphe 3.32 des données originales. La transformation des données avait justement pour objectif de redresser le nuage de points des données originales et donc en particulier d'aligner les points sommaires.

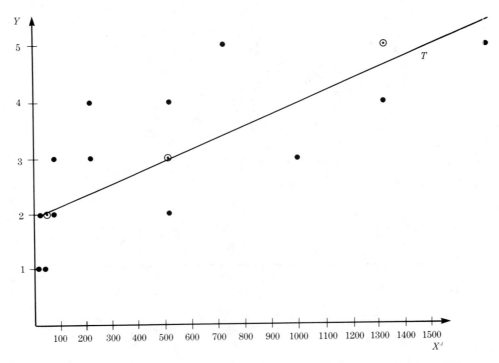

GRAPHE 3.35: Nuage de points des données transformées au tableau 3.9 avec points sommaires (⊙) et droite de Tukey (*T*).

Ce qui n'implique pas nécessairement que les points sommaires doivent se situer sur la droite de Tukey. La procédure de construction de cette droite, en effet, est itérative et a pour objectif de rendre nulle (ou infime) toute pente présente dans le nuage des résidus. C'est ce qu'on peut constater d'ailleurs au graphe 3.36 qui représente le nuage des résidus de nos données transformées tel que calculés au tableau 3.9.

Il peut être utile de noter ici que les programmes informatiques de Velleman et Hoaglin [1981, p. 148], servant à calculer la droite de Tukey, donnent également les pentes b_{bm} et b_{me} utilisées pour l'étude de la curvilinéarité.

Procédure pour l'étude de l'hétéroscedasticité

Nous avons remarqué que la procédure présentée plus haut pouvait corriger explicitement les données dont le nuage des résidus avait une forme curvilinéaire.

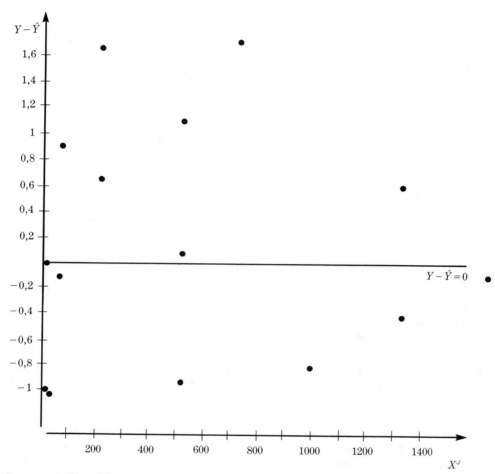

GRAPHE 3.36: Nuage des résidus des données du tableau 3.9 après ajustement linéaire.

Mais qu'arrive-t-il des nuages de résidus qui ont une forme triangulaire? Notre procédure serait-elle aussi adéquate dans ce cas?

Voyons plutôt un exemple. Le graphe 3.37 illustre un nuage de points avec une forme bien particulière. Les données de base se trouvent dans les deux premières colonnes du tableau 3.10.

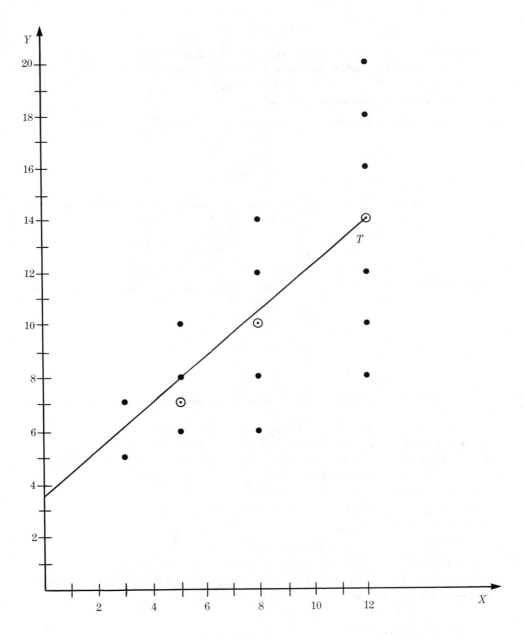

GRAPHE 3.37: Nuage de points montrant une hétéroscedasticité. Les données sont au tableau 3.10.

TABLEAU 3.10

Valeurs de X et de Y dont la relation entre les deux variables présente une hétéroscedasticité. Valeurs ajustées $\hat{Y}$ à la droite de Tukey et résidus $Y - \hat{Y}$; $\hat{Y} = 3,71 + 0,857X$

X	Y	$\hat{Y}$	$Y - \hat{Y}$
3	5	6,29	$-1,29$
3	7	6,29	0,71
5	6	8	-2
5	8	8	0
5	10	8	2
8	6	10,57	$-4,57$
8	8	10,57	$-2,57$
8	10	10,57	$-0,57$
8	12	10,57	1,43
8	14	10,57	3,43
12	8	14	-6
12	10	14	-4
12	12	14	-2
12	14	14	0
12	16	14	2
12	18	14	4
12	20	14	6

Il semble que la dispersion de Y augmente en fonction des valeurs de X. Si on trace une droite de Tukey au travers de ce nuage et que l'on calcule les résidus, on peut alors représenter ces derniers comme au graphe 3.38. La forme du nuage des résidus apparaît clairement comme triangulaire. Tel que nous l'avions déjà remarqué, il y a un problème d'hétéroscedasticité.

Essayons d'appliquer à cet exemple notre procédure mise de l'avant pour la correction de la curvilinéarité.

1) Le nuage des données initiales se trouve au graphe 3.37.

2) La droite de Tukey est aussi représentée au graphe 3.37. Les points sommaires sont $(X_b, Y_b) = (5, 7)$, $(X_m, Y_m) = (8, 10)$, $(X_e, Y_e) = (12, 14)$, puisque nous avons divisé les valeurs de X en trois paquets:

$P_{bx} = \{3, 3, 5, 5, 5\}$
$P_{mx} = \{8, 8, 8, 8, 8\}$
$P_{ex} = \{12, 12, 12, 12, 12, 12, 12\}$

Et donc les valeurs de Y ont été divisées de la façon suivante:

P_{by} = {5, 6, 7, 8, 10}
P_{my} = {6, 8, 10, 12, 14}
P_{ey} = {8, 10, 12, 14, 16, 18, 20}.

Le lecteur vérifiera aisément que cette répartition des valeurs de X et de Y donne bien les points sommaires indiqués plus haut.

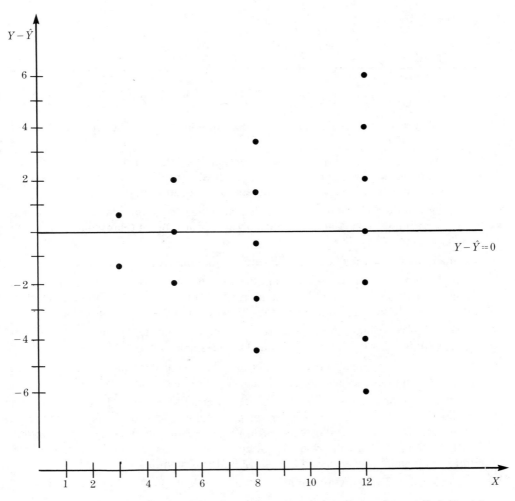

GRAPHE 3.38:   Résidus des données du graphe 3.37 après ajustement linéaire à la droite de Tukey, d'après le tableau 3.10.

Avec cette répartition, on obtient la droite de Tukey après deux itérations seulement, c'est-à-dire que $b_f = b_2$.

On a $\hat{Y} = 3{,}714286 + 0{,}857143X$.

3) Les résidus ont été calculés au tableau 3.10 et reportés au graphe 3.38. Nous avons déjà noté la forme triangulaire.

4) D'après les calculs obtenus à l'étape 2,

$$b_{bm} = \frac{Y_m - Y_b}{X_m - X_b} = \frac{10 - 7}{8 - 5} = \frac{3}{3} = 1$$

$$b_{me} = \frac{Y_e - Y_m}{X_e - X_m} = \frac{14 - 10}{12 - 8} = \frac{4}{4} = 1.$$

Ainsi, le rapport des pentes $\dfrac{b_{bm}}{b_{me}} = 1$.

D'ailleurs, on peut voir, au graphe 3.37 que les trois points sommaires sont parfaitement alignés.

Dans ce cas, la procédure pour la correction de la curvilinéarité nous indique de ne pas transformer les données. Ceci ne devrait toutefois pas nous surprendre, puisqu'aucune relation curvilinéaire ne semble présente au graphe 3.37.

Nous venons donc de montrer que la procédure de correction de la curvilinéarité n'est vraiment pas adéquate pour corriger toute forme triangulaire présente dans le graphe des résidus.

Mais alors, comment corriger cet effet triangulaire?

Nous avons vu que cet effet triangulaire était causé par une relation entre la dispersion des valeurs de Y et les valeurs de X. Nous avons aussi noté que cet effet rappelait la relation «tendance centrale-dispersion» observée à la section 3.4.

Or cette relation, comme il a été souligné à maintes reprises, est très ennuyeuse en analyse de données. Il faut la corriger à tout prix!

Comment corrigerait-on cette relation «tendance centrale-dispersion»? En utilisant ce que nous avons appelé la *deuxième règle de transformation*.

Eh bien, il ne nous reste plus qu'à essayer cette seconde règle de transformation dans notre cas. Afin d'y arriver, et par analogie à ce que nous faisions à la section 3.4, nous diviserons les valeurs de Y en plusieurs paquets. En effet, comme c'est la dispersion des valeurs de Y qui augmente à mesure que les valeurs de X augmentent, nous tenterons de stabiliser la dispersion des valeurs de Y.

Construisons d'abord un paquet de valeurs de Y pour chaque valeur de X.

On a $P_3 = \{5,7\}$, qui est le paquet des valeurs de Y qui correspond à $X = 3$, puis de façon similaire $P_5 = \{6, 8, 10\}$, $P_8 = \{6, 8, 10, 12, 14\}$ et enfin $P_{12} = \{8, 10, 12, 14, 16, 18, 20\}$.

Si nous calculons, pour chaque paquet, la médiane, l'étendue interquartile et que nous formons les diagrammes en boîte, nous obtiendrons une représentation comme celle du graphe 3.39. Les deux premières lignes du tableau 3.11 donnent les calculs nécessaires à la construction des diagrammes.

En regardant le graphe 3.39, nous voyons qu'il a une forme tout à fait analogue au graphe 3.16 de la section 3.4 qui comportait une relation entre la médiane et l'étendue interquartile. On se souviendra que cette relation a été corrigée par la seconde règle de transformation. À n'en pas douter, notre effet triangulaire sera aussi corrigé par cette même règle.

Rappelons un peu cette règle: il s'agit de calculer, pour chaque paquet, la médiane (Md), l'étendue interquartile (EI), puis Log (Md), Log (EI), et de faire le graphe de Log (EI) en fonction de Log (Md). Après avoir trouvé la pente «b» de la droite qui représente le mieux l'alignement des points sur le graphe — chaque point représentant un paquet — on utilise le modèle de puissance résidu $= \pm$ (donnée)$^{1-b}$ pour transformer les données initiales et ce, en se référant à l'échelle des transformations du tableau 3.1.

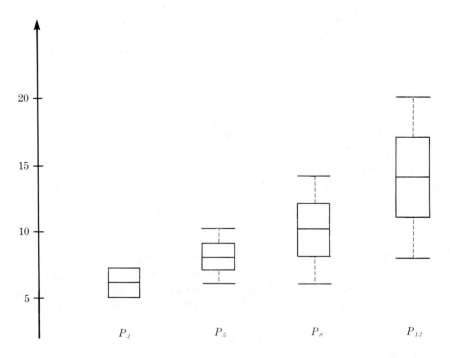

GRAPHE 3.39: Diagrammes en boîte des paquets de valeurs de la variable Y du tableau 3.10 associés à chaque valeur de X.

Le graphe 3.40, construit à partir des valeurs calculées au tableau 3.11, nous montre les quatre points représentant les paquets constitués plus haut. Il s'agit maintenant d'aligner ces quatre points, en utilisant par exemple la méthode du fil noir (Mosteller *et alii* [1983, p. 75]), décrite à la section 3.4.

TABLEAU 3.11

**Médiane (*Md*), étendue interquartile (*EI*), Log (*Md*) et Log (*EI*)
pour chaque paquet représenté au graphe 3.39**

	P_3	P_5	P_8	P_{12}
Md	6	8	10	14
EI	2	2	4	6
Log (*Md*)	0,78	0,90	1,00	1,15
Log (*EI*)	0,30	0,30	0,60	0,78

On voit bien que si nous utilisons la droite qui relie les points P_3 et P_{12}, nous aurons un alignement assez adéquat, du moins pour l'usage que nous voulons en faire. De plus, il sera facile de calculer rapidement la pente de cette droite puisque nous avons déjà deux points qui lui appartiennent.

De cette façon, $b = \dfrac{0,78 - 0,30}{1,15 - 0,78} = \dfrac{0,48}{0,37} = 1,30.$

Ainsi, la puissance que nous devons employer pour transformer les données est $m = 1 - b = 1 - 1,30 = -0,3$.

Cette puissance n'est pas trop loin de 0: ce qui correspond, selon l'échelle des transformations du tableau 3.1, à la transformation logarithmique bien connue. Nous pouvons également considérer, d'après cette échelle, la transformation $\dfrac{-1}{\sqrt[3]{Y}}$ moins connue mais peut-être plus efficace.

Afin de résoudre ce dilemme, nous avons calculé, tel que suggéré à la section 3.4, les rapports des étendues interquartiles des paquets, autant pour les données initiales que pour les données transformées. Ces rapports donnent un indice de la différence entre les mesures de dispersion d'un paquet à l'autre. Ils nous indiquent donc si la transformation a réussi à stabiliser ces mesures.

En ce qui concerne les données initiales, le minimum de ces rapports est

$$\frac{EI(P_5)}{EI(P_{12})} = \frac{2}{6} = 0,33.$$

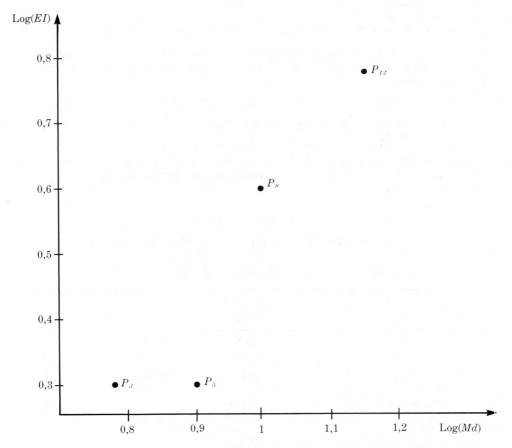

GRAPHE 3.40 : Représentation graphique des quatre paquets du tableau 3.11.

Pour les données transformées, selon le logarithme, ce minimum devient

$$\frac{EI \text{ résidu } (P_5)}{EI \text{ résidu } (P_{12})} = \frac{\text{Log}(9) - \text{Log}(7)}{\text{Log}(17) - \text{Log}(11)} = \frac{0,95 - 0,85}{1,23 - 1,04} = \frac{0,10}{0,19} = 0,53.$$

Si nous considérons maintenant les données transformées selon $\dfrac{-1}{\sqrt[3]{Y}}$, ce minimum sera:

$$\frac{EI \text{ résidu } (P_5)}{EI \text{ résidu } (P_{12})} = \frac{\left(\dfrac{-1}{\sqrt[3]{9}}\right) - \left(\dfrac{-1}{\sqrt[3]{7}}\right)}{\left(\dfrac{-1}{\sqrt[3]{17}}\right) - \left(\dfrac{-1}{\sqrt[3]{11}}\right)} = \frac{(-0,48) - (-0,52)}{(-0,39) - (-0,45)} = 0,67.$$

Ainsi, la transformation $\dfrac{-1}{\sqrt[3]{Y}}$ permet beaucoup mieux de stabiliser les mesures de dispersion des quatre paquets. Nul doute que cette stabilisation permettra de corriger en bonne partie la forme triangulaire des résidus observée au graphe 3.36.

Le tableau 3.12 donne les données transformées $Y^1 = \dfrac{-1}{\sqrt[3]{Y}}$, puis les valeurs ajustées $\hat{Y}^1$ après ajustement à la droite de Tukey, et enfin les résidus $Y^1 - \hat{Y}^1$.

Le graphe 3.41 des résidus $Y^1 - \hat{Y}^1$, correspondant aux données transformées, nous montre bien que la forme triangulaire est beaucoup moins présente ici qu'au graphe 3.38. La transformation utilisée a donc corrigé en bonne partie l'effet d'hétéroscedasticité.

TABLEAU 3.12

Valeurs de Y transformées selon $Y^1 = \dfrac{-1}{\sqrt[3]{Y}}$ d'après les données du tableau 3.10. Valeurs ajustées $\hat{Y}^1$ et résidus $Y^1 - \hat{Y}^1$

X	Y	$Y^1 = \dfrac{-1}{\sqrt[3]{Y}}$	$\hat{Y}^1$	$Y^1 - \hat{Y}^1$
3	5	$-0,58$	$-0,52$	$-0,06$
3	7	$-0,52$	$-0,52$	$+0,00$
5	6	$-0,55$	$-0,50$	$-0,05$
5	8	$-0,50$	$-0,50$	$+0,00$
5	10	$-0,46$	$-0,50$	$+0,04$
8	6	$-0,55$	$-0,46$	$-0,09$
8	8	$-0,50$	$-0,46$	$-0,04$
8	10	$-0,46$	$-0,46$	$+0,00$
8	12	$-0,44$	$-0,46$	$+0,02$
8	14	$-0,41$	$-0,46$	$+0,05$
12	8	$-0,50$	$-0,42$	$-0,08$
12	10	$-0,46$	$-0,42$	$-0,04$
12	12	$-0,44$	$-0,42$	$-0,02$
12	14	$-0,41$	$-0,42$	$+0,01$
12	16	$-0,40$	$-0,42$	$+0,02$
12	18	$-0,38$	$-0,42$	$+0,04$
12	20	$-0,37$	$-0,42$	$+0,05$

Les points sommaires sont $(X_b, Y_b^1) = (5, -0,52)$, $(X_m, Y_m^1) = (8, -0,46)$, $(X_e, Y_e^1) = (12, -0,41)$ et la droite de Tukey est $\hat{Y}^1 = -0,56 + 0,012X$.

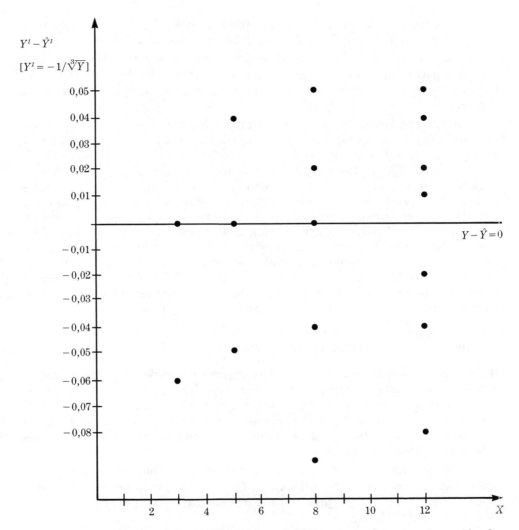

GRAPHE 3.41: Nuage des résidus des données transformées à partir de

$$Y^I = \frac{-1}{\sqrt[3]{Y}}.$$

Une dernière remarque s'impose avant de terminer l'analyse des formes triangulaires. Des données aussi bien «arrangées» que celles du graphe 3.37 sont rares. En conséquence, une forme aussi clairement triangulaire que celle représentée au graphe 3.38 n'est pas fréquente. Que faire donc dans des cas de données bien réelles où on ne voit pas clairement la forme du nuage des résidus? Doit-on débuter par la correction de la curvilinéarité ou par la correction de l'hétéroscedasticité?

Nous croyons qu'il est possible de débuter par l'une ou par l'autre correction. Ce qui importe, c'est qu'au terme de l'analyse on ait corrigé la curvilinéarité *et* l'hétéroscedasticité. Il arrive même parfois qu'en corrigeant l'une, on corrige aussi l'autre.

Par ailleurs, l'expérience aidant, les présents auteurs ont trouvé qu'il était souvent judicieux de débuter par la procédure de correction de la curvilinéarité, et par la suite d'examiner les résidus $Y^1 - \hat{Y}^1$ des données transformées pour voir s'il ne resterait pas une relation entre la dispersion des valeurs de Y^1 et les valeurs de X. Si tel est le cas, ou même en cas de doute, nous conseillons d'utiliser la seconde règle de transformation de la section 3.4 avec les données transformées. Bien sûr, on ne pourra pas toujours associer un paquet de valeurs de Y^1 pour chaque valeur de X comme nous l'avons fait avec les données un peu «particulières» du graphe 3.35. Il s'agira plutôt de diviser les valeurs de X en trois paquets comme nous l'avons fait lors de la procédure de construction de la droite de Tukey avec les paquets P_{bx}, P_{mx}, P_{ex}. Puis on associera, à chacun de ces paquets, le paquet correspondant des valeurs de Y^1. La suite de la procédure est alors la même que celle que nous avons employée.

La pertinence des transformations

Il n'est pas courant de transformer les données en sciences de l'éducation ou même en sciences humaines de façon générale. On se pose des questions sur la pertinence de transformer les données. Est-ce tricher, tripoter les données? Après tout, la transformation implique que l'on ne travaille plus avec les données initiales. Il y a donc lieu d'être très prudent au niveau de l'interprétation des résultats obtenus avec des données transformées.

D'ailleurs, nous sommes d'avis qu'il faut transformer uniquement lorsqu'on a une évidence d'un écart très sérieux à la forme standard ou encore à la forme linéaire. Le cas échéant, le chercheur est très encouragé à consulter un expert à cette étape de l'analyse.

Ceci dit, nous pensons que dans certaines situations, il est nécessaire de transformer les données. C'est pourquoi nous sommes d'avis que le chercheur devrait s'habituer à cette réalité le plus possible. Pour l'aider, nous présentons à l'appendice IV un certain nombre de résultats bien connus dans le monde des sciences physiques, qui ont été obtenus en transformant des données. Nous convions donc le lecteur à quitter le monde de l'éducation pour quelques instants et à se rappeler ses anciennes notions de physique.

La détection des valeurs aberrantes

Nous avons vu à la section 3.4 qu'une distribution de données très asymétrique pouvait donner lieu à l'apparition de plusieurs valeurs semblant aberrantes. C'est pourquoi l'étape de détection des valeurs aberrantes ne doit se faire qu'après la transformation des données, le cas échéant. Il arrive souvent en effet qu'une transformation normalise la situation.

Dans les prochains paragraphes, nous considérons donc que les données ont déjà été transformées ou alors n'ont pas besoin de transformation. Les valeurs extrêmes seront en conséquence bien aberrantes.

Lorsqu'il y a deux variables numériques X et Y en jeu, comme c'est le cas depuis le début de la section 3.5, nous dirons qu'une valeur aberrante est celle qui n'est pas conforme au reste du nuage de points.

Il sera parfois possible de détecter ces valeurs aberrantes en scrutant à fond le nuage de points des données.

Cependant, il est bon de se donner quelques règles qui permettront de détecter la présence de ces valeurs particulières au cas où notre oeil ferait défaut, ou encore pour appuyer nos observations.

Examinons d'abord le graphe 3.42. Nous voyons dix points assez bien alignés et un point (entouré) qui semble non conforme aux autres. Nous voudrions avoir une règle qui vérifie s'il s'agit bien là d'une valeur aberrante.

Le tableau 3.13 donne les valeurs de X et de Y du graphe 3.42, ainsi que l'équation de la droite de Tukey, les valeurs ajustées $\hat{Y}$ et enfin les résidus $Y - \hat{Y}$.

Concentrons-nous sur la colonne des résidus. Une valeur particulièrement élevée (en valeur absolue) attire notre attention, il s'agit de $-3,78$. Or cette valeur correspond justement au point (entouré) non conforme aux autres que nous avons détecté au graphe 3.42. Cette correspondance ne devrait pas nous surprendre outre mesure, puisque si le résidu est très élevé par rapport aux autres, le point est loin de la droite de Tukey, donc loin aussi du nuage et par là non conforme au reste des points.

Première règle

Nous dirons donc qu'une donnée (x_i, y_i) peut être considérée comme aberrante si elle est de fait une valeur aberrante du paquet des résidus $y_i - \hat{y}_i$.

Il s'agit donc de calculer la médiane et les quartiles Q_1 et Q_3 du paquet des résidus et de noter les valeurs qui se situent à plus de $1,5 \times EI$ de Q_1 ou de Q_3. Par exemple, au tableau 3.13, $Q_1 = -0,89$ et $Q_3 = 0,67$; ainsi, $1,5 \times EI = 1,5 \times (0,67 - (-0,89)) = 1,5 \times 1,56 = 2,34$. Comme le résidu $-3,78$ se situe au delà de $-2,34 - 0,89 = -3,23$, la donnée correspondante, soit le point (6,1), est considérée comme une valeur aberrante. Remarquons que ni l'analyse des valeurs aber-

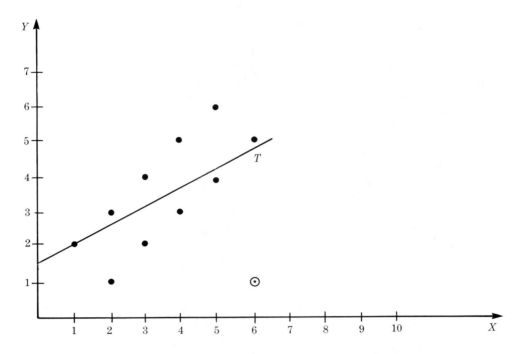

Graphe 3.42: Nuage de points indiquant la présence d'une valeur aberrante « ⊙ ». *T* représente la droite de Tukey telle que calculée au tableau 3.13.

Légende :   « • » point simple
            « ⊙ » valeur aberrante.

rantes du paquet X seulement, ni celle du paquet Y seulement ne saurait détecter de telles valeurs non conformes.

L'exemple précédent a montré comment le calcul des résidus pouvait appuyer la détection visuelle des valeurs aberrantes.

Il est cependant très important d'insister sur le fait que le seul calcul des résidus ne suffit pas à détecter des valeurs non conformes aux autres. Voyons pourquoi à l'aide de l'exemple qui suit.

Le tableau 3.14 donne les valeurs de X et de Y, l'équation de la droite de Tukey, les valeurs ajustées $\hat{Y}$, ainsi que les résidus $Y - \hat{Y}$. $Q_1 = -1$ et $Q_3 = 1{,}14$ sont les quartiles inférieur et supérieur du paquet des résidus. Donc $EI = 2{,}14$ et $1{,}5 \times EI = 3{,}21$. Il est facile de se rendre compte avec ces calculs qu'aucun résidu ici n'est en fait une valeur aberrante. Pourtant, cela signifie-t-il nécessairement

TABLEAU 3.13

**Valeurs des deux variables X et Y, valeurs ajustées $\hat{Y}$, résidus $Y - \hat{Y}$,
points sommaires et équation de la droite de Tukey**

X	Y	$\hat{Y}$	$Y - \hat{Y}$
1	2	2	0
2	1	2,56	$-1,56$
2	3	2,56	0,44
3	2	3,11	$-1,11$
3	4	3,11	0,89
4	3	3,67	$-0,67$
4	5	3,67	1,33
5	4	4,22	$-0,22$
5	6	4,22	1,78
6	1	4,78	$-3,78$
6	5	4,78	0,22

$P_{bx} = \{1, 2, 2, 3, 3\}$, $P_{mx} = \{4, 4\}$, $P_{ex} = \{5, 5, 6, 6\}$

$P_{by} = \{1, 2, 2, 3, 4\}$, $P_{my} = \{3, 5\}$, $P_{ey} = \{1, 4, 5, 6\}$

$(X_b, Y_b) = (2, 2)$, $(X_m, Y_m) = (4, 4)$, $(X_e, Y_e) = (5,5, 4,5)$

$\hat{Y} = 1,444 + 0,556X$ après 4 itérations.

qu'aucun point (x_i, y_i) ne peut être considéré comme aberrant? Regardons plutôt le graphe 3.43.

Ah! ah! On voit bien que les points $(15,4)$ et $(15,5)$ ne sont pas conformes aux autres. Pourtant l'étude des résidus ne nous l'a pas révélé[22].

Seconde règle

Avec ce type de valeur aberrante, il faut utiliser une autre technique, connue sous le nom de «jackknife» (Mosteller et Tukey [1977, p. 133]) pour appuyer la détection visuelle. Il s'agit en fait de calculer l'équation de la droite de Tukey avec toutes les données, soit $\hat{Y} = a + bX$, puis d'enlever une ou plusieurs donnée(s), (x_i, y_i), soupçonnées d'être aberrante(s), de recalculer l'équation de la droite de Tukey avec cette(ces) donnée(s) en moins, soit $\hat{Y} = a^1 + b^1X$, et enfin de comparer les pentes b et b^1. Le rapport de ces pentes nous donnera un indice de l'influence de la(des) valeur(s) (x_i, y_i) sur l'intensité de la relation entre X et Y.

Le résultat est parfois frappant.

Par exemple, avec les données du tableau 3.14, nous avons obtenu $b_f = 0,286$.

---

22. L'analyse des valeurs aberrantes du paquet de valeurs X nous aurait sûrement renseignés.

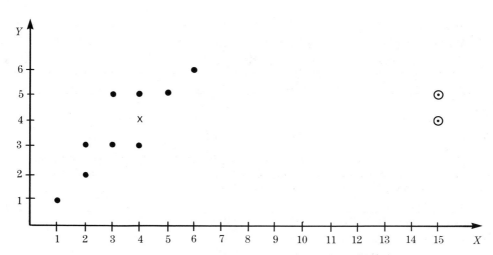

Graphe 3.43 :   Nuage de points indiquant la présence de deux valeurs aberrantes «⊙». Les données se trouvent au tableau 3.14.

Légende :   «•» point simple
               «×» point double
               «⊙» valeur aberrante

Tableau 3.14

Valeurs des variables X et Y, valeurs ajustées $\hat{Y}$, résidus $Y - \hat{Y}$, et équation de la droite de Tukey

X	Y	$\hat{Y}$	$Y - \hat{Y}$
1	1	2,72	$-1,72$
2	2	3	-1
2	3	3	0
3	3	3,29	$-0,29$
3	5	3,29	1,71
4	3	3,57	$-0,57$
4	4	3,57	0,43
4	4	3,57	0,43
4	5	3,57	1,43
5	5	3,86	1,14
6	6	4,15	1,85
15	4	6,72	$-2,72$
15	5	6,72	$-1,72$

La droite de Tukey donne ici $\hat{Y} = 2,43 + 0,286X$.

Or en enlevant les données (15,4) et (15,5), soupçonnées d'être des valeurs aberrantes, on vérifiera que la droite de Tukey a comme équation $\hat{Y} = X$ et donc $b_f^1 = 1$.

Donc, la pente b_f^1 est près de trois fois et demie plus élevée que la pente b_f, du seul fait que l'on a retranché les données (15,4) et (15,5). Celles-ci exercent ainsi une influence considérable sur l'intensité de la relation entre X et Y.

Un regard au graphe 3.44 montre l'écart entre les pentes des deux droites. C'est vraiment frappant!

Les résultats de cette comparaison des pentes ne sont pas toujours aussi remarquables. Mais cette seconde règle, tout comme la première d'ailleurs, est souvent utile pour appuyer — mais non remplacer — la détection visuelle de valeurs aberrantes.

Les valeurs aberrantes ne sont cependant pas toujours aussi influentes. La droite de Tukey est la plupart du temps plus résistante aux valeurs aberrantes. Par exemple, si l'on utilise le «jackknife» avec les points du graphe 3.42 dont les valeurs numériques sont au tableau 3.13 on obtient, en enlevant le point (6,1), la droite de Tukey d'équation $\hat{Y} = 1,4 + 0,6X$. La pente est donc ici de 0,6 alors qu'elle était de 0,556 en incluant le point (6,1). L'écart entre les pentes est ici beaucoup moins grand que dans le cas précédent.

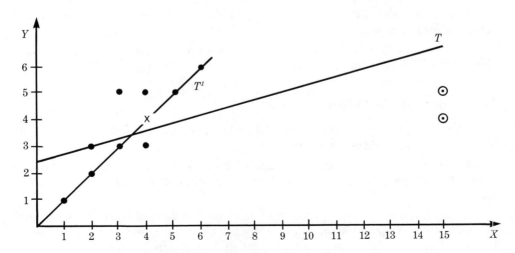

GRAPHE 3.44:   Droite de Tukey (T) calculée à partir de tous les points. Droite de Tukey (T^1) calculée en ne tenant pas compte des points (15,4) et (15,5).

Avec des données réelles, qui comportent parfois des valeurs aberrantes difficiles à détecter de façon certaine sur un graphe, il est souvent nécessaire d'appliquer les deux règles décrites précédemment pour relever toutes les valeurs aberrantes du nuage de points. C'est une procédure qui risque d'être longue, on le conçoit aisément, mais qui est généralement très satisfaisante.

Cependant il ne suffit pas de détecter les valeurs aberrantes; encore faut-il savoir comment les traiter: ce qui n'est pas toujours évident. Il n'existe en effet aucune procédure infaillible. Bien sûr, il arrive que l'on puisse trouver des valeurs aberrantes qui sont dues à des erreurs de calcul ou de transcription de données, qu'il s'agira alors tout simplement de corriger.

La plupart du temps par contre, les autres types de valeurs aberrantes exigent une analyse beaucoup plus poussée. Il se peut par exemple qu'une valeur aberrante soit due à un élève malade ou nouveau. Seule une enquête minutieuse le révélera. Il faut alors décider, sur la base des informations recueillies, si cet élève doit être conservé dans l'échantillon ou non. Chaque cas est différent. Il n'y a pas de règle fixe. Nous suggérons très fortement par ailleurs de ne pas rejeter de valeur aberrante, à moins d'obtenir de solides évidences qui justifient clairement cette action. Par exemple, il pourrait être justifiable lors d'une expérimentation de ne pas tenir compte des scores aberrants d'un élève nouveau parce que celui-ci, venant d'une autre école, n'a pas vraiment participé à l'expérimentation.

Nous traiterons à nouveau des valeurs aberrantes au chapitre 6. Nous verrons, à cette occasion, que celles-ci sont en général plus influentes dans un contexte confirmatoire.

Barnett et Lewis [1978] présentent un excellent traitement (spécialisé) des valeurs aberrantes.

Étude des valeurs manquantes

Il arrive très souvent, au cours d'une recherche, qu'une ou plusieurs données d'un élève soient manquantes. Que faire alors?

Nous ne voulons pas traiter exhaustivement de ce sujet très sérieux dans le domaine de l'éducation, qui peut devenir rapidement très complexe au plan technique.

Limitons-nous à indiquer ici qu'il ne faut pas simplement ignorer une valeur manquante ou pire laisser à un progiciel le soin de s'en «occuper». Ici, comme pour le cas des valeurs aberrantes, chaque cas doit être évalué isolément.

Il se peut en effet qu'une valeur soit manquante uniquement parce qu'un élève a été absent lors d'un post-test final d'une expérimentation. Cet élève a pu cependant effectuer le pré-test et participer entièrement à l'expérimentation. Il serait donc un peu cavalier ici d'écarter cet élève de l'analyse des données. Il serait probablement plus «juste» de le garder et d'estimer son score au post-test à l'aide de son score au pré-test et/ou du résultat de la classe au post-test, en utilisant par exemple la médiane de la classe au post-test ou encore la valeur ajustée $\hat{y}_i$ par la droite de Tukey ou toute autre estimation.

Ceci est particulièrement important dans les cas très fréquents où le nombre de données à analyser est plutôt petit. L'ajout ou le retrait de quelques élèves peuvent alors faire varier sensiblement les résultats.

Le lecteur intéressé à approfondir ce sujet est référé à Snedecor et Cochran [1980].

3.6   CONCLUSION

Nous en arrivons maintenant au terme de ce chapitre, certes plus considérable que les précédents tant par son étendue que par son contenu. Il s'agit aussi du dernier chapitre traitant de façon exclusive de l'analyse exploratoire des données. Les autres chapitres porteront sur les concepts et méthodes statistiques confirmatoires. Cependant, il va de soi que les outils et surtout la philosophie exploratoire auxquels nous avons été initiés seront d'une utilité certaine pour la compréhension de ces futurs concepts et méthodes.

Avant de pénétrer dans ce monde confirmatoire, plus rigoureux, jetons un dernier regard sur nos procédures exploratoires empreintes de souplesse et d'intuition.

Nous avons souvent insisté au cours de ce chapitre sur le fait que nos procédures prenaient l'allure de suggestions plutôt que d'exigences. Peu de règles fixes ont été présentées. Or ceci ne devrait pas insécuriser le futur adepte de l'analyse exploratoire. Au contraire, la possibilité sans cesse présente d'innover, d'adapter ou de construire de nouveaux modèles ou de nouvelles procédures sans grand risque d'échec complet, devrait être de nature à rassurer et à motiver l'analyste en herbe.

Car, rappelons-le, il ne s'agit pas d'en arriver à *une* décision ferme et bien précise au terme d'un processus rigoureux, parfois pénible: non, l'analyse exploratoire sert à donner des indices sur les principales caractéristiques des distributions étudiées. Les procédures y sont itératives; on commence par étudier une caractéristique puis on ajuste les données à cette caractéristique, on étudie ensuite une autre caractéristique à l'aide des résidus puis on ajuste ces résidus, etc. Si bien que l'on peut souvent arriver à des résultats semblables en étudiant les caractéristiques des distributions dans un ordre fort distinct. Même si, dans certains cas, la nature des données et les intérêts de l'analyste peuvent orienter quelque peu. Par exemple, l'ordinogramme 3.1 a été conçu dans cet esprit.

Autre élément de souplesse: l'analyste débutant qui n'est pas prêt à «créer» ses propres procédures pourra choisir la ou les techniques qui lui conviennent en parcourant des textes comme ceux de Erickson et Nosanchuk [1977], Leinhardt et Leinhardt [1980], Leinhardt et Wasserman [1979a], Hartwig et Dearing [1979], McNeill [1977], Mosteller et Tukey [1977], Tukey [1977], Mosteller, Fienberg et Rourke [1983], Hoaglin, Mosteller et Tukey [1983], et Velleman et Hoaglin [1981].

Le texte de Tukey [1977] en particulier constitue une véritable somme pour les analystes de données. Le lecteur qui s'est déjà acharné à en faire l'exégèse comprendra le sens de cette affirmation.

Quoiqu'il en soit, nous pouvons affirmer sans détour que grâce à la souplesse de ses procédures et à son insistance sur l'aspect visuel et intuitif, l'analyse exploratoire permet à tout chercheur d'adapter l'une ou l'autre des méthodes proposées, et ce en tenant compte de ses compétences et du temps qu'il consent à y investir.

Toutefois, convenons qu'il existe un léger inconvénient pour quiconque veut utiliser ces techniques de façon rapide et automatique. Car ni les procédures, ni même la philosophie de l'A.E.D. ne permettent de régler une analyse de données en quelques secondes ou même en quelques minutes par l'utilisation d'une quelconque formule toute faite. En A.E.D., il est *nécessaire* de voir les données, donc de tracer les graphes, d'étudier les caractéristiques des distributions une à une, de corriger toute déviation sérieuse à une forme standard pré-établie, d'étudier et de tracer les résidus.

Tout ceci prend du temps, beaucoup de temps.

Or pour plusieurs d'entre nous qui sommes habitués à fonctionner de manière nettement plus rapide, cela risque-t-il de nous ennuyer au point de nous faire carrément sauter cette étape exploratoire? En somme, le jeu en vaut-il la chandelle?

Bien sûr, cela peut paraître long au début de tracer des graphes, surtout pour le géomètre novice. Mais cela s'apprend et même très vite. De plus, on y prend goût et on acquiert, au fil de l'expérience, des techniques qui nous permettent d'accélérer ce genre de travail clérical[23].

De plus, l'utilisation d'un ordinateur personnel semble indiquée pour alléger ces tâches parfois fastidieuses.

Mais il y a plus. L'analyse exploratoire permet de faire un travail de déblayage considérable avant de tenter de confirmer telle ou telle hypothèse. Elle permet en effet de susciter de nouvelles hypothèses et peut même nous mettre sur la piste de particularités dans les données reflétant un manque de respect de certaines condi-

---

23.   On trouvera dans Tukey [1977] plusieurs suggestions à cet effet.

tions d'application de méthodes confirmatoires. Or tout ceci peut nous faire gagner du temps quand viendra la phase confirmatoire d'analyse des données: moins d'hypothèses vaines à tester, moins de méthodes employées à mauvais escient et qui nécessitent quelquefois de recommencer tout le travail. Enfin et surtout, comme nous l'expérimenterons prochainement, la philosophie de l'A.E.D. sera d'un apport très précieux lors des études confirmatoires.

Elle permettra à l'analyste d'avoir une intuition plus grande de ce qu'il fait lors de l'utilisation de méthodes confirmatoires et peut-être même d'établir de nouvelles hypothèses auxquelles il n'aurait pas pu penser sans la phase exploratoire.

En réalité, c'est toute la recherche dans son ensemble qui est en jeu ici. On ne peut rejeter cela du revers de la main, n'est-ce pas?

3.7   RECOMMANDATIONS ET LECTURES PROPOSÉES

Recommandations

1) Représenter les données graphiquement pour *voir* la forme de la distribution à l'aide du diagramme en feuilles *et* du diagramme en boîte.

2) Étudier la forme de la distribution d'une variable en la comparant à la forme standard (un sommet, symétrique au centre):

- si cette forme comprend plusieurs sommets, il faut penser scinder les données en plusieurs paquets.
- si cette forme est asymétrique (au centre surtout), l'utilisation de transformations pourra aider.

3) Débuter l'analyse exploratoire par l'étude de la caractéristique qui semble la plus apparente.

4)

- S'il n'y a qu'un paquet de données à étudier, transformer lorsque requis (c.-à-d. pour une distribution asymétrique), selon la *première règle*.
- S'il y a relation «tendance centrale-dispersion» et si l'on est intéressé à comparer les mesures de tendance centrale entre les paquets, transformer selon la *seconde règle*.

5) Dans le cas où l'on étudie la relation entre deux variables numériques X et Y, il est important de corriger la curvilinéarité et l'hétéroscedasticité. On pourra par exemple utiliser d'abord la procédure pour l'étude de la curvilinéarité puis vérifier, à l'aide de la seconde règle de transformation, si les résidus comportent un problème d'hétéroscedasticité.

6) L'étude des valeurs aberrantes doit s'effectuer après les transformations des données, le cas échéant. L'emploi des deux règles énoncées à la section 3.5 est

souvent utile pour détecter les valeurs aberrantes. On ne doit pas obligatoirement rejeter toutes ces valeurs. Une enquête poussée est souvent nécessaire pour chaque valeur aberrante.

7) Une valeur manquante peut parfois être estimée. Il n'est pas prudent de simplement la rejeter ou de laisser le soin à un progiciel de s'en «occuper», surtout lorsque peu de données sont en jeu.

Lectures proposées

BARNETT, V., LEWIS, T., [1978] *Outliers in statistical data*, John Wiley & Sons, Chichester, chap. 1, 2.

ERICKSON, B., NOSANCHUK, T.A., [1977] *Understanding Data*, McGraw-Hill Ryerson Ltd, Toronto, chap. 5, 6.

HARTWIG, F., DEARING, B.E., [1979] *Exploratory data analysis*, SAGE Publications, Inc., Beverly Hills, chap. 3, 4.

LEINHARDT, G., LEINHARDT, S., [1980] Exploratory data analysis: New tools for the analysis of empirical data, *Review of Research in Education*, Vol. 8, pp. 85-157.

LEINHARDT, S., WASSERMAN, S., [1979a] Exploratory data analysis: an introduction to selected methods, *Sociological Methodology*, chap. 13, pp. 311-365.

LEINHARDT, S., WASSERMAN, S., [1979b] Teaching regression: an exploratory approach, *The American Statistician*, Vol. 33, No 4, pp. 196-203.

MOSTELLER, F., FIENBERG, S.E., ROURKE, R.E.K., [1983] *Beginning statistics with data analysis*, Addison-Wesley, Reading, Mass., chap. 3.

TUKEY, J., [1977] *Exploratory data analysis*, Addison-Wesley, Reading, Mass., chap. 3, 4, 5.

VALIQUETTE, C., [1981] L'analyse exploratoire des données d'après Hartwig et Dearing, *Lettres statistiques*, No 6, U.Q.T.R., Trois-Rivières.

VELLEMAN, F.P., HOAGLIN, D.C., [1981] *Applications, basics and computing of exploratory data analysis*, Duxbury Press, Boston, Mass., chap. 4, 5.

CHAPITRE 4

Concepts de l'analyse
confirmatoire

4.1   INTRODUCTION

Au cours des deux derniers chapitres, il a été question de l'importance d'explorer les données. Les concepts et méthodes présentés alors se sont avérés simples et flexibles. Il nous était même loisible d'user d'une certaine créativité pour adapter, voire modifier en tout ou en partie une méthode proposée par les maîtres de l'analyse exploratoire.

En vue d'employer adéquatement les techniques confirmatoires, nous devrons nous habituer à beaucoup plus de précision. Il ne s'agit plus ici seulement de décrire ou de donner des indications. Bien au contraire une décision devra souvent être prise à l'aide de règles très strictes.

Au lieu de nous intéresser aux paquets de données en soi, nous étudierons des ensembles plus vastes appelés populations, par l'intermédiaire d'ensembles plus petits nommés échantillons. L'idée sera donc d'inférer à une population les résultats obtenus par l'étude d'un ou de plusieurs échantillon(s).

Bien que les méthodes confirmatoires peuvent être vues d'un point de vue hautement technique, compte tenu de leurs implications mathématiques, nous axerons notre démarche sur la présentation non technique d'un certain nombre de concepts et de méthodes et sur la philosophie qui sous-tend l'analyse confirmatoire. Nous ne prétendons pas que le chercheur pourra se débrouiller de façon autonome avec tout problème d'analyse confirmatoire à la suite de la simple lecture de ce texte. Ce serait une grave erreur de le penser. Nous voulons modestement lui donner un vocabulaire adéquat, une idée de la logique inductive et le mettre en garde contre un bon nombre de pièges qui l'attendent : un chercheur averti en vaut deux ! Cette présentation lui permettra, croyons-nous, de mieux lire de façon critique les articles scientifiques comportant des recherches quantitatives de type confirmatoire et de pouvoir converser plus de quelques minutes avec un consultant de manière à établir un réel dialogue entre ces deux intervenants. C'est, à notre avis, ce que l'on peut faire de plus utile pour le non-spécialiste des méthodes confirmatoires dans l'espace qui nous est imparti. Le lecteur intéressé pourra approfondir les concepts présentés en consultant les textes classiques proposés à cet effet.

4.2   POPULATION, ÉCHANTILLON ET HASARD

Population

La notion de population est certes une des plus fondamentales en analyse confirmatoire. C'est à l'aide d'exemples que nous aborderons cette notion.

Un chercheur veut connaître l'opinion générale des parents du Québec concernant le nouveau programme d'éducation sexuelle destiné aux enfants du primaire. Il devra choisir un « certain nombre » de parents. Puis, il obtiendra l'information désirée en administrant un protocole d'entrevue ou un questionnaire à ces quelques parents. Cependant, l'information recueillie ne concernera que le « certain nombre » de parents choisis par le chercheur. Des considérations pratiques de temps, de fonds de recherche ou simplement l'impossibilité de rejoindre tous les parents ont motivé cette décision de ne choisir qu'un « certain nombre » de parents qui ont un enfant à l'école primaire.

Un second chercheur s'intéresse à la comparaison de deux méthodes d'enseignement des mathématiques au secondaire. Il tient à ce que ses résultats aient une portée au moins régionale, sinon provinciale. Ceci dit, il ne peut tout de même pas soumettre tous les élèves de la région ou de la province à une expérimentation. Il va donc, lui aussi, choisir « un certain nombre » d'élèves qui seront par la suite observés, questionnés et testés. Ici encore, des contraintes de temps et de budget limiteront le nombre possible d'élèves participants à quelques centaines au plus.

Dans l'un comme dans l'autre exemple, nous voyons que le chercheur est intéressé à un groupe de sujets : l'ensemble des parents du Québec qui ont un enfant à l'école primaire ou encore l'ensemble des élèves de première secondaire de la région administrative 03. Il veut connaître une ou plusieurs caractéristiques de ce groupe : le degré de satisfaction du programme d'éducation sexuelle ou encore le rendement en mathématiques.

C'est le groupe de sujets qui nous intéresse et sur lequel portent les conclusions générales que nous appellerons la *population*. On parle donc de la population des parents du Québec ayant un enfant à l'école primaire, ou de la population des élèves de première secondaire dans la région administrative 03.

Non pas que le terme population se limite à des sujets, à des personnes. On parle, en effet, dans d'autres contextes, de population d'ampoules électriques fabriquées chez Westinghouse Inc. en 1984, de population de globules rouges dans le sang de douze rats albinos, ou de population d'items d'un test !

En fait, ce terme « population » réfère à deux réalités bien distinctes. Le *sens commun* veut que ce terme se rapporte à un groupe de sujets ou d'objets tel que décrit plus haut sur lequel nous voulons connaître certaines caractéristiques par généralisation, par inférence. Or dans ce cas, il devient imprécis de parler de moyenne ou de variance de population : comment calculer en effet la moyenne d'un ensemble de sujets ou d'objets. C'est pourquoi au *sens statistique*, le terme « population » réfère à un ensemble de données ou de mesures prises sur des sujets ou des objets : dans ce sens, on peut parler de moyenne de la population.

Mais en pratique, nous ne ferons pas ces subtiles distinctions. Lorsque nous dirons « la moyenne de la population des élèves de première secondaire », cela signifiera « la moyenne des mesures prises sur les élèves de la population pour telle ou telle caractéristique ». Par exemple, si l'on étudie le rendement en mathématiques de ces élèves, « la moyenne de la population des élèves » ou mieux « la moyenne des élèves » ne peut alors vouloir dire que « la moyenne des mesures à un certain test de mathématiques pour tous les élèves de cette population ».

Échantillon

Comme nous l'avons vu, même si le chercheur s'intéresse à une population, il n'étudie vraisemblablement qu'« un certain nombre » d'éléments de cette population. C'est ce sous-ensemble de la population que nous nommons *échantillon*. Or le chercheur désire que les résultats de la recherche soient valables, non seulement pour l'échantillon étudié, mais pour toute la population. Il prend donc un soin très particulier pour « choisir » cet échantillon de manière à ce qu'il soit le plus représentatif possible de la population. En somme, le chercheur tente d'obtenir un portrait miniature, qui soit le plus fidèle de la population. De cette manière, il peut plus facilement inférer ou généraliser à toute la population, les résultats obtenus au niveau de l'échantillon.

Une bonne façon d'obtenir un tel échantillon représentatif est de donner la même chance à chaque élément (sujet ou objet) et à chaque groupe d'éléments de la population d'être choisi dans l'échantillon : c'est ce que l'on entend par *échantillon aléatoire* (simple) ou *échantillon « au hasard »*.

Contrairement à ce que le sens commun peut laisser entendre, on ne choisit pas un échantillon aléatoire un peu n'importe comment. Bien au contraire, des règles très rigoureuses doivent être suivies pour s'assurer que l'échantillon est vraiment aléatoire : c'est-à-dire que chaque élément ou chaque groupe d'éléments de la population a la même chance d'être choisi.

Plusieurs méthodes existent pour générer un ou plusieurs échantillon(s) aléatoire(s). Bien que très primitive, la « méthode du chapeau » peut être très efficace si elle est employée correctement. Rappelons que cette méthode consiste à associer à chaque élément de la population un nombre de 1 à N, où N est le nombre total d'éléments dans la population; puis il s'agit de numéroter N boules (ou jetons ou cartes) identiques en tous points, de façon à ce que chaque boule représente un élément de la population, et de les placer dans un chapeau ou dans la traditionnelle urne. Les yeux bandés, l'expérimentateur pige alors « au hasard » « n » boules, constituant du même coup un échantillon aléatoire de taille « n ».

Une façon plus savante mais pas nécessairement plus précise consiste à utiliser un tableau de chiffres générés de façon aléatoire. Ce type de tableau se retrouve à l'intérieur d'un bon nombre de textes à caractère statistique, tels les livres portant sur les plans de recherche ou ceux traitant des questions d'échantillonnage. Le tableau 4.1 est un bon exemple de ce qu'on peut y voir : un tableau constitué uniquement de chiffres, de colonnes de chiffres ou de lignes de chiffres générés aléatoirement par ordinateur. Pour faciliter la lecture du tableau, nous avons réuni ces chiffres par groupes de cinq. L'exemple suivant illustre l'utilisation que l'on peut en faire.

TABLEAU 4.1

Chiffres générés de façon aléatoire[1]

10480	15011	01536	02011	81647	91646	69179	14194	62590
22368	46573	25595	85393	30995	89198	27982	53402	93965
24130	48360	22527	97265	76393	64809	15179	24830	49340
42167	93093	06243	61680	07856	16376	39440	53537	71341
37570	39975	81837	16656	06121	91782	60468	81305	49684
77921	06907	11008	42751	27756	53498	18602	70659	90655
99562	72905	56420	69994	98872	31016	71194	18738	44013
96301	91977	05463	07972	18876	20922	94595	56869	69014
89579	14342	63661	10281	17453	18103	57740	84378	25331
85475	36857	53342	53988	53060	59533	38867	62300	08158
28918	69578	88231	33276	70997	79936	56865	05859	90106
63553	40961	48235	03427	49626	69445	18663	72695	52180
09429	93969	52636	92737	88974	33488	36320	17617	30015
10365	61129	87529	85689	48237	52267	67689	93394	01511
07119	97336	71048	08178	77233	13916	47564	81056	97735

---

1. Reproduit avec permission de Hines, W.W., Montgomery, D.C., [1972] *Probability and statistics in engineering and management science*, Ronald Press, New York, N.Y.

TABLEAU 4.1 (suite)

Chiffres générés de façon aléatoire

51085	12765	51821	51259	77452	16308	60756	92144	49442
02368	21382	52404	60268	89368	19885	55322	44819	01188
01011	54092	33362	94904	31273	04146	18594	29852	71585
52162	53916	46369	58586	23216	14513	83149	98736	23495
07056	97628	33787	09998	42698	06691	76988	13602	51851
48663	91245	85828	14346	09172	30168	90229	04734	59193
54164	58492	22421	74103	47070	25306	76468	26384	58151
32639	32363	05597	24200	13363	38005	94342	28728	35806
29334	27001	87637	87308	58731	00256	45834	15398	46557
02488	33062	28834	07351	19731	92420	60952	61280	50001
81525	72295	04839	96423	24878	82651	66566	14778	76797
29676	20591	68086	26432	46901	20849	89768	81536	86645
00742	57392	39064	66432	84673	40027	32832	61362	98947
05366	04213	25669	26422	44407	44048	37937	63904	45766
91921	26418	64117	94305	26766	25940	39972	22209	71500
00582	04711	87917	77341	42206	35126	74087	99547	81817
00725	69884	62797	56170	86324	88072	76222	36086	84637
69011	65795	95876	55293	18988	27354	26575	08625	40801
25976	57948	29888	88604	67917	48708	18912	82271	65424
09763	83473	73577	12908	30883	18317	28290	35797	05998
91567	42595	27958	30134	04024	86385	29880	99730	55536
17955	56349	90999	49127	20044	59931	06115	20542	18059
46503	18584	18845	49618	02304	51038	20655	58727	28168
92157	89634	94824	78171	84610	82834	09922	25417	44137
14577	62765	35605	81263	39667	47358	56873	56307	61607

Parmi la population de 500 élèves d'une polyvalente, un chercheur veut en choisir 60 pour connaître leur opinion sur la consommation de drogues légères et d'alcool chez les jeunes (13-18 ans). N'ayant pas d'urne à sa disposition et ne portant pas de chapeau, le chercheur tentera d'utiliser notre tableau 4.1 pour produire un échantillon aléatoire de taille $n = 60$. Après avoir obtenu, à l'aide de l'ordinateur de la commission scolaire, la liste complète des élèves numérotés de 1 à 500, il est prêt à utiliser notre tableau. Son objectif est d'obtenir 60 nombres différents de trois chiffres compris entre 001 et 500. Or comme les chiffres de ce tableau sont générés de façon (pseudo-) aléatoire (c'est-à-dire qu'il n'y a pas de relation systématique évidente entre les chiffres du tableau), il pourra débuter la lecture des nombres (de trois chiffres) n'importe où et poursuivre sa démarche selon une règle précisée à l'avance. Il devra de plus prendre soin de ne retenir, des nombres lus, que ceux situés entre 001 et 500. À titre d'illustration bien concrète, supposons que notre chercheur décide d'adopter la règle suivante: il débute sa lecture par le nombre constitué des trois premiers chiffres de la deuxième colonne de cinq chiffres, soit 150; puis il passe à la ligne située immédiatement sous ce nombre et il retient 465. Il continue en retenant le nombre 483. Il lit ensuite, selon cette règle, le nombre 930 mais il ne peut le retenir, car il ne conserve que des nombres plus petits que 500. En poursuivant de la sorte, les 60 nombres retenus seront:

150, 465, 483, 399, 069, 143, 368, 409, 127, 213
323, 270, 330, 205, 042, 264, 047, 425, 185, 015
255, 225, 062, 110, 054, 482, 333, 463, 337, 224
055, 288, 048, 390, 256, 298, 279, 188, 356, 020
166, 427, 079, 102, 332, 034, 081, 099, 242, 073
129, 301, 491, 496, 309, 078, 061, 277, 174, 312.

Il doit prendre soin de ne pas inclure les nombres déjà présents dans l'échantillon. Une bonne façon de s'assurer qu'on n'a pas retenu le même nombre plus d'une fois consiste à les mettre en ordre croissant. Si, après vérification, il s'avérait qu'un nombre ait été répété, on devrait alors le remplacer en poursuivant la lecture dans le tableau selon la règle déjà précisée. Ce serait un excellent exercice pour le lecteur de reproduire ces soixante nombres à l'aide du tableau 4.1 en débutant au haut de la deuxième colonne de cinq chiffres, et en tenant compte uniquement des trois premiers chiffres de chaque quintuplet.

À part l'échantillonnage aléatoire (simple), il existe bien d'autres méthodes servant à choisir un échantillon. Nous en présentons ici quelques-unes et nous traiterons brièvement de certains problèmes relatifs à ces méthodes.

Échantillonnage systématique

Un *échantillon systématique* est construit à partir d'une liste numérotée en prenant comme premier élément celui qui correspond au nombre entier « a » choisi au hasard entre 1 et $\dfrac{N}{n}$, où N est le nombre total d'éléments de la liste (c.-à-d. la population) et n le nombre d'éléments de l'échantillon voulu.

Les autres nombres choisis seront:

$$a + \frac{N}{n}, a + 2\frac{N}{n}, a + 3\frac{N}{n}, \ldots, a + (n-1)\frac{N}{n}.$$

Ces nombres devront être arrondis à l'unité dans le cas où $\dfrac{N}{n}$ n'est pas un nombre entier.

Ainsi pour $N = 500$ et $n = 60$, on a $\dfrac{N}{n} = \dfrac{500}{60} = 8,333\ldots$ et «a» un nombre entier choisi au hasard entre 1 et $8,333\ldots$ Supposons que $a = 7$ soit choisi au hasard. Notre échantillon sera alors constitué des 60 éléments ayant les numéros 7, 15 (arrondi de $15,333\ldots$), 24 (arrondi de $23,666\ldots$), 32, $\ldots$, 499 (arrondi de $498,666\ldots$), dans la liste originale.

Il arrive que cette méthode d'échantillonnage donne de bons résultats, c'est-à-dire que l'échantillon systématique a de bonnes chances d'être assez représentatif de la population et ce, avec relativement peu d'efforts. Il faut cependant exercer une grande prudence lors de l'utilisation de l'échantillonnage systématique. Considérons plutôt l'exemple suivant. Le Service de la Recherche du ministère de l'Éducation a besoin de connaître par voie de questionnaire la réaction d'administrateurs scolaires et de professionnels non enseignants quant à l'introduction d'un nouveau régime pédagogique. Pour ce faire, le Service dispose de listes composées du Directeur général, du Directeur des services pédagogiques, des conseillers pédagogiques en français et en mathématiques dans chaque commission scolaire (c.s.). Pour des raisons financières et en raison de contraintes de temps, le Service a pensé procéder par échantillonnage systématique. Une procédure informatique a permis d'obtenir la liste numérotée suivante:

1- Nom du directeur général de la c.s. 1.
2- Nom du directeur des services pédagogiques de la c.s. 1.
3- Nom du conseiller pédagogique en français de la c.s. 1.
4- Nom du conseiller pédagogique en mathématiques de la c.s. 1.
5- Nom du directeur général de la c.s. 2.
6- Nom du directeur des services pédagogiques de la c.s. 2.
7- Nom du conseiller pédagogique en français de la c.s. 2.
8- Nom du conseiller pédagogique en mathématiques de la c.s. 2.
9- Nom du directeur général de la c.s. 3.
etc.

Imaginons-nous un peu quel échantillon nous obtiendrions si $\dfrac{N}{n}$ par exemple était un multiple de 4. Supposons que $\dfrac{N}{n} = 8$, alors si $a = 5$, notre échantillon sera composé des sujets ayant les numéros 5, 13, 21, 29, $\ldots$ C'est donc dire que les seuls sujets interrogés seront des directeurs généraux. Peut-on affirmer dans ce cas que l'échantillon est représentatif de la population visée? Sans nul doute, non! Il est donc essentiel que le chercheur qui veut tirer un échantillon systématique à partir d'une liste informatisée s'enquière de la procédure utilisée pour la confection de cette liste. Sans quoi l'échantillonnage systématique risque de donner des résultats très peu satisfaisants.

Population-cible et base de sondage

Incidemment, cet exemple illustre un autre problème relatif à l'échantillonnage, soit la définition précise de la population. En effet, compte tenu que la liste d'administrateurs scolaires dont le Ministère dispose n'inclut pas les directeurs d'école par exemple, il serait sûrement inopportun de vouloir généraliser les résultats obtenus à toutes les catégories d'administrateurs scolaires, surtout si les sujets de ces différentes catégories comportent des caractéristiques ou profils de réponse bien distincts. Un exemple plus connu sera de nature à éclairer la distinction entre la *population-cible* (celle sur laquelle on veut généraliser les résultats) et la population réellement échantillonnée (aussi appelée *base de sondage*). Une maison de sondage veut savoir l'opinion des Montréalais quant aux politiques fiscales du gouvernement municipal. L'intention est donc de choisir un échantillon et de généraliser les résultats à tous les Montréalais! Un nouveau membre de l'équipe de sondage de cette maison hautement renommée a la brillante idée de se servir de l'annuaire téléphonique de Montréal pour choisir l'échantillon. Il pense obtenir, par là, la liste presque complète de tous les citoyens de cette ville. Erreur grossière: Comme le stipule Bertaud et Charles [1980, p. 217], ce monument littéraire ne rejoint que 70% des adultes. Qui plus est, on peut imaginer sans peine que ceux dont le nom n'apparaît pas dans l'annuaire n'ont pas exactement les mêmes caractéristiques que les inscrits! Ainsi, on ne pourra sûrement pas généraliser à tous les Montréalais sur la base d'un échantillon pris à même un annuaire téléphonique sans courir le risque d'effectuer de graves erreurs. Le lecteur devra donc se montrer très circonspect même si la maison de sondage semble bien « nuancer » l'interprétation des résultats en utilisant une base de sondage si clairement distincte de la population-cible.

Échantillonnage subjectif

En éducation, il arrive souvent que l'on ne puisse se permettre d'échantillonner de façon aléatoire ou systématique, même si la population est très bien définie. Quel audacieux chercheur par exemple aurait le courage d'apprendre à un enseignant, sans autre préambule, que le « hasard » a choisi sa classe comme groupe expérimental et qu'en conséquence, de trois à cinq observateurs se promèreront dans sa (?) classe à tout moment pour recueillir des données? L'éthique et le bon sens veulent que nous procédions autrement. C'est pourquoi on aura souvent recours à l'*échantillonnage subjectif*. Même si la portée de la recherche est considérablement atténuée, on devra bien souvent « choisir » en effet un échantillon selon la convenance des sujets. Par exemple, seuls les enseignants volontaires pourront être retenus. De plus, il n'est pas question de choisir un échantillon aléatoire d'élèves dans une commission scolaire ou même dans une école pour leur faire subir un traitement expérimental quelconque (par exemple une nouvelle méthode d'enseignement) sans se soucier des groupes-classes déjà existants.

Il est vrai que l'échantillonnage subjectif limitera en très grande partie les inférences à caractère statistique. Cependant, comme nous le verrons plus loin, cela ne veut pas dire que la recherche est vaine puisque non généralisable.

Échantillonnage stratifié

Afin d'augmenter la représentativité d'un échantillon tout en maintenant sa taille à un niveau acceptable, on divise parfois la population en parties *homogènes* appelées strates et ce, avant de choisir les sujets. Si à l'intérieur de chaque strate, on procède à un échantillonnage aléatoire, on obtiendra un *échantillon* aléatoire *stratifié*. Il est aussi possible d'employer l'échantillonnage systématique ou l'échantillonnage subjectif à l'intérieur de chaque strate. Reprenons l'exemple du début de la présente section concernant l'opinion des parents pour le nouveau programme d'éducation sexuelle. Il serait justifiable de diviser la population en deux strates : la première strate composée des parents dont les enfants suivent le cours de catéchèse, et la deuxième strate composée des parents dont les enfants suivent le cours de morale. On peut espérer une plus grande homogénéité de réponses à l'intérieur de chacune de ces strates.

Il est à remarquer que la stratification ne consiste pas en une division commode de la population : les strates doivent être homogènes pour la ou les caractéristiques étudiées. Il serait par conséquent beaucoup moins justifiable statistiquement de diviser la population des parents de l'exemple précédent selon un critère proprement géographique, sans aucun lien apparent avec les réponses anticipées concernant le nouveau programme d'éducation sexuelle. Une nuance s'avère cependant nécessaire ici. Pour des raisons *pratiques*, qui ne sont pas nécessairement liées à la représentativité de l'échantillon, le chercheur pourrait trouver justifiable de diviser la population des parents selon les régions administratives du Québec. Cela lui permettrait par exemple d'identifier des équipes de recherche pour chaque région : ce qui peut devenir un avantage pratique non négligeable. Le chercheur pourrait par la suite diviser chaque région en deux parties homogènes « catéchèse-morale » telles que définies précédemment.

Cet échantillonnage stratifié nous permettra d'obtenir dans certains cas une représentativité plus grande de la population et ce, avec moins de sujets, donc à peu de frais.

Il est parfois requis d'échantillonner la même proportion d'individus dans chaque strate : dans le cas par exemple où l'on ne connaît pas toutes les caractéristiques distributionnelles (ex. la variance) des strates de la population. On parle alors d'un *échantillonnage stratifié proportionnel*.

Échantillonnage à plusieurs niveaux

L'*échantillonnage à plusieurs niveaux* (« multistage sampling ») consiste à échantillonner à plusieurs reprises de façon à identifier les sujets ou les objets qui nous intéressent. Voici un exemple qui l'illustrera. Nous désirons connaître l'opinion des élèves du secondaire face à une approche pédagogique par objectifs adoptée dans certains programmes du ministère de l'Éducation. Comme le Québec est divisé en régions administratives, nous commencerons par choisir au hasard quelques-unes de ces régions ; puis à l'intérieur de chacune des régions choisies, nous prendrons un certain nombre de commissions scolaires ; puis à l'intérieur de chacune des commissions scolaires choisies, un certain nombre d'écoles ; puis dans chaque école choisie, un certain nombre de classes ; et enfin dans chaque classe, un certain nombre d'élèves.

On doit comprendre qu'il faut utiliser des niveaux échantillonnés (régions administratives, commissions scolaires . . .) aussi hétérogènes que possible. Il n'y aurait en effet aucun avantage statistique à échantillonner par exemple des commissions scolaires à l'intérieur des régions administratives si l'on devait s'attendre à un profil de réponses très semblable d'une commission scolaire à l'autre. De même, il ne serait probablement pas très rentable d'intercaler le niveau classe entre les niveaux « école » et « élève » si l'on s'attend à une certaine homogénéité des profils de réponses des élèves d'une même classe. Nous devons donc autant que possible diminuer le nombre de niveaux. Par exemple, nous pourrions retenir comme niveaux, dans ce cas-ci, les régions administratives, les écoles et les élèves.

Échantillonnage en grappes

Comme dernière méthode d'échantillonnage propre à être utilisé en particulier dans le domaine de l'éducation, nous mentionnerons l'*échantillonnage en grappes*. L'exemple suivant décrit cette méthode. Le ministère des Affaires sociales est intéressé à connaître l'efficacité de son nouveau programme de soins dentaires au niveau des finissants des écoles primaires de la région administrative de Québec. Nous pourrions, pour ce faire, échantillonner parmi tous les élèves finissants des écoles primaires de la région, mais ce n'est guère pratique. Nous décidons de choisir au hasard les écoles (au lieu des élèves) et de prendre comme échantillon tous les élèves de 6ᵉ des écoles choisies. Nous échantillonnons donc les écoles au lieu des élèves, même si ce sont réellement les élèves qui nous intéressent.

Nous venons de présenter les principales méthodes pour échantillonner un groupe d'objets ou de sujets parmi une population donnée.

Il est bien difficile de faire la liste des avantages et des inconvénients propres à chacune des méthodes d'échantillonnage. Le choix d'une méthode plutôt que d'une autre dépend bien souvent du type de recherche en jeu.

S'il s'agit par exemple d'une étude comme une enquête où l'on veut connaître le rendement scolaire moyen en sciences physiques des élèves de diverses régions du Canada qui terminent leur enseignement secondaire, il est alors très important de choisir un échantillon le plus représentatif possible de chaque région. L'échantillonnage aléatoire stratifié à deux niveaux serait probablement une méthode susceptible d'être retenue dans ce cas. Chaque région du Canada jouerait le rôle d'une strate et nous échantillonnerions au hasard d'abord les écoles à l'intérieur de chacune des strates, puis les élèves à l'intérieur de chaque école choisie.

Par ailleurs, pour une étude qui porte sur la comparaison entre diverses méthodes d'enseignement, il est rare que l'échantillon soit choisi avec autant de minutie. Quelques classes choisies sur une base volontaire font souvent l'affaire. Bien sûr, nous y perdons au niveau de la représentativité de l'échantillon. Mais ici, contrairement à l'enquête, ce n'est pas surtout la représentativité et les inférences au niveau d'une population spécifiée à l'avance qui nous intéressent : c'est plutôt la comparaison entre les méthodes.

Cette dernière discussion soulève deux aspects de l'échantillonnage qui restent bien souvent obscurs. Les paragraphes qui suivent tenteront d'apporter un éclaircissement concernant l'un et l'autre aspects.

Échantillon aléatoire et assignation aléatoire

L'assignation aléatoire ou « au hasard » est une opération bien distincte du choix d'un échantillon de façon aléatoire. L'assignation aléatoire consiste à assigner au hasard un échantillon de sujets dans deux ou plusieurs groupes. Il n'est donc pas inconcevable que le chercheur soit obligé de choisir un échantillon de sujets de façon subjective (obtenant ainsi un échantillon non aléatoire), mais qu'il puisse assigner aléatoirement chaque sujet à un des groupes. L'échantillonnage aléatoire réfère à la représentativité de l'échantillon dans la population tandis que l'assignation aléatoire est une méthode pour contrôler les variables nuisibles d'un plan de recherche. En d'autres mots, celle-ci réfère plutôt à la validité interne tandis que celui-là porte sur la validité externe de la recherche.

Inférence statistique et inférence logique

Pour bien distinguer l'inférence statistique de l'inférence logique, il convient de présenter l'exemple qui suit. Afin d'évaluer l'impact général d'une nouvelle méthode d'enseignement individualisé, un groupe de chercheurs décide de conduire une expérience longitudinale dans quelques écoles pour une période de cinq ans. Compte tenu des coûts énormes d'expérimentation et du degré d'engagement des enseignants dans cette recherche, « l'échantillon » de classes (enseignants et élèves) et donc d'écoles, sera choisi sur une base volontaire. Il n'est pas question ici d'imposer à un enseignant de changer sa méthode d'enseignement pour plusieurs années parce que le hasard en a décidé ainsi. Il n'est pas non plus question de choisir les classes aux quatre coins du Québec. On ne pourra donc définitivement pas obtenir un échantillon aléatoire dans ce cas: un échantillonnage subjectif semble plutôt de rigueur. Les critères de choix de cet échantillon pourront être aussi subjectifs que la proximité du centre de recherche, la bonne volonté des enseignants et des administrateurs scolaires. De cette façon, il va sans dire que l'inférence statistique formelle de l'échantillon vers la population (laquelle?) semble problématique. Cependant, est-ce que cela signifie pour autant que les résultats obtenus seront valides exclusivement pour les classes de l'échantillon? Certainement pas! À l'aide des caractéristiques propres à cet échantillon subjectif (ex. milieu socio-économique, niveau scolaire, ...), il est sans nul doute possible de définir *logiquement* et a posteriori une certaine population relativement semblable à l'échantillon et sur laquelle des inférences pourront être esquissées. Le lecteur intéressé par ces considérations saura profiter des lectures de Lord et Novick [1968, chap. II], Cornfield et Tukey [1956], Snedecor et Cochran [1980, chap. I].

Les deux derniers points que nous avons traités nuancent un peu la suprême importance que l'on semble toujours accorder à l'échantillonnage aléatoire. Nous avons abordé ces points pour nous élever contre le mythe faisant de l'échantillonnage aléatoire une condition nécessaire à la validité de toute recherche. Nous sommes bien sûr d'avis que c'est le type d'échantillonnage à privilégier, dans la mesure du possible. Le malheur étant qu'en des domaines comme l'éducation, nous avons désespérément besoin de recherches même si les réelles possibilités d'un tel échantillonnage se présentent très rarement. D'ailleurs, même un échantillon aléatoire risque lui aussi de ne pas être représentatif de la population.

En fait, le grand avantage de l'échantillon aléatoire sur l'échantillon subjectif consiste à pouvoir évaluer statistiquement le degré d'incertitude des résultats obtenus à partir d'un échantillon. Par contre, l'évaluation de ce degré d'incertitude n'est pas capitale pour toutes les recherches. Nous pourrions même ajouter qu'en éducation, seulement certains types de recherche bien identifiés, comme les enquêtes par exemple, nécessitent l'évaluation de ce degré d'incertitude.

Quoiqu'il en soit, l'échantillonnage demeure une étape fondamentale lors d'une analyse confirmatoire des données. Autant que possible et surtout si l'enjeu de la recherche est d'une grande importance, la consultation d'un spécialiste pour ces épineuses questions est fortement conseillée. Incidemment, ce sujet offre une occasion unique pour le chercheur et le consultant d'entreprendre un dialogue valable. En effet, dans une telle opération, le chercheur a besoin du consultant: question d'éviter les innombrables écueils statistiques. De même le consultant, non spécialiste de la matière ou du champ d'étude, doit se familiariser auprès du chercheur avec les caractéristiques de la population et les diverses variables en jeu pour effectuer un travail pertinent. L'établissement d'un plan d'échantillonnage est donc un excellent exemple d'un travail qui a tout à gagner s'il se réalise en équipe.

4.3   STATISTIQUE, PARAMÈTRE ET DISTRIBUTION D'ÉCHANTILLONNAGE

Statistique et paramètre

La distinction entre « échantillon » et « population » est généralement assez claire, car on comprend que celui-là constitue une partie (ou un sous-ensemble) de celle-ci. Or il n'en va pas de même lorsque l'on compare la moyenne ou la variance d'un échantillon à la moyenne ou la variance d'une population. On dit simplement « moyenne » ou « variance » et la confusion est ainsi créée. D'autant plus que, bien souvent, on utilise une notation formelle très tôt dans le développement de ces notions : ce qui a pour conséquence d'ajouter à la confusion.

Nous tenterons ici une approche non technique et plus concrète afin d'apporter des éléments de solution à ce problème. Notre but sera donc moins d'arriver à présenter tous les détails (techniques) de la procédure d'analyse confirmatoire que d'assurer la maîtrise des notions étudiées au plan intuitif.

En premier lieu, il est capital de différencier *statistique*, qui est une valeur numérique d'un échantillon, d'un *paramètre* qui est une caractéristique numérique d'une population.

La statistique est cette valeur observée, calculée à partir des données brutes. Cette valeur varie d'un échantillon à l'autre. Pour sa part, le paramètre nous est généralement inconnu et ne varie pas dans la population étudiée.

Parmi les valeurs souvent utilisées comme statistiques en analyse confirmatoire, on compte la moyenne de l'échantillon, notée « m », l'écart-type de l'échantillon, noté « e », et son carré, la variance, notée « v ».

De même la moyenne de la population, notée « M », l'écart-type de la population, notée E, et la variance de la population, notée « V », seront des paramètres fréquemment utilisés. La notation employée ici est d'ailleurs conforme à celle adoptée pour la taille de l'échantillon, soit « n », et la taille de la population « N ».[2]

Comme nous l'avons déjà fait remarquer au chapitre 2, nous nous intéressons moins souvent ici à des paramètres comme la médiane et l'étendue interquartile de la population qu'en analyse exploratoire. Nous utilisons donc très peu les statistiques correspondantes (médiane et étendue interquartile de l'échantillon), préférant pour des raisons pratiques des mesures moins résistantes. Toutefois, les

---

2.   Tant qu'il n'en sera pas indiqué autrement, la règle générale des notations se lira comme suit : lettre minuscule pour une caractéristique relative à un échantillon, lettre majuscule pour la population. Il est à noter que nous avons choisi comme symbole pour la moyenne « m » au lieu de $\bar{x}$ comme dans plusieurs textes. De même, nous avons préféré « e » à « s » pour l'écart-type et « v » au lieu de « s^2 » pour la variance.

problèmes relatifs à ce manque de résistance, soulevés alors, restent les mêmes ici et doivent être traités, comme il se doit, avec le plus grand sérieux.

Mais revenons à la distinction «statistique-paramètre». L'exemple suivant concrétisera un peu plus nos avancés.

Afin de connaître la capacité d'utilisation des calculatrices de poche par des enfants de 9, 10 et 11 ans, un groupe de didacticiens de la mathématique a construit un test pour mesurer cette capacité. Le test est par la suite administré à un échantillon d'élèves assez représentatif, croit-on, de la population totale des élèves québécois du second cycle du primaire. La moyenne des élèves de l'échantillon est calculée; on obtient $m = 36,7$. Or la moyenne de la population, soit le paramètre M, reste inconnu puisqu'on ne connaît pas les résultats au test de tous les élèves de la population. Cependant, c'est ce paramètre M qui intéresse vraiment les didacticiens. Ils se serviront de la statistique «m» pour estimer le paramètre M. On ne peut bien sûr espérer obtenir un résultat identique pour le paramètre M et la statistique «m», celle-ci provenant d'*un* échantillon parmi d'autres. Répétons-le: pour une population donnée, M est fixe alors que «m» varie d'un échantillon à l'autre! Ainsi pour avoir une bonne idée de l'écart entre m et M, il faut d'abord savoir comment varie «m» d'un échantillon à l'autre. C'est ce sujet d'une importance capitale en analyse confirmatoire, que nous traiterons dans les prochains paragraphes.

Pour rendre les choses encore plus concrètes, nous nous servirons d'une population dont les données sont toutes accessibles.

Distribution des moyennes d'échantillon «*m*»

Voici au graphe 4.1, les scores (fictifs) en physique de 200 élèves de cinquième secondaire d'une école publique. Les 200 élèves de l'école constitueront notre population.

Il est facile de calculer que $M = 64,32$

Supposons que l'on veuille estimer ce paramètre M par la moyenne d'un échantillon de taille $n = 3$, qu'observerait-on?

À l'aide du tableau 4.1 de chiffres générés de façon aléatoire, nous avons choisi au hasard quinze échantillons de taille 3.

Ils sont reproduits au tableau 4.2.

		(Nb)
4*	00111234444	(11)
4.	5566788888889999	(16)
5*	001111112222333334444444444	(27)
5.	555556666666667777788888888899	(30)
6*	0000001111111222222222222223	(27)
6.	5555555555566668888889999	(25)
7*	111122222222333334	(18)
7.	666666777788	(12)
8*	00001122333	(11)
8.	566677888	(9)
9*	00011112	(8)
9.	555558	(6)
		$(N = 200)$

GRAPHE 4.1: Diagramme en feuilles des scores en physique (sur 100) de 200 élèves de cinquième secondaire.

TABLEAU 4.2

Quinze échantillons de taille 3 choisis aléatoirement à partir des données du graphe 4.1. Les moyennes sont arrondies à l'unité

Échantillons de taille 3		Moyennes d'échantillon « m »
1.	55, 80, 60	65
2.	65, 73, 43	60
3.	56, 49, 69	58
4.	54, 54, 65	58
5.	54, 52, 61	56
6.	73, 40, 54	56
7.	65, 56, 60	60
8.	86, 80, 44	70
9.	90, 60, 58	69
10.	66, 82, 69	72
11.	53, 62, 68	61
12.	62, 65, 88	72
13.	48, 54, 62	55
14.	76, 81, 62	73
15.	82, 58, 76	72

On observe que la moyenne « m » varie considérablement (de 55 à 73) d'un échantillon à l'autre. Tellement qu'il serait fort téméraire de vouloir utiliser un tel échantillon de taille 3 pour estimer le paramètre $M = 64{,}32$. Le risque de se tromper semble vraiment trop élevé. Imaginons que l'on ait obtenu l'échantillon N° 13 de moyenne 55, ou encore l'échantillon N° 12 de moyenne 72: nous serions bien loin de $M = 64{,}32$. Peut-être aurons-nous plus de précision avec des échantillons de taille 5. Le tableau 4.3 présente quinze échantillons de cette taille.

TABLEAU 4.3

Quinze échantillons de taille 5 choisis aléatoirement à partir des données du graphe 4.1. Les moyennes sont arrondies à l'unité

Échantillons de taille 5		Moyennes d'échantillon « m »
1.	73, 57, 72, 68, 53	65
2.	54, 88, 46, 56, 62	61
3.	54, 55, 54, 90, 48	60
4.	78, 58, 62, 51, 58	61
5.	62, 72, 57, 68, 58	63
6.	56, 90, 82, 61, 69	72
7.	95, 90, 53, 98, 48	77
8.	77, 86, 71, 53, 95	76
9.	72, 56, 40, 87, 73	66
10.	88, 88, 90, 56, 62	77
11.	72, 90, 55, 83, 69	74
12.	54, 73, 72, 60, 58	63
13.	46, 44, 55, 86, 60	58
14.	76, 58, 41, 62, 57	59
15.	57, 47, 72, 62, 80	64

Hum! Les résultats ne semblent guère plus encourageants, les moyennes « m » fluctuant de 58 à 77. Donnons-nous une autre chance et choisissons des échantillons de taille 10 cette fois-ci. On note au tableau 4.4 une légère amélioration par rapport aux résultats précédents. Toutefois, il n'est pas possible de prétendre encore à une relative stabilité de la statistique m autour du paramètre M.

TABLEAU 4.4

Quinze échantillons de taille 10 choisis aléatoirement à partir des données du graphe 4.1. Les moyennes sont arrondies à l'unité

Échantillons de taille 10	Moyennes d'échantillon « *m* »
1. 95, 65, 60, 73, 49, 61, 58, 71, 54, 91	68
2. 91, 57, 60, 62, 49, 45, 56, 62, 41, 62	59
3. 73, 76, 65, 58, 69, 72, 53, 61, 52, 81	66
4. 58, 41, 52, 60, 61, 48, 54, 53, 71, 54	55
5. 76, 49, 95, 47, 62, 71, 57, 56, 65, 81	66
6. 57, 72, 73, 40, 87, 76, 60, 62, 66, 68	66
7. 68, 78, 49, 65, 95, 62, 80, 56, 62, 68	68
8. 62, 62, 68, 58, 51, 59, 66, 49, 58, 72	61
9. 54, 83, 68, 48, 73, 60, 51, 95, 69, 62	66
10. 92, 91, 73, 72, 54, 65, 58, 43, 73, 78	70
11. 53, 49, 72, 86, 62, 60, 54, 73, 76, 62	65
12. 57, 48, 62, 58, 65, 51, 66, 66, 72, 62	61
13. 62, 59, 55, 90, 87, 81, 53, 62, 55, 68	67
14. 56, 48, 65, 91, 56, 95, 88, 42, 44, 56	64
15. 90, 72, 95, 62, 50, 49, 71, 68, 83, 62	70

Une dernière étape dans cette démarche laborieuse (presque pénible!) mais *nécessaire* nous permettra de tirer des conclusions fort utiles. Allons-y donc avec des échantillons de taille 20.

Ah! Ah! une amélioration très sensible apparaît au tableau 4.5. Pour les échantillons de taille 20, la valeur minimale de la moyenne d'échantillon observée est 60 et la valeur maximale 68. Il serait donc beaucoup moins risqué d'utiliser un échantillon de cette taille, plutôt qu'un échantillon de taille 3 par exemple, pour estimer $M = 64,32$ à partir de la statistique m. En somme, il appert que ce risque sera d'autant plus faible que la taille de l'échantillon sera grande.

TABLEAU 4.5

Quinze échantillons de taille 20 choisis aléatoirement à partir des données du graphe 4.1. Les moyennes sont arrondies à l'unité

	Échantillons de taille 20	Moyennes d'échantillon « m »
1.	54, 73, 77, 62, 80, 69, 87, 85, 54, 68 62, 56, 62, 65, 95, 61, 50, 44, 61, 40	65
2.	52, 65, 73, 62, 62, 62, 66, 58, 71, 49 87, 65, 62, 68, 76, 88, 66, 47, 48, 49	64
3.	61, 68, 73, 55, 59, 73, 57, 40, 69, 91 73, 55, 86, 57, 58, 60, 76, 45, 62, 41	63
4.	54, 62, 56, 68, 76, 77, 59, 42, 71, 50 62, 41, 57, 54, 91, 51, 78, 77, 66, 58	63
5.	55, 54, 65, 95, 78, 65, 48, 41, 49, 56 54, 51, 72, 52, 58, 54, 65, 50, 68, 61	60
6.	54, 71, 72, 77, 72, 76, 62, 76, 51, 58 76, 91, 83, 90, 60, 49, 73, 56, 41, 57	67
7.	65, 60, 52, 72, 45, 90, 49, 92, 56, 49 62, 72, 58, 44, 88, 49, 56, 76, 42, 60	62
8.	48, 78, 76, 65, 77, 73, 83, 54, 55, 56 60, 76, 54, 65, 73, 86, 58, 41, 76, 68	66
9.	51, 91, 69, 44, 55, 54, 52, 71, 80, 73 80, 60, 55, 81, 77, 69, 68, 49, 58, 54	65
10.	51, 69, 55, 77, 77, 87, 43, 80, 77, 57 65, 51, 55, 73, 54, 61, 95, 62, 90, 71	68
11.	62, 50, 77, 72, 48, 65, 58, 40, 56, 49 44, 88, 68, 56, 62, 72, 65, 91, 52, 65	62
12.	72, 72, 57, 82, 51, 62, 53, 56, 76, 77 58, 65, 57, 61, 82, 49, 76, 91, 44, 41	64
13.	53, 51, 53, 72, 50, 52, 57, 66, 62, 77 90, 68, 48, 72, 61, 95, 52, 48, 54, 60	62
14.	46, 83, 56, 57, 58, 61, 53, 54, 80, 73 68, 80, 76, 55, 56, 61, 54, 69, 62, 57	63
15.	95, 58, 63, 48, 51, 66, 76, 58, 71, 62 76, 58, 52, 55, 57, 54, 73, 83, 51, 44	63

  Afin de mieux visualiser cette dernière constatation, nous avons construit au graphe 4.2 les diagrammes en feuilles des moyennes d'échantillon pour chacune des tailles considérées. En reprenant la terminologie des deux chapitres précédents, on notera que les distributions des moyennes d'échantillon dont la taille est $n = 3$ ou bien $n = 5$ montrent un double sommet. Ce qui ne se produit pas si la taille de l'échantillon est $n = 10$ ou $n = 20$. De plus, l'asymétrie semble beaucoup moins prononcée pour $n = 20$ que pour $n = 10$. Enfin, une dernière observation encore plus importante: l'accroissement de la taille des échantillons (de 3 à 20) semble avoir un effet déterminant sur la diminution de l'écart-type des moyennes e_m, indice de la variation des moyennes d'échantillon. On appelle aussi e_m, l'erreur-type de la moyenne.

	$n = 3$	$n = 5$	$n = 10$	$n = 20$
5_{4-5}	5		5	
5_{6-7}	6 6			
5_{8-9}	8 8	8 9	9	
6_{0-1}	0 0 1	0 1 1	1 1	0
6_{2-3}		3 3		2 2 2 3 3 3
6_{4-5}	5	4 5	4 5	4 4 5 5
6_{6-7}		6	6 6 6 6 7	6 7
6_{8-9}	9		8 8	8
7_{0-1}	0		0 0	
7_{2-3}	2 2 2 3	2		
7_{4-5}		4		
7_{6-7}		6 7 7		
$m_m =$	63,80	66,40	64,80	63,80
$e_m =$	6,85	6,87	4,18	2,11

GRAPHE 4.2: Diagrammes en feuilles de quatre distributions de moyennes d'échantillon.

LÉGENDE: m_m est la moyenne des moyennes d'échantillon
     e_m est l'écart-type des moyennes d'échantillon et vaut

$$\sqrt{\frac{\sum\limits_{i=1}^{15} (m_i - m_m)^2}{14}}.$$

Le théorème central limite

L'essentiel de ces observations est contenu dans l'énoncé suivant (qui constitue une manifestation du fameux « théorème central limite ») : la distribution des moyennes d'échantillon m tend à devenir normale, avec moyenne M et écart-type $\frac{E}{\sqrt{n}}$, à mesure que n augmente.

Analysons un peu cet énoncé. Tout d'abord, qu'est-ce qu'une « distribution des moyennes d'échantillon » ? Eh bien ! il s'agit d'une distribution du genre de celles que l'on a obtenues au graphe 4.2 : on choisit un certain nombre d'échantillons de taille spécifiée « n », on calcule la moyenne de chacun de ces échantillons, puis on fait un graphe montrant comment se distribuent ces moyennes d'échantillon. Il est entendu qu'à chaque taille « n » correspond une distribution (comme au graphe 4.2).

Que dit de plus cet énoncé ? Il stipule que si l'on prend des échantillons « de plus en plus grands », la distribution des moyennes d'échantillon tend alors à devenir normale (en pratique on veut dire à un sommet, symétrique et pas d'extrémités trop longues). On mentionne en outre que cette distribution a une « moyenne égale à M » et un « écart-type valant $\frac{E}{\sqrt{n}}$ ». Ceci signifie que si l'on prend, pour un « n » spécifié, *tous* les échantillons de taille « n », et que l'on calcule la moyenne M_m de ces moyennes d'échantillon, on obtiendra comme résultat le paramètre M, soit donc exactement la moyenne de la population de départ. De même le calcul de l'écart-type E_m de ces moyennes d'échantillon donnera $\frac{E}{\sqrt{n}}$*, soit l'écart-type de la population divisé par la racine carrée de la taille de l'échantillon : ce qui confirme l'observation effectuée plus haut quant à l'importance déterminante de la taille « n » des échantillons sur la variation des moyennes d'échantillon. En fait, l'égalité $E_m = \frac{E}{\sqrt{n}}$ indique deux choses : primo, plus il y aura de variation dans la population (plus E sera élevée), *plus* les moyennes d'échantillon varieront ; secundo, plus la taille des échantillons sera élevée, *moins* les moyennes d'échantillon varieront.

Un dernier élément, mais non le moindre, reste à préciser au sujet du théorème central limite. Cet élément est plus ou moins implicite dans l'énoncé : la distribution des moyennes d'échantillon approchera la normale peu importe la forme de la distribution de la population de départ, si « n » est suffisamment grand.

Le lecteur sceptique[3] pourra se rendre compte sans peine que ces dires se trouvent « assez bien » corroborés par les données du graphe 4.2. On voit « assez

---

* En réalité, on doit ajouter un facteur de correction, ce qui donne $E_m = \frac{E}{\sqrt{n}} \sqrt{\frac{N-n}{N-1}}$. Ce terme est bien approximé par $\frac{E}{\sqrt{n}}$ si N est grand par rapport à n.

3.   Qualité essentielle en analyse des données.

bien » en effet que la moyenne m_m (qui est une estimation de M_m) des moyennes m pour les quinze échantillons s'approche du paramètre $M = 64,32$ et que l'écart-type e_m (qui est une estimation de E_m) des moyennes m diminue progressivement de 6,87 à 4,18, et à 2,11 lorsque la taille des échantillons augmente de 5 à 10, à 20. Nous devons dire « assez bien », puisque nous n'avons pas pris *tous* les échantillons de taille « n », pour le calcul de m_m et de e_m mais seulement quinze de ces échantillons[4]. Même si les quinze échantillons ont été choisis au hasard pour représenter le mieux possible la totalité (on pourrait même dire la population) des échantillons d'une taille « n » spécifiée à l'avance, aucune des quatre distributions présentées n'est vraiment normale. On pourra discerner encore bien d'autres irrégularités en scrutant à fond ces données, il n'en reste pas moins qu'à mesure que « n » augmente, l'énoncé de théorème central limite semble vouloir se confirmer inéluctablement. Ces irrégularités ne font qu'entériner le risque encouru, mentionné précédemment, si l'on utilise un échantillon de très petite taille pour estimer le paramètre M à l'aide de m.

Le lecteur quelque peu impatient[5] serait en droit de s'interroger ici sur l'objectif de cette présentation en somme « théorique ». Car il est bien rare en éducation que l'on connaisse, comme ici, les paramètres M ou V d'une population que l'on échantillonne. Et il est encore plus rare que l'on doive choisir plusieurs échantillons de même taille pour étudier la distribution des moyennes de ces échantillons, puis de faire varier la taille afin de comparer plusieurs distributions de moyennes d'échantillon ! Non, ceci est bel et bien une procédure théorique dans le sens que l'utilisateur n'a pas à la pratiquer chaque fois qu'il analyse des données (heureusement d'ailleurs !).

Cette procédure a été présentée en long et en large afin d'établir une distinction claire entre certains concepts comme la distribution des données de la population et la distribution des moyennes d'échantillon : d'après l'exemple déjà élaboré, cette première distribution est asymétrique (graphe 4.1), alors que la deuxième tend à devenir normale à mesure que « n » augmente selon le théorème central limite.

Une fois assimilée comme il se doit, cette procédure nous permettra de présenter allègrement la logique qui sous-tend plusieurs méthodes d'analyse confirmatoire parmi les plus utilisées (ou utiles ?) dans le domaine de l'éducation (ex. test « t », analyse de la variance). Or, pour ce, nous aurons besoin de connaître non seulement la distribution des moyennes d'échantillon, mais aussi la distribu-

---

4. Le nombre d'échantillons de taille $n = 20$ (pris sans remise) dans notre population où $N = 200$ est égal au nombre de combinaisons des 200 éléments pris 20 à la fois, soit
$$\frac{200!}{180!\,20!} = \frac{200 \times 199 \times \ldots \times 182 \times 181}{20 \times 19 \times \ldots \ldots \times 2 \times 1} = 2,90 \times 10^{29} : \text{un nombre astronomique.}$$

5. Défaut néfaste en analyse des données.

tion des différences de moyennes d'échantillon: $m_1 - m_2$, où m_1 est une moyenne calculée sur un échantillon provenant d'une population P_1, et m_2 une moyenne calculée sur un échantillon d'une population P_2.

Par un raisonnement tout à fait analogue à celui suivi plus haut, il peut être montré que: la distribution des différences de moyennes d'échantillon comme $m_1 - m_2$ tend à devenir normale avec moyenne $M_1 - M_2$ et écart-type $\sqrt{\dfrac{V_1}{n_1} + \dfrac{V_2}{n_2}}$, à mesure que n_1 et n_2 augmentent, si les échantillons sont indépendants[6].

4.4   AU SUJET DE QUELQUES DISTRIBUTIONS

Le théorème central limite dont nous venons de discuter au cours des derniers paragraphes fait mention de la distribution normale. Comme les méthodes confirmatoires s'appuient beaucoup sur ce théorème, nous aurons besoin de connaître à fond ce qu'est une distribution normale.

Cette section présente donc en détail les principales caractéristiques de la distribution normale. Nous traiterons également de distributions qui sont en quelque sorte reliées à la distribution normale et dont nous aurons besoin autant dans les développements de la section suivante qu'au cours des chapitres subséquents. Il s'agit des distributions t, F et khi-deux.

Distribution normale

D'abord la *distribution normale*, dont nous avons déjà fait mention, est reconnue en particulier pour sa simplicité. Cette distribution peut être complètement déterminée par deux paramètres: la moyenne M et l'écart-type E (ou la variance V). Il n'existe donc pas qu'une seule courbe normale, mais bien une famille de courbes. Le graphe 4.3 donne l'allure générale de ces courbes, leur forme pourrait-on dire.

Ainsi, prétendre qu'une série d'observations de scores ou de données suit une distribution normale signifie, à toutes fins pratiques, que l'histogramme, le polygone de fréquences ou le diagramme en feuilles de ces données prend l'allure d'une courbe normale. Un exemple apparaît au graphe 4.4.

Une distribution normale est donc symétrique, à un sommet et sans extrémités trop longues. Cette dernière propriété signifie ici que la très grande majorité des données sont regroupées près du centre de la distribution.

---

6.   Dans le sens qu'il n'existe pas de relation systématique entre les échantillons de la population P_1 et ceux de la population P_2.

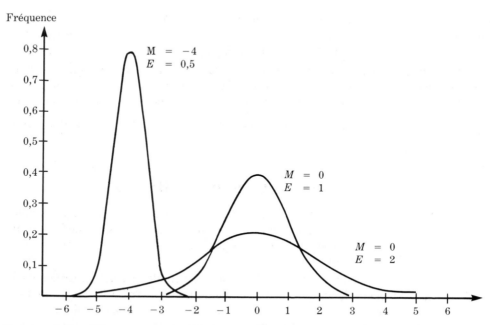

GRAPHE 4.3:   Diverses courbes de la distribution normale variant selon les paramètres M et E.

Ceci dit, n'oublions pas que « la normalité est un mythe ; il n'y a jamais eu et il
n'y aura jamais de distribution normale »[7].

En fait, tout ce que nous pouvons espérer (avec des données réelles) est une
distribution « approximativement » normale. L'approche exploratoire mise de
l'avant précédemment pour l'étude de la *forme* d'une distribution pourra servir à
voir si une distribution est « approximativement » normale.

Or bien souvent nous devrons présumer que tel groupe ou telle population de
données suit une distribution approximativement normale sans vraiment pouvoir
l'évaluer au sens strict, par exemple dans le cas où il n'est pas possible d'avoir accès
aux données de toute la population. Est-ce qu'il s'agit là d'une présomption trop
forte, ou même erronée pour nous qui oeuvrons dans le domaine de l'éducation ?
Ferguson [1976, p. 90] stipule que plusieurs variables en psychologie suivent une
distribution approximativement normale (ex. le Q.I.). Schwartz [1969, p. 111] fait
le même commentaire pour les variables en biologie. Ce dernier va même jusqu'à

---

7.   Voir Geary, R.C., [1947] Testing for normality, *Biometrika*, Vol. 34, p. 241 : « Normality is a
myth ; there never has, and never will be, a normal distribution ».

1	X
2	XX
3	XXX
4	XXXX
5	XXXXX
6	XXXX
7	XXX
8	XX
9	X

GRAPHE 4.4:   Diagramme en feuilles à l'allure d'une courbe normale.

tenter une explication à ce phénomène. Il mentionne en effet qu'en biologie, une variable est souvent «pour un individu donné, le résultat d'une multitude de facteurs ajoutant indépendamment leurs effets, elle a donc la signification d'une somme, ou, ce qui revient au même, d'une moyenne, vis-à-vis de ces facteurs élémentaires; sa loi de probabilité est alors celle d'une moyenne, proche de la loi normale». Ce dernier bout de phrase provient directement bien sûr de l'énoncé du théorème central limite. Voilà donc ce brillant argument explicité pour les sciences biologiques. Ceux qui connaissent bien la complexité des variables utilisées en éducation (ex. rendement scolaire, aptitude générale) sauront aisément transposer, par analogie, l'argument de Schwartz dans ce dernier domaine.

Le théorème central limite ne sert pas uniquement à justifier que certaines variables ont une distribution presque normale. Ce théorème nous permet aussi d'établir que plus n augmente, plus la distribution des scores standards définis par $z = \dfrac{m - M_m}{E_m} = \dfrac{m - M}{E/\sqrt{n}}$ tend à devenir normale, de moyenne «0» et d'écart-type «1». En effet, les scores z étant obtenus après une transformation linéaire des m, la forme de la distribution des z sera la même que celle des m, qui est normale d'après le théorème. De plus, comme la moyenne des m est M et que l'écart-type est $E/\sqrt{n}$, la moyenne des z sera par conséquent 0 et l'écart-type 1.[8]

Remarquons qu'un raisonnement analogue montre, d'après le résultat énoncé à la fin de la section précédente, que la statistique $\dfrac{(m_1 - m_2) - (M_1 - M_2)}{\sqrt{\dfrac{V_1}{n_1} + \dfrac{V_2}{n_2}}}$ suit une loi qui tend à devenir normale de moyenne 0 et d'écart-type 1, à mesure que n_1 et n_2 augmentent, si les échantillons de la population P_1 sont indépendants des échantillons de P_2.

Ce qui rend cette statistique z fort attrayante réside dans le fait que les diverses caractéristiques de la distribution normale de moyenne 0 et d'écart-type 1 sont très bien connues.

En particulier on sait (voir graphe 4.5) qu'environ 68% de la surface sous la courbe normale est situé entre $z = -1$ et $z = +1$: ce qui revient à dire que, pour toute courbe normale, 68% de la surface sous la courbe se situe à au plus un écart-type de la moyenne.

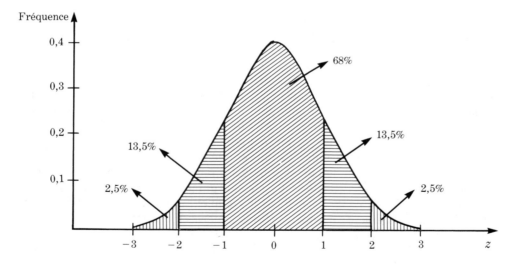

GRAPHE 4.5: Différentes surfaces sous la courbe normale.

---

8. Un retour sur les sections du chapitre 3 traitant des transformations pourrait rendre service au lecteur encore sceptique.

De plus, on sait qu'environ 95% (= 68% + 2 (13,5%)) de cette même surface se situe entre $z = -2$ et $z = 2$ et que par conséquent environ 5% (= 2,5% + 2,5%) se trouve au-delà[9] de l'intervalle $[-2, 2]$.

Nous proposons un exemple qui sera susceptible de faire comprendre l'utilité des concepts présentés au cours des paragraphes précédents.

Après avoir administré un examen de mathématiques à tous les élèves du Québec qui finissent leur cours primaire, on se rend compte, après compilation, que la distribution des scores suit une loi approximativement normale avec $M = 60$ et $E = 10$. Que peut-on dire d'une élève qui obtient 80 (sur 100) à cet examen par rapport à l'ensemble des élèves?

Si les scores bruts, notés « x », de l'examen suivent une loi normale alors nous savons que les scores standards $z = \dfrac{x - 60}{10}$ suivent aussi cette loi. De plus, ces scores z ont aussi comme avantage de donner 0 comme moyenne et 1 comme écart-type. Revenant à notre élève qui a réussi un score brut de 80 à l'examen, nous savons donc que son score standard est $z = \dfrac{80 - 60}{10} = \dfrac{20}{10} = 2$. Si nous nous référons au graphe 4.5, il appert que 13,5% de la population des élèves a obtenu un score entre 1 et 2, 68% entre -1 et 1, 13,5% entre -2 et -1, et 2,5% de la population un score z inférieur à -2. Nous pouvons en conclure que le score de notre élève ($z = 2$ correspondant à $x = 80$) est supérieur à environ 97,5% (= 13,5% + 68% + 13,5% + 2,5%) de la population des élèves qui ont subi l'examen. Il s'agit sans contredit d'une excellente performance.

Une note est de rigueur à ce moment-ci. Le passage d'un pourcentage de « surface » à un pourcentage de « personnes », comme nous l'avons fait, peut sembler un peu curieux. Cependant, ce passage s'explique assez facilement si on suit le raisonnement subséquent.

Le graphe 4.6a) montre un diagramme en feuilles (version horizontale) recouvert d'une courbe qui approxime la forme de la distribution. Imaginons que l'axe horizontal représente le score à un examen (sur 10) et l'axe vertical la fréquence des élèves qui ont obtenu tel ou tel score. Par exemple, on voit que 7 élèves ont réussi un score de 5 et que seulement 3 ont réussi un score de 7. Un seul élève a obtenu 8 sur 10 ; son score dépasse les 25 élèves dont le score se situe entre 1 et 7. Il a donc un score supérieur ou égal à 26 des 27 des élèves (soit environ 96%) qui ont subi l'examen. Ce dernier résultat peut être représenté, comme on le voit au graphe 4.6b), par la proportion de la surface (ici 96%) sous la courbe correspondant à un score inférieur ou égal à 8.

---

9. Nous verrons au cours de la section suivante que ce 5% n'est pas étranger au seuil de signification $\alpha = 0,05$ si souvent employé.

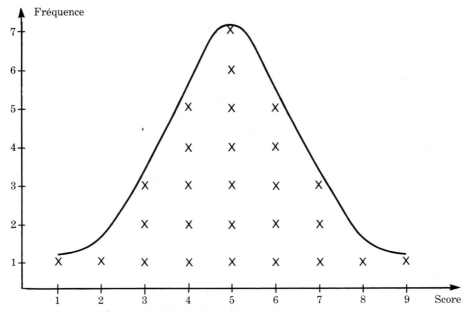

GRAPHE 4.6a):   Distribution des scores de 27 étudiants.

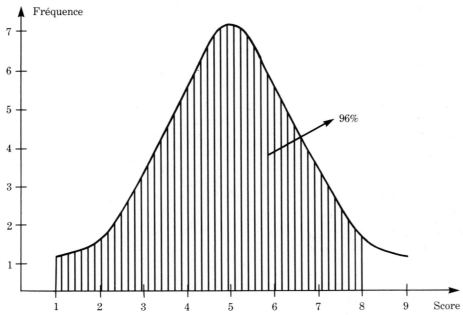

GRAPHE 4.6b):   La partie hachurée correspond à environ 96% de la surface sous la courbe.

Distribution de Student

Le deuxième type de distribution a été motivé par le problème suivant. Qu'arrive-t-il lorsque nous sommes intéressés par le rapport $z = \dfrac{m - M}{E/\sqrt{n}}$ mais que nous ne connaissons pas E, l'écart-type de la population? Lorsque n est suffisamment grand, on peut toujours estimer E par e, l'écart-type de l'échantillon. On peut montrer alors que la distribution des scores z suit toujours une loi normale. Or lorsque n est vraiment petit (ex. $n < 30$), le rapport $t = \dfrac{m - M}{e/\sqrt{n}}$ ne suit plus une loi normale. C'est à un nommé W.S. Gosset, employé d'une brasserie de Dublin, que revient (avec Fisher) le mérite d'avoir fait cette constatation. Écrivant sous le pseudonyme de Student, Gosset a montré que pour n petit, la statistique t suit une distribution, dite distribution t de Student. En fait, il s'agit d'une famille de courbes puisque pour chaque «n» on aura une nouvelle courbe. Le graphe 4.7 donne quelques-unes des courbes de cette famille pour $n = 10$, $n = 25$ et n très grand (c.-à-d. $n > 30$). On voit, entre autres, qu'une distribution t typique est symétrique par rapport à un axe vertical passant par $t = 0$, point où la courbe atteint un maximum.

De plus, on peut constater en comparant ce graphe avec le graphe 4.5 que:

- pour $n > 30$ la distribution t de Student est bien approximée par la distribution normale de moyenne 0 et d'écart-type 1,

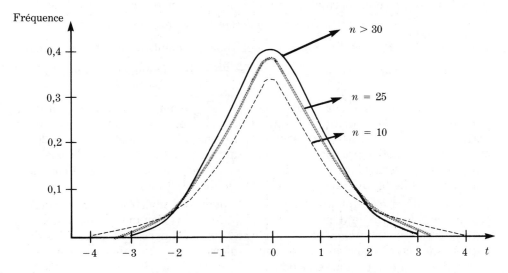

GRAPHE 4.7: Courbes de la distribution t de Student pour divers n.

- pour n suffisamment petit, par exemple $n = 10$, la surface sous la courbe correspondante, à droite de $t = 2$ (c.-à-d. pour $t > 2$), est plus grande que la surface sous la courbe normale, approximée ici par la courbe où $n > 30$.

Dans ce dernier cas on sait, en se rapportant au graphe 4.5, que cette surface équivaut à environ 2,5% de la superficie totale sous la courbe. Or on peut calculer[10] que cette surface équivaut à plus de 4% de la superficie totale sous la courbe correspondant à $n = 10$. En général, on peut mentionner que plus n sera petit, plus les extrémités de la distribution t correspondante seront longues et donc plus la surface à droite de $t = 2$ sera grande. Dès le chapitre suivant, nous serons en mesure d'évaluer l'importance de cette constatation.

Mais revenons à notre problème initial concernant la statistique $t = \dfrac{m - M}{e/\sqrt{n}}$

et citons le résultat capital qui lie cette statistique à la distribution de Student : si l'on suppose que des données x sont distribuées normalement dans une population de moyenne M, la statistique t suit alors une loi de Student, de moyenne 0 et d'écart-type $\sqrt{\dfrac{n-1}{n-3}}$, avec $n - 1$ degrés de liberté.

Quelques explications s'imposent à la lecture de ce résultat. Primo, il est essentiel de spécifier que les données x sont distribuées *normalement* car pour n petit, le théorème central limite ne s'applique plus. Un autre théorème prévaut : si les données x sont distribuées normalement dans une population de moyenne M et d'écart-type E, alors les moyennes d'échantillon m de taille n seront aussi distribuées normalement et auront M comme moyenne et $E/\sqrt{n}$ comme écart-type. Ce dernier théorème nous permet donc d'affirmer que même si n est petit, la statistique $z = \dfrac{m - M}{E/\sqrt{n}}$ sera distribuée normalement avec moyenne 0 et écart-type 1 pourvu que les données x soient distribuées normalement. On montre ensuite que si l'on utilise e au lieu de E, la statistique $t = \dfrac{m - M}{e/\sqrt{n}}$ suit alors une loi de Student.

Secundo, un regard sur l'écart-type $\sqrt{\dfrac{n-1}{n-3}}$ montre que cette valeur diminue vers 1 si n, la taille de l'échantillon, augmente. Par exemple si $n = 5$, on obtient 1,41 comme écart-type ; pour $n = 10$, on obtient 1,13 et pour $n = 20$, on aura 1,06. On voit donc qu'à la limite, n devenant de plus en plus grand, l'écart-type diminuera progressivement jusqu'à la valeur 1. Dans ce cas t aura, tout comme z, une moyenne de 0, un écart-type de 1 et une distribution normale.

Tertio, il reste à expliquer l'expression « degrés de liberté » : on peut la définir comme le nombre ν de données qui sont libres de varier indépendamment des autres. Ainsi, pour n données, si, dès que $n - 2$ données sont fixées, les deux autres sont déterminées du même coup, seulement $n - 2$ données sont libres de varier de façon indépendante et donc $\nu = n - 2$.

---

10. Par interpolation en utilisant la table de la distribution de t (voir appendice III).

Considérons par exemple trois nombres x_1, x_2, x_3 dont nous connaissons la somme : alors, dès que deux des valeurs sont fixées, la troisième est automatiquement connue. Supposons la somme $x_1 + x_2 + x_3 = 50$; ainsi en fixant $x_1 = 10$, $x_3 = 25$, x_2 n'est plus libre de varier, et ne peut être que 15. Dans le cas général où l'on connaît la somme de « n » nombres, alors seulement $n - 1$ sont libres de varier et en conséquence ici $\nu = n - 1$. Or ce dernier cas est analogue à la situation qui nous intéresse comme nous allons le montrer maintenant.

D'abord, remarquons que le concept de degrés de liberté provient du fait que l'on a remplacé E par e, l'écart-type d'un échantillon de taille n (où n est petit). Nous n'aurons donc pas de difficulté à admettre que le nombre de degrés de liberté soit calculé à partir de e. Un regard sur la formule de calcul pour e, soit

$$\sqrt{\frac{(x_1 - m)^2 + (x_2 - m)^2 + \ldots\ldots + (x_n - m)^2}{n - 1}}$$

nous montre que l'écart-type se compose des n termes

(∗) $(x_1 - m)^2$, $(x_2 - m)^2$, $(x_3 - m)^2$, ..., $(x_n - m)^2$.

Nous allons montrer que seulement $n - 1$ de ces termes peuvent varier indépendamment.

Considérons d'abord les n termes

(∗∗) $(x_1 - m)$, $(x_2 - m)$, $(x_3 - m)$, ..., $(x_n - m)$.

Leur somme est $(x_1 - m) + (x_2 - m) + (x_3 - m) + ... + (x_n - m)$
$$= x_1 + x_2 + x_3 + ... + x_n - m - m - m - ... - m$$
$$= x_1 + x_2 + x_3 + ... + x_n - n \cdot m.$$

Or cette somme est nulle car m est la moyenne et

$$m = \frac{x_1 + x_2 + ... + x_n}{n}.$$

Ainsi, connaissant $n - 1$ termes de la suite (∗) on aura, en extrayant leur racine carrée, $n - 1$ termes de la suite (∗∗). Mais comme la somme des termes de (∗∗) est connue (c'est « 0 »), alors le $n^{\text{ième}}$ terme de (∗∗) sera automatiquement déterminé et donc aussi son carré, soit le $n^{\text{ième}}$ terme de (∗). En conséquence, $n - 1$ termes de la suite (∗) ont réussi à déterminer l'autre (le $n^{\text{ième}}$), ce qui montre bien que $\nu = n - 1$ pour l'écart-type d'échantillon e.

Cette ébauche de démonstration quelque peu formelle risque de paraître un investissement de temps plutôt lourd à ce moment-ci. Comme nous le verrons, cet investissement se justifie car la question des degrés de liberté sera bien présente dans les développements subséquents.

Mais avant d'y arriver, notons le résultat suivant obtenu par analogie à celui déjà cité et qui concerne les différences de moyennes. Ce résultat sera très utile lorsque l'on voudra comparer deux moyennes.

$$\text{La statistique } t = \frac{(m_1 - m_2) - (M_1 - M_2)}{\sqrt{\left[\dfrac{(n_1-1)v_1 + (n_2-1)v_2}{n_1 + n_2 - 2}\right]\left[\dfrac{1}{n_1} + \dfrac{1}{n_2}\right]}}$$

suit une loi de Student avec $n_1 + n_2 - 2$ degrés de liberté si

1) les données des populations P_1 et P_2 sont distribuées normalement avec moyennes M_1 et M_2 respectivement,

2) les variances de population, V_1 et V_2, sont égales,

3) les échantillons de P_1 sont indépendants des échantillons de P_2.

La taille des échantillons issus de la population P_1 (resp. P_2) est notée n_1 (resp. n_2).

Un mot d'explication s'impose concernant la monstrueuse formule présentée précédemment. Le numérateur ne pose pas trop de problèmes. Il est constitué de la différence entre d'une part la différence des moyennes d'échantillon, $m_1 - m_2$, et d'autre part la différence entre les moyennes des populations P_1 et P_2, $M_1 - M_2$.

Le dénominateur paraît beaucoup plus affreux. Cette situation provient du fait que l'on ne suppose pas les tailles des échantillons n_1 et n_2 très grandes. Et comme on ne connaît pas les variances des populations, V_1 et V_2, on doit les estimer. Ce que l'on fait en supposant $V_1 = V_2$. Dans ce cas on montre que $\dfrac{(n_1 - 1)v_1 + (n_2 - 1)v_2}{n_1 + n_2 - 2}$ est un bon estimé de V_1 (ou de V_2 car $V_1 = V_2$) où v_1 et v_2 sont des variances d'échantillon. En conséquence,

$$\sqrt{\frac{\left[\dfrac{(n_1-1)v_1 + (n_2-1)v_2}{n_1 + n_2 - 2}\right]}{n_1} + \frac{\left[\dfrac{(n_1-1)v_1 + (n_2-1)v_2}{n_1 + n_2 - 2}\right]}{n_2}} =$$

$$\sqrt{\left[\frac{(n_1-1)v_1 + (n_2-1)v_2}{n_1 + n_2 - 2}\right]\left[\frac{1}{n_1} + \frac{1}{n_2}\right]}$$

sera un estimé de l'écart-type pour la distribution des différences de moyennes $m_1 - m_2$, soit $\sqrt{\dfrac{V_1}{n_1} + \dfrac{V_2}{n_2}}$, comme nous l'avons vu plus haut.

Distribution F

Le troisième type de distribution que nous aborderons au cours de cette section se nomme distribution F (en l'honneur de Sir Ronald Fisher). Celle-ci est utilisée en particulier lors d'une analyse de la variance (voir chapitre suivant) ou pour vérifier l'homogénéité (c.-à-d. l'égalité) des variances provenant de populations différentes.

Dans ce dernier cas, il s'agit de considérer la statistique $F = \dfrac{v_1}{v_2}$ où v_1 est la variance d'un échantillon de taille n_1 provenant d'une population P_1 (de données x) et où v_2 est la variance d'un échantillon de taille n_2 provenant d'une population P_2 (de données y). Le résultat suivant peut alors être dérivé: si les données x et les données y sont distribuées normalement et si les deux variances de population sont égales, c.-à-d. $V_1 = V_2$, alors la statistique $F = \dfrac{v_1}{v_2}$ suit une distribution notée « F », avec $\nu_1 = n_1 - 1$ et $\nu_2 = n_2 - 1$ degrés de liberté.

Remarquons que nous avons ici deux niveaux de degrés de liberté. Le premier, ν_1, correspond au numérateur (soit la variance v_1) et le second ν_2, au dénominateur (soit la variance v_2) du rapport F. Comme il a été montré plus haut, un écart-type ou une variance d'échantillon de taille n possède $n - 1$ degrés de liberté: ce qui explique $\nu_1 = n_1 - 1$, et $\nu_2 = n_2 - 1$.

Le graphe 4.8 présente un exemple de courbe que l'on serait en droit d'obtenir pour une statistique qui suit une loi F. Il s'agit en l'occurrence d'une distribution *asymétrique* à un sommet, telle que le maximum de la courbe est atteint au point $F = 1$ si ν_1 et ν_2 sont suffisamment grands.

Une relation fort simple, offrant un intérêt bien particulier, relie les distributions F et t: si une statistique quelconque t_o suit une loi t de Student avec ν degrés de liberté,

$$F_o = t_o^2$$

suit alors une loi F avec $\nu_1 = 1$ et $\nu_2 = \nu$ degrés de liberté.

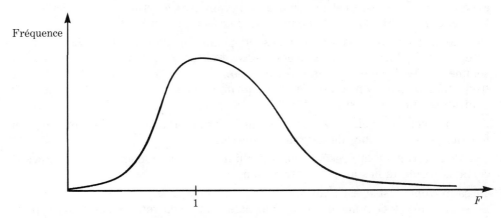

GRAPHE 4.8:   Courbe de la distribution F (cas typique).

Distribution du khi-deux

C'est le problème suivant, fréquemment rencontré sous cette forme ou sous une autre, qui a motivé notre présentation du quatrième et dernier type de distribution. Nous voulons mesurer la distance ou l'écart entre deux séries de fréquences : une série de fréquences observées o_j et une série de fréquences théoriques attendues a_j, distribuées parmi k catégories.

fréquences observées	o_1	o_2	o_3	. . . .	o_k
fréquences attendues	a_1	a_2	a_3	. . . .	a_k

Considérons la statistique (due à Karl Pearson)

$$\chi^2 = \frac{(o_1 - a_1)^2}{a_1} + \ldots + \frac{(o_k - a_k)^2}{a_k}$$

qui est un indice de cet écart. Le résultat qui suit peut être montré.

Si : 1) on a un échantillon aléatoire de « n » données indépendantes,
  2) les fréquences attendues a_j sont suffisamment grandes pour chacune des k catégories,
  3) chaque donnée se retrouve dans une et une seule catégorie,

alors la statistique χ^2 suit approximativement une distribution dite du khi-deux avec $\nu = k - t - 1$, où t est le nombre de paramètres à estimer pour calculer les fréquences attendues, et ν le nombre de degrés de liberté.

Remarquons que les « n » données indépendantes doivent être réparties en k catégories, dont les fréquences observées sont $o_1, o_2, \ldots, o_k$. Comme on connaît la somme de ces fréquences, en effet $o_1 + o_2 + \ldots + o_k = n$, seulement $k-1$ fréquences peuvent varier librement, ce qui implique $\nu = k - 1$, dans le cas où il n'y a aucun paramètre à estimer ($t = 0$).

Nous pouvons voir au graphe 4.9 que la forme de cette distribution varie en fonction de ν le nombre de degrés de liberté.

Pour terminer la présentation du khi-deux, nous donnons à titre indicatif certains résultats liés à cette distribution :

— sa moyenne est ν et sa variance 2ν.
— si z est une statistique distribuée normalement de moyenne 0 et d'écart-type 1, alors z^2 suit une distribution du khi-deux à 1 degré de liberté.

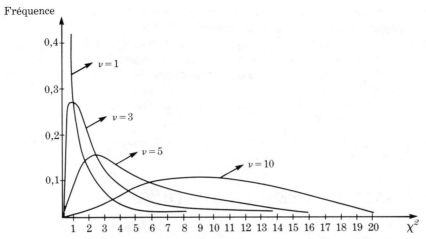

GRAPHE 4.9: Courbes de la distribution χ^2 pour divers degrés de liberté.

— si X_1 et X_2 sont deux statistiques indépendantes suivant une distribution du khi-deux à ν_1 et ν_2 degrés de liberté respectivement, alors la statistique $\dfrac{X_1/\nu_1}{X_2/\nu_2}$ a une distribution F avec ν_1 et ν_2 degrés de liberté.

Au cours de l'exposé précédent, nous avons présenté sommairement quatre types de distributions auxquelles on doit souvent se référer lors de l'utilisation de méthodes d'analyse confirmatoire. L'objectif de cette présentation consistait surtout à préparer le terrain afin de mieux saisir la procédure de certaines méthodes d'analyse confirmatoire dont il sera question plus loin. Nous retiendrons que:

— une distribution normale varie suivant les paramètres M et E,
— 68% (resp. 95%) de la surface sous la courbe normale où $M = 0$, $E = 1$, se situent entre $z = -1$ (resp. $z = -2$) et $z = 1$ (resp. $z = 2$),
— les distributions normale (où $M = 0$, $E = 1$) et « t » de Student sont symétriques, à un sommet et cette dernière possède des extrémités relativement plus longues pour ν petit. Si ν est grand, ces distributions coïncident approximativement,
— les distributions F et χ^2 possèdent une asymétrie importante pour ν petit,
— des relations simples existent entre ces quatre types de distributions,
— les statistiques qui suivent une distribution normale ou une distribution t peuvent avoir des valeurs positives ou négatives alors que les statistiques qui suivent une distribution F ou du khi-deux ne peuvent avoir que des valeurs positives.

En terminant: il est souvent utile de connaître la proportion spécifique de surface sous une courbe de distribution de fréquences. Par exemple, quelle est la proportion de surface sous la courbe normale pour $z \geqslant 1,28$? Ou encore si $\nu = 15$, quelle est la proportion de surface sous la courbe de Student si $t \leqslant -2,41$? Ces questions sont monnaie courante en analyse confirmatoire. Et il serait long, fastidieux et risqué, même avec une bonne calculatrice, de calculer à chaque fois ces pourcentages. Afin d'alléger le fardeau des utilisateurs, les statisticiens ont préparé des «tables» à l'intérieur desquelles on peut retrouver les proportions de surface cherchées, ou les valeurs de la statistique pour des proportions sélectionnées.

L'Appendice III offre, au lecteur intéressé, un guide pour la consultation de ces tables statistiques.

4.5   ESTIMATION ET TEST D'HYPOTHÈSE

Parmi les méthodes confirmatoires d'analyse de données, nous pouvons distinguer deux grandes catégories: les méthodes d'estimation et les tests d'hypothèse. Dans chacun des cas, on procède par induction afin d'évaluer, à partir d'un échantillon, un paramètre d'une population soit en l'estimant, soit en effectuant un test sur une valeur quelconque de ce paramètre.

Traditionnellement ce sont les tests d'hypothèse qui ont reçu la faveur des analystes de données en éducation. Cette faveur peut paraître étrange, compte tenu des multiples critiques portées à l'égard de cette populaire procédure. Nous reviendrons à la fin de cette section sur ces critiques. Pour l'instant, contentons-nous de présenter la logique des procédures d'estimation et du test d'hypothèse.

L'estimation

Il s'agit ici d'évaluer *directement* la valeur d'un paramètre (inconnue) en se servant d'une ou de plusieurs statistiques observées d'un échantillon. Or il existe deux procédés bien distincts pour effectuer une telle tâche. On peut en effet calculer une statistique «p» d'un échantillon selon une procédure bien spécifique possédant des propriétés optimales qui nous permettent d'affirmer que «p» estime un paramètre déterminé P: c'est l'*estimation ponctuelle*. Ou bien on construit, à l'aide des données d'un échantillon, un intervalle qui contiendra, et cela nous pouvons l'assurer avec un certain degré de confiance, le paramètre à estimer: c'est l'*estimation par intervalles de confiance*.

Estimation ponctuelle

Traitons en tout premier lieu de l'estimation ponctuelle. On peut trouver plusieurs méthodes qui consistent à estimer un paramètre de façon ponctuelle. Le lecteur intéressé pourra obtenir quelques-unes de ces méthodes dans Bertaud et Charles

[1980, chap. 8], Baillargeon et Rainville [1977, chap. 7], Freund [1962, chap. 9] ou Hoel [1971, chap. 8]. Nous nous contenterons d'en présenter une : la *méthode des moindres carrés*. Nous avons fait ce choix en vertu de l'importance considérable de cette méthode que nous reverrons d'ailleurs lors de l'étude de la régression au chapitre 6.

Par la suite, une statistique qui estime un paramètre sera appelée *estimateur*. En se servant de la méthode des moindres carrés, montrons que la moyenne d'échantillon m est un estimateur de M, la moyenne de la population. Le principe de cette méthode consiste à rechercher un estimateur « p », à partir d'un échantillon, qui minimise une certaine erreur mise au carré : le fait de considérer le carré de l'erreur permet d'ajouter les erreurs négatives aux erreurs positives sans qu'elles s'annulent mutuellement.

Notre problème est de trouver, à partir d'un échantillon de données $x_1, x_2 \ldots, x_n$, un estimateur « p » de M la moyenne de la population. La moyenne M peut être vue comme un indice qui rend compte au mieux de chaque élément de la population. Donc si l'on veut que p soit un estimateur de M, il devra lui aussi rendre compte au mieux de chaque donnée de l'échantillon. Chacune peut être écrite

$$x_i = p + e_i,$$

où e_i est l'erreur.

La méthode des moindres carrés consiste alors, dans le cas de l'estimation de M, à minimiser le carré de ces erreurs e_i, donc à trouver l'estimateur p qui minimise l'expression $(x_1 - p)^2 + (x_2 - p)^2 + \ldots + (x_n - p)^2$.

La réponse à ce problème est bien connue : $p = m$, la moyenne de l'échantillon. En effet, pour toute autre statistique y différente de m, on a :

$$(x_1 - y)^2 + \ldots + (x_n - y)^2 = [(x_1 - m) - (y - m)]^2 + \ldots + [(x_n - m) - (y - m)]^2$$

$$= [(x_1 - m)^2 + \ldots + (x_n - m)^2] + \overbrace{[(y - m)^2 + \ldots + (y - m)^2]}^{n \text{ fois}}$$

$$- 2(x_1 - m)(y - m) \ldots\ldots\ldots - 2(x_n - m)(y - m)$$

$$= [(x_1 - m)^2 + \ldots + (x_n - m)^2] + n(y - m)^2 - 2(y - m)[(x_1 - m) + \ldots + (x_n - m)]$$

Or comme $\dfrac{x_1 + x_2 + \ldots + x_n}{n} = m,$

on sait que $(x_1 - m) + \ldots + (x_n - m) = 0$;

il reste alors

$$(x_1 - y)^2 + \ldots + (x_n - y)^2 = (x_1 - m)^2 + \ldots + (x_n - m)^2 + n(y - m)^2.$$

Et puisque $y \neq m$, $y - m \neq 0$ et donc $n(y-m)^2$ est plus grand que 0.

D'où finalement $(x_1 - y)^2 + \ldots + (x_n - y)^2 > (x_1 - m)^2 + \ldots + (x_n - m)^2$, pour tout y différent de m.

Ce qui montre bien que l'expression $(x_1 - p)^2 + (x_2 - p)^2 + \ldots + (x_n - p)^2$ est minimale lorsque $p = m$.

Ajoutons que m comme estimateur possède des propriétés très intéressantes :

1) il est *sans biais* : c'est-à-dire que la moyenne de la distribution de m donne le paramètre M (conformément au théorème central limite) ;

2) il est *convergent* : c'est-à-dire qu'il est sans biais et que sa variance tend vers 0 lorsque n est très grand. Cette propriété nous est assurée car d'après le théorème central limite, la variance de m est $\frac{V}{n}$ qui tendra bien sûr vers 0 pour n suffisamment grand ;

3) il est *efficace* : c'est-à-dire que sa variance est minimale par rapport aux autres estimateurs sans biais. On peut vérifier ce fait par exemple si l'on compare la moyenne à la médiane comme estimateur. La variance de la médiane $\frac{\pi}{2} \frac{V}{n} = 1{,}57 \frac{V}{n}$ est plus grande que $\frac{V}{n}$, la variance de la moyenne.

Le graphe 4.10 nous montre comment on peut détecter visuellement ces propriétés à l'aide des courbes de distribution des estimateurs p.

La section du haut de ce graphe nous montre deux distributions. La distribution située à gauche révèle que l'estimateur p est sans biais puisque la moyenne de p, notée ici $moy(p)$, est égale à P, le paramètre à estimer. Par contre, la distribution située à droite nous fait voir que l'estimateur p est biaisé puisque, dans ce cas, $moy(p) \neq P$.

La section centrale du graphe présente trois distributions. Si nous regardons ces trois distributions de gauche à droite, nous nous rendons compte que plus la taille des échantillons augmente, de n_1 à n_2 à n_3, plus la variance de p, estimateur sans biais de P, diminue. Ainsi p est un estimateur convergent.

La section du bas de ce graphe montre deux distributions superposées. Nous voyons deux estimateurs sans biais de P, soit p_1 et p_2. Comme la variance de p_2 est plus petite que la variance p_1, alors p_2 est plus efficace que p_1.

Estimation par intervalles de confiance

Les méthodes d'estimation ponctuelle consistent à fixer la valeur la plus probable d'un paramètre au moyen d'une seule statistique. Tant mieux si cette statistique estime le paramètre avec une bonne précision, sinon... Retournons au tableau 4.4. Rappelons que dans ce cas[11], $M = 64{,}32$. Or nous trouvons des moyennes

---

11   Il est clair que dans la pratique on ne connaît pas « M », autrement pourquoi l'estimer ?

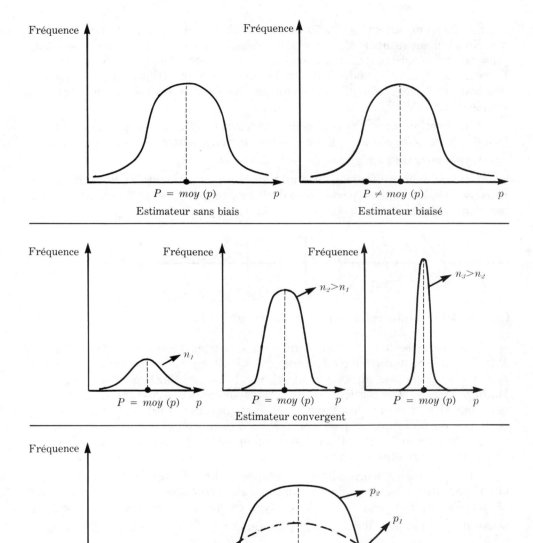

GRAPHE 4.10: Illustration des propriétés des estimateurs.

d'échantillon qui varient de 59 à 70. Si nous tombons, par chance (!), sur l'échantillon No 14 pour estimer M, alors nous obtiendrons une très bonne précision, puisque $m = 64$. Si par malchance nous obtenons l'échantillon No 15 où $m = 70$, l'erreur sera plutôt grande. Afin de parer à cette incertitude, il est possible d'adopter une procédure qui nous en dit plus long sur le paramètre à estimer que simplement: «c'est environ p».

L'estimation par intervalles nous permettra en effet d'affirmer, avec un certain degré de confiance, que le paramètre se trouve entre telle et telle valeur.

Expliquons un peu le sens de cette assertion.

Le dessin suivant représente une droite (ligne horizontale) sur laquelle on retrouve des intervalles (portions de droite entre une parenthèse gauche et une parenthèse droite identiques).

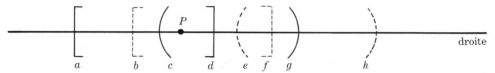

Graphe 4.11:   Intervalles contenant un paramètre P.

Ces intervalles ont tous même grandeur. Or certains contiennent le paramètre P (c.-à-d. que P se retrouve à l'intérieur des limites de ces intervalles), d'autres non. Par exemple, les intervalles $[a, d]$, $[b, f]$ et $[c, g]$ contiennent P, alors que l'intervalle $[e, h]$ ne le contient pas. Si nous savons que 95% des intervalles de telle grandeur fixe et connue contiennent P, nous pourrons dire, avec un degré de confiance de 95%, que le paramètre P se trouve dans un de ces intervalles. C'est-à-dire que si l'on choisit au hasard un de ces intervalles, on aura confiance à 95% que le paramètre s'y trouve.

Concrétisons cette procédure en tentant d'estimer M, la moyenne d'une population, par intervalles de confiance. Supposons une population normale de moyenne M, que l'on ne connaît pas, et d'écart-type connu E. Si l'on considère tous les échantillons de taille n fixe, alors la statistique $z = \dfrac{m - M}{E/\sqrt{n}}$ suit une loi normale de moyenne 0 et d'écart-type 1; ça, nous le savons. Or nous savons aussi qu'environ 95% des valeurs de cette statistique se trouvent entre $z = -2$ et $z = 2$; $-2 \leqslant z \leqslant 2$ (voir par exemple le graphe 4.5).

Ou encore $-2 \leqslant \dfrac{m - M}{E/\sqrt{n}} \leqslant 2$;

ce qui donne, en résolvant l'inégalité pour M:

$$m - 2\,\frac{E}{\sqrt{n}} \leqslant M \leqslant m + 2\,\frac{E}{\sqrt{n}}.$$

En d'autres mots, si l'on tire au hasard 100 échantillons de taille « n » dans cette population et qu'à chaque fois on calcule d'abord la moyenne m et par la suite la statistique $z = \dfrac{m - M}{E/\sqrt{n}}$, alors environ 95 fois sur 100 on obtiendra un résultat entre -2 et $+2$. Ainsi, environ 95 fois sur 100, M sera entre $m - 2\,\dfrac{E}{\sqrt{n}}$ et $m + 2\,\dfrac{E}{\sqrt{n}}$. Ce qui revient à dire qu'environ 95% des intervalles de la forme $\left[m - 2\dfrac{E}{\sqrt{n}},\ m + 2\dfrac{E}{\sqrt{n}} \right]$ contiendront M.

Nous pouvons formuler ce problème d'une autre façon: comme E et n sont fixes pour tous les échantillons, alors dès que le degré de confiance est choisi (par exemple 95%), la grandeur de l'intervalle est par le fait même déterminée. Dans notre cas, cette grandeur est égale à $2 \times \left(2\,\dfrac{E}{\sqrt{n}} \right) = 4\,\dfrac{E}{\sqrt{n}}$. Comme c'est seulement la statistique m qui varie d'un échantillon à l'autre, nous pourrons dire, selon cette vision du problème, qu'environ 95% des moyennes « m » des échantillons choisis au hasard généreront des intervalles $\left[m - 2\,\dfrac{E}{\sqrt{n}},\ m + 2\,\dfrac{E}{\sqrt{n}} \right]$ contenant le paramètre M.

Donnons un exemple. Reportons-nous aux données du graphe 4.1. Cet exemple sera imparfait car la distribution n'est pas normale mais qu'importe, il servira à illustrer tout de même assez bien nos propos précédents. Nous savons que $M = 64,32$ et que $E = 13,80$. Si nous utilisons les échantillons du tableau 4.4, nous aurons $n = 10$ et les intervalles de confiance à 95% auront la forme [$m - 8,73$, $m + 8,73$]. Il est facile de vérifier que seulement une moyenne (celle valant 55 et correspondant à l'échantillon N° 4) génère un intervalle *ne contenant pas* M. En conséquence, environ 93% ($^{14}/_{15}$) de ces intervalles contiendront M.

Ainsi nous voyons que, *dans ce cas-ci*, même avec des données imparfaites et des échantillons petits, nous arrivons à reproduire d'une manière très satisfaisante les résultats prédits par la théorie.

Revenons maintenant à la pratique.

Nous n'utilisons habituellement qu'un échantillon aléatoire; nous n'aurons donc qu'une seule moyenne m_0 et un seul intervalle

$$I_0 = \left[m_0 - 2\ \dfrac{E}{\sqrt{n}},\ m_0 + 2\ \dfrac{E}{\sqrt{n}} \right].$$

Ainsi, ou bien M appartient à l'intervalle I_0, ou bien il n'y appartient pas. Mais puisque l'on sait qu'environ 95% des intervalles, obtenus dans les mêmes conditions, donc de même grandeur que I_0, contiennent M, nous aurons raison environ 95 fois sur 100 en disant que M appartient à I_0. C'est dans ce sens que nous pourrons affirmer que I_0 est un *intervalle de confiance à 95%*.

Notons encore trois petites choses concernant les intervalles de confiance.

Primo, il est possible d'utiliser des intervalles de confiance à 99%, ou même à 99,9%. Il est clair que ces intervalles seront plus sûrs (nous serons sûrs à 99% ou à 99,9% que le paramètre se trouve dans l'intervalle); ils seront cependant plus grands, donc moins précis. Par exemple, pour un degré de confiance de 99% nous aurons, dans les mêmes conditions que présentées plus haut, des intervalles de la forme[12]

$$\left[m - 2{,}58\, \frac{E}{\sqrt{n}}\ ,\ m + 2{,}58\, \frac{E}{\sqrt{n}} \right].$$

La grandeur de ces intervalles, pour n fixe, est donc $5{,}16\, \dfrac{E}{\sqrt{n}}$ comparativement à $4\, \dfrac{E}{\sqrt{n}}$ pour des intervalles à 95%.

Secundo, dans la pratique nous ne connaissons pas E, l'écart-type de la population. Ceci n'est pas trop fâcheux si la taille de l'échantillon est très grande, car nous pouvons alors approximer (lire: remplacer) E par e, l'écart-type d'échantillon. Or dans le cas où n est petit, nous devrons ajuster notre procédure comme suit. Souvenons-nous du résultat obtenu au cours de la section précédente concernant la statistique $t = \dfrac{m - M}{e/\sqrt{n}}$.

Nous avons vu que, pour peu que la distribution des données de base soit normale de moyenne M, t suit alors une loi de Student avec $n - 1$ degrés de liberté. Ce qui nous permet d'affirmer, pour des échantillons de taille 16 (c.-à-d. $\nu = 15$), que 95% de la surface sous la courbe t se situe entre[13] $t = -2{,}13$ et $t = 2{,}13$. Alors en adoptant le même raisonnement utilisé ci-haut on trouve, pour le paramètre M, des intervalles de confiance à 95% de la forme $\left[m - 2{,}13\, \dfrac{e}{\sqrt{n}}\,,\ m + 2{,}13\, \dfrac{e}{\sqrt{n}} \right]$.

Tertio, il est possible de considérer des intervalles de confiance unilatéraux, c'est-à-dire correspondant par exemple à la simple inégalité $z \leq 1{,}64$.

D'après la table III.1 de l'appendice III, nous savons que cette inégalité est vraie pour 95% des valeurs de la statistique z. En conséquence, si l'on fait $z = \dfrac{m - M}{E/\sqrt{n}}$ et que l'on résout l'inégalité pour M, on pourra dire que dans 95% des cas, $M \geq m - 1{,}64\, \dfrac{E}{\sqrt{n}}$.

---

12   Selon la table III.1 de l'appendice III.
13   Selon la table III.2 de l'appendice III.

Le test d'hypothèse

De loin la catégorie de méthodes confirmatoires la plus utilisée en éducation, le test d'hypothèse peut être défini comme une simple règle de décision. Or il existe un danger de percevoir cette règle comme automatique ou pire comme une preuve mathématique formelle. Ce n'est surtout pas le cas. Comme pour l'estimation ponctuelle ou par intervalles de confiance, on a recours ici à un modèle probabiliste, non déterministe. Toute décision sera prise au risque de l'analyste.

Logique de la procédure

C'est à l'aide d'un exemple que nous introduirons cette règle de décision probabiliste. Cet exemple sera par la suite repris de temps à autre afin d'appuyer la compréhension des principaux concepts relatifs au test d'hypothèse.

Un groupe de chercheurs veut vérifier l'efficacité relative de deux méthodes d'enseignement pour les élèves québécois de premier cycle du secondaire : la « méthode d'enseignement diagnostique » créée par les chercheurs, notée A, et la méthode d'enseignement traditionnelle, notée B.

Nous verrons donc deux populations en jeu : la population des élèves québécois au premier cycle du secondaire suivant (potentiellement) la méthode A et la population des élèves québécois au premier cycle du secondaire suivant la méthode B.

Le plan de la recherche est défini de façon à assurer le plus possible le contrôle des variables nuisibles (voir chapitre 1.) La méthode d'enseignement diagnostique est suivie par un échantillon de la population A appelé le groupe expérimental, et la méthode traditionnelle par un échantillon de la population B appelé le groupe témoin. Au terme d'une année d'expérimentation, un examen de rendement scolaire est administré aux deux groupes et on obtient comme moyennes, m_A pour le groupe expérimental et m_B pour le groupe témoin.

Est-ce que la différence entre les moyennes observées « $m_A - m_B$ » est due entièrement à des variations aléatoires provenant du choix des échantillons étudiés ou est-ce que cela reflète une différence réelle au niveau des moyennes des populations M_A et M_B ?

L'intérêt des chercheurs, comprenons-le, serait que l'on observe dans les échantillons une différence considérée comme réelle au niveau des populations. Pour le vérifier, la procédure suivante est adoptée.

On définit, tout d'abord, une hypothèse stipulant l'égalité des moyennes de population : elle est appelée l'*hypothèse nulle H_0*.

$$H_0 : M_A = M_B.$$

C'est-à-dire : plaçons-nous dans la situation où les deux populations ont même moyenne et nous verrons bien le résultat.

Selon cette hypothèse, toute différence observée entre les moyennes d'échantillon m_A et m_B ne peut être causée que par les variations aléatoires dues au choix des échantillons. Dans cette situation donc, on ne peut s'attendre qu'à de petits écarts entre m_A et m_B. Il faut comprendre que cette hypothèse est énoncée essentiellement en vue d'en disposer, de la rejeter en faveur d'une autre : l'hypothèse alternative H_1.

$$H_1 : M_A \neq M_B$$

L'hypothèse H_1 constitue bien ce qui intéresse réellement les chercheurs.

La procédure sera donc de supposer vraie l'hypothèse H_0. Puis il faudra voir si, dans ces conditions, il est probable que la différence observée, $m_A - m_B$, soit due uniquement à des variations aléatoires d'échantillonnage (dans lequel cas on ne pourra rejeter H_0) ou au contraire, si la différence observée est trop forte et dépend d'un écart réel entre M_A et M_B (dans lequel cas on rejettera H_0 en faveur de H_1).

Afin de savoir à laquelle de ces deux éventualités on a affaire, il faut étudier la distribution d'échantillonnage des différences telles que $m_A - m_B$. Or, si l'on suppose les tailles des échantillons n_A et n_B très grandes, on sait (voir à la fin de la section 4.3) que les différences $m_A - m_B$ suivent une distribution normale avec moyenne $M_A - M_B$ et écart type $\sqrt{\dfrac{V_A}{n_A} + \dfrac{V_B}{n_B}}$, où V_A et V_B sont les variances des populations concernées P_A et P_B.

En conséquence, (voir section 4.4) la statistique

$$z = \frac{(m_A - m_B) - (M_A - M_B)}{\sqrt{\dfrac{V_A}{n_A} + \dfrac{V_B}{n_B}}}$$

suit une loi normale de moyenne 0 et d'écart-type 1.

Cependant, *dans le cas où H_0 est vraie*, on a $M_A - M_B = 0$. Ainsi, reprenant les énoncés précédents, il appert que les différences $m_A - m_B$ suivent une distribution normale de moyenne 0 et d'écart-type $\sqrt{\dfrac{V_A}{n_A} + \dfrac{V_B}{n_B}}$. En d'autres mots $z_0 = \dfrac{m_A - m_B}{\sqrt{\dfrac{V_A}{n_A} + \dfrac{V_B}{n_B}}}$ suit une loi normale de moyenne 0 et d'écart-type 1.

Par conséquent on sait que 95% des valeurs de z_0 se situent entre -2 et $+2$, ou plus précisément entre $-1,96$ et $+1,96$, donc dans l'intervalle $[-1,96, 1,96]$. Ce qui veut dire que seulement 5% des valeurs de z_0 seront en dehors de l'intervalle : il est donc rare d'observer une valeur de z_0 en dehors de l'intervalle. En fait, dans le cas où l'on observe une valeur de z_0 en dehors de $[-1,96, 1,96]$, deux éventualités sont possibles :

1) ou bien l'hypothèse H_0 est toujours plausible et le fait de trouver une valeur de z_0 en dehors de $[-1,96, 1,96]$ constitue simplement un événement rare ;

2) ou bien on ne peut retenir H_0 comme vraie : en d'autres mots, les moyennes de population diffèrent réellement.

Nous devons choisir une seule de ces éventualités dans la procédure du test d'hypothèse. Nous choisissons généralement la deuxième éventualité car elle semble plus raisonnable. Conséquemment, si nous observons, dans des échantillons provenant de deux populations P_A et P_B, une moyenne m_A et une moyenne m_B qui soient si distinctes que la valeur de z_0 correspondante se situe en dehors de l'intervalle $[-1,96, 1,96]$, nous accepterons (avec un certain risque) le fait que les moyennes de population M_A et M_B sont véritablement distinctes. C'est-à-dire que nous rejetterons l'hypothèse nulle H_0 au profit de H_1.

D'un autre côté, si l'on observe une valeur de z_0 à l'intérieur de l'intervalle $[-1,96, 1,96]$, on ne peut rejeter H_0. On dit alors que l'on « accepte » H_0. Ce qui ne signifie pas nécessairement que H_0 soit confirmée vraie. Cela veut dire tout simplement que nous n'avons pas assez d'évidence, avec les échantillons en mains, pour rejeter H_0 puisque la valeur observée de z_0 se trouve dans l'intervalle $[-1,96, 1,96]$. D'autres recherches moins entachées d'erreurs d'échantillonnage montreraient peut-être que H_0 doit réellement être rejetée !

Afin de mieux faire saisir la règle de décision utilisée ici, certains auteurs tels Erickson et Nosanchuk [1977, p. 145], Alder et Roessler [1977, p. 156], Bertaud et Charles [1980, p. 240] proposent une analogie entre le test d'hypothèse et la procédure judiciaire. Un élément important du système de justice canadien est la présomption d'innocence (l'hypothèse nulle). Le procureur (le chercheur) tentera d'accumuler suffisamment d'évidence pour rejeter cette présomption. S'il y parvient, l'accusé sera reconnu coupable (on rejettera H_0) ; sinon, on dira qu'il n'y a pas assez d'évidence de culpabilité et le prévenu sera acquitté : ce qui ne veut pas dire qu'il soit nécessairement innocent (même si H_0 n'est pas rejetée, ceci ne veut pas dire que H_0 soit nécessairement vraie). Il peut être utile de se souvenir de cette intéressante analogie !

Le graphe 4.12 nous fait voir les régions qui amènent le rejet ou « l'acceptation » de H_0. On appellera l'intervalle $[-1,96, 1,96]$, une *région d'acceptation de H_0* ; chacun des intervalles $]\leftarrow, -1,96]$ et $[1,96, \rightarrow[$ fait partie de la *région de rejet de H_0*. Les nombres $-1,96$ et $+1,96$ sont dits *valeurs critiques*.

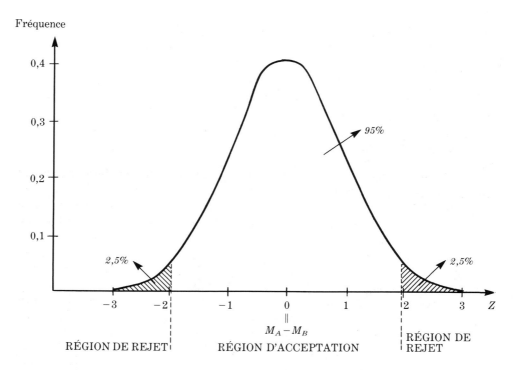

GRAPHE 4.12: Situation où H_0 est supposée vraie ($M_A - M_B = 0$).

Erreurs E_1 et E_2

La procédure du test d'hypothèse telle que décrite antérieurement comporte deux risques. Autrement dit, en adoptant cette procédure, nous sommes sujets à faire deux types d'erreurs.

Une erreur de premier type, notée E_1, qui consiste à rejeter H_0 alors qu'elle est réellement vraie. La probabilité de faire une telle erreur est notée α.

Une erreur de second type, notée E_2, qui consiste à ne pas rejeter H_0 alors qu'elle est réellement fausse. La probabilité de faire une telle erreur est notée β.

La figure 4.1 distingue les situations où l'on commet ces types d'erreurs, des situations où de bonnes décisions sont prises.

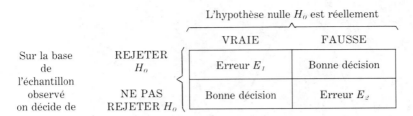

FIGURE 4.1: Situations possibles lors d'un test d'hypothèse.

Maintenant, explicitons un peu ces deux types d'erreurs. On fera une erreur E_1 si la valeur observée de z_0 se situe dans la région de rejet lorsque H_0 est réellement vraie. Dans notre exemple, comme seulement 5% des valeurs z_0 se situent dans la région de rejet (graphe 4.12), la probabilité de commettre une erreur E_1 est alors $\alpha = 0,05$.

On fera une erreur E_2 si la valeur observée de z_0 se situe dans la région d'acceptation lorsque H_0 est réellement fausse. Or nous ne pouvons généralement calculer β, la probabilité de commettre une erreur E_2. Pour pouvoir obtenir β, il faudrait être capable d'évaluer la proportion de surface du genre de celle qui se trouve au graphe 4.13a). Pour ce, il faudrait connaître la constante $c = M_A - M_B$ qui sépare les deux moyennes de population: ce que généralement nous ne savons pas. Cependant, on peut montrer que α et β varient de façon inversement proportionnelle. En effet, si nous avions choisi un risque α plus petit, par exemple 0,01, la région d'acceptation aurait alors été agrandie de $[-1,96, 1,96]$ à $[-2,57, 2,57]$. Ainsi β aurait été accrue, puisque l'on a bien sûr plus de chances que z_0 se situe dans l'intervalle $[-2,57, 2,57]$ que dans l'intervalle $[-1,96, 1,96]$. On peut d'ailleurs voir en comparant le graphe 4.13a) au graphe 4.13b) que si α diminue, $\alpha/2$ diminue aussi et β augmente automatiquement. De même, si α augmente, β diminue.

En conséquence, une des façons de diminuer β est d'augmenter la quantité α que nous pouvons contrôler à notre gré. Une autre bonne façon de minimiser β est d'augmenter la taille des échantillons étudiés. On peut remarquer en effet que l'écart-type $\sqrt{\dfrac{V_A}{n_A} + \dfrac{V_B}{n_B}}$ diminuera si les tailles n_A et n_B augmentent. Donc l'intervalle $\left[-1,96 \sqrt{\dfrac{V_A}{n_A} + \dfrac{V_B}{n_B}}, \quad 1,96 \sqrt{\dfrac{V_A}{n_A} + \dfrac{V_B}{n_B}}\right]$ rapetissera à mesure que n_A et n_B augmenteront. Ce qui veut dire, comme on peut le constater au graphe 4.14, une région d'acceptation plus petite. Or pour que l'on commette une erreur E_2 il faut que la valeur observée de z_0 se trouve dans la région d'acceptation. Si cette région rapetisse, la valeur de z_0 aura moins de chance de s'y situer, diminuant ainsi β, la probabilité de commettre une erreur E_2.

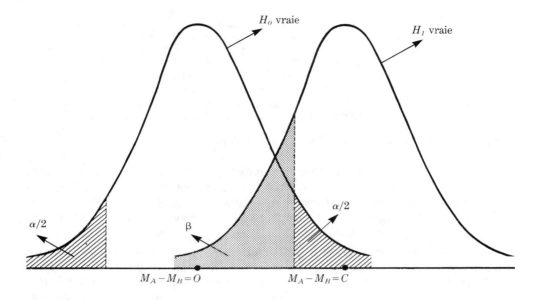

GRAPHE 4.13a):   Représentation de l'erreur E_2 dont la probabilité est β.

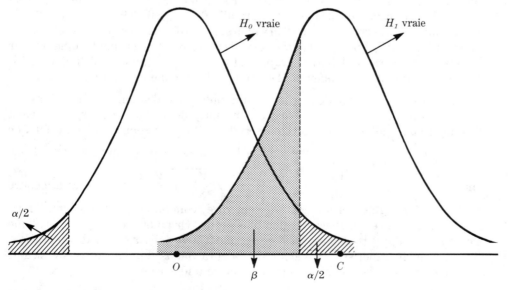

GRAPHE 4.13b): β augmente si α diminue.

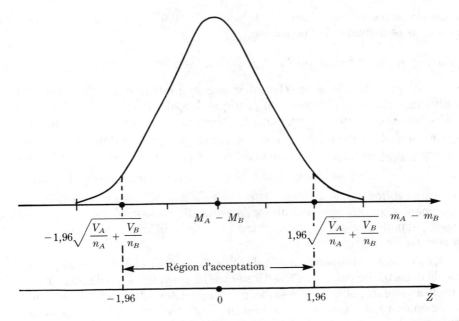

GRAPHE 4.14 : La dimension de la région d'acceptation est fonction des tailles n_A et n_B des échantillons.

On appelle *puissance d'un test*, la capacité à détecter des différences réelles, soit la valeur $1 - \beta$. Il est entendu que l'on aura avantage à choisir un test le plus puissant possible.

On rencontrera souvent l'appellation « *seuil de signification* » pour l'erreur α, la probabilité de commettre une erreur E_1. Ce terme s'explique comme suit.

L'intervalle qui correspond à la région d'acceptation, soit $[-1,96, 1,96]$ pour les valeurs de z_0 dans notre exemple, est déterminé par le choix de α. Il a d'abord fallu poser $\alpha = 0,05$ avant de calculer cette région. Or lorsqu'une valeur de z_0 se retrouve dans une région de rejet (aussi déterminée par α), l'hypothèse H_1 ($M_A \neq M_B$) est acceptée. Le chercheur dira qu'il a trouvé une différence $m_1 - m_2$ statistiquement significative au seuil α. Le seuil de signification est donc une quantité choisie « a priori » par le chercheur. Ici, nous avons choisi $\alpha = 0,05$. Mais, en réalité, nous aurions pu prendre n'importe quelle autre valeur. Il est clair que nous choisirons généralement une petite valeur de α de manière à atténuer le risque de commettre l'erreur E_1. Par ailleurs, nous aimerons travailler avec un nombre simple : un seuil de 0,043651 serait pour le moins étonnant et devrait être expliqué. On rencontre donc parfois des seuils comme 0,10, 0,02, 0,01 suivant la nature du problème étudié. Ceci dit, le seuil $\alpha = 0,05$ reste, de loin, le plus populaire dans le domaine de l'éducation.

L'importance de la taille de l'échantillon

Nous avons vu que si la taille d'un échantillon augmente, β diminue. Or un résultat encore plus important du point de vue pratique découle de l'augmentation de la taille. Nous voulons l'expliciter ici, car il est souvent mal saisi ou encore ignoré.

Situons-nous dans la perspective de l'exemple présenté en début de section. Nous savons que si les tailles n_A et n_B des échantillons augmentent, alors l'écart-type $\sqrt{\dfrac{V_A}{n_A} + \dfrac{V_B}{n_B}}$ diminue. Le graphe 4.15 représente cette situation. En conséquence, si une différence $m_A - m_B = d$ est observée, elle peut être déclarée statistiquement significative dans un cas, puisqu'elle se situe dans la région de rejet (cas 1), et non significative dans l'autre, puisque la différence d ne se retrouve plus dans la région de rejet (cas 2).

Ainsi, on constate aisément que plus la taille d'un échantillon augmente, plus il est facile de détecter de petites différences entre les moyennes : en d'autres mots, plus la taille augmente, plus il est possible pour les petites différences de se situer dans la région de rejet. Nous sommes en droit d'affirmer qu'à la limite, pour des tailles très grandes, n'importe quelle différence, fût-elle de peu de portée pratique, pourrait tout de même être déclarée *statistiquement significative*.

D'un autre côté, même si une différence semble fort appréciable au chercheur, il peut arriver qu'elle ne puisse être déclarée statistiquement significative, la taille de l'échantillon étant trop restreinte. Une bonne procédure à suivre dans ce dernier cas serait de reprendre l'expérience en choisissant un échantillon plus grand.

Ces dernières lignes atténuent la trop grande importance qu'on a souvent donnée aux tests de signification statistique. Un résultat statistiquement significatif ne constitue pas la fin du processus de décision. Le jugement du chercheur doit être mis à contribution afin d'interpréter adéquatement ce résultat.

Snedecor et Cochran [1957, p. 31] nous en donnent un bon exemple lorsqu'ils disent :

> « Le compte rendu d'un chercheur portant sur un petit échantillon pourrait se rédiger ainsi : bien que l'écart à l'hypothèse nulle ne soit pas significatif, l'échantillon est si petit qu'il ne donne qu'une faible confirmation de cette hypothèse nulle »,

et plus loin :

> « après avoir comparé deux proportions d'un grand échantillon, un chercheur peut écrire : bien que statistiquement significative, la différence entre les deux proportions est trop faible pour avoir une importance pratique et sera ignorée dans la suite de l'analyse ».

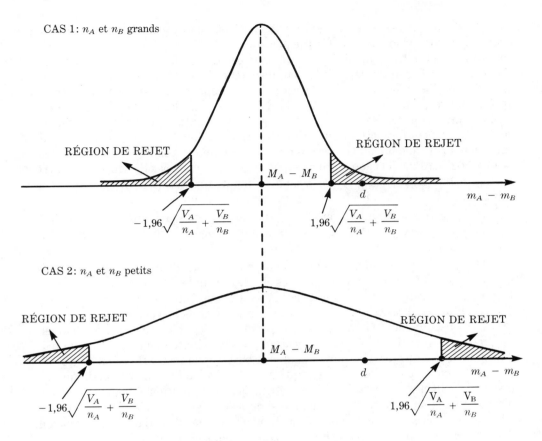

GRAPHE 4.15 : La différence d est significative dans le cas 1 mais non significative dans le cas 2.

Comment choisir α

Le jugement du chercheur reste donc d'une importance première dans l'interprétation des résultats, le test de signification pouvant lui fournir un indice ou un argument intéressant, sans plus. Mais ce n'est pas seulement rendu à cette étape de la procédure du test d'hypothèse que le chercheur aura l'occasion de mettre à profit ses connaissances du domaine étudié. Nous avons déjà parlé du choix arbitraire de α. Même si généralement on considère un résultat statistiquement significatif pour $\alpha = 0,05$, il existe des situations où ce choix n'est pas nécessairement le plus approprié.

Souvenons-nous que lors d'un test d'hypothèse, il existe deux types d'erreurs possibles, E_1 de probabilité α et E_2 de probabilité β. Ces erreurs n'ont pas la même importance d'un problème à l'autre. Dans le cas de l'exemple exposé précédemment, l'erreur E_1, soit le rejet de l'hypothèse nulle alors qu'elle est vraie, peut être considérée plus importante que l'erreur E_2: «accepter» faussement l'hypothèse nulle. En effet, la décision d'accepter une différence entre les méthodes d'enseignement au niveau du rendement scolaire (ce qui correspond à rejeter H_0) peut amener des conséquences fort importantes: implantation d'un nouveau programme, dissémination à la grandeur du Québec, ou rédaction d'un nouveau matériel pédagogique. Par contre, la décision d'accepter, à tort, qu'il n'y ait pas de différence entre les méthodes (c.-à-d. l'erreur E_2), semble moins dramatique. On voudra donc minimiser ici surtout la probabilité α de commettre une erreur E_1.

Or il existe des situations où les deux types d'erreurs peuvent être considérés comme aussi graves. Il est même possible que ce soit l'erreur E_2 qui semble plus dommageable. Considérons le cas suivant.

Un conseiller pédagogique en mathématiques décide de préparer une batterie de douze tests en vue de diagnostiquer les élèves qui ont le plus de difficulté avec les techniques opératoires en nombres naturels: il y a trois tests pour chaque opération: addition, soustraction, multiplication, division. Les élèves en difficulté recevront un enseignement spécial pour leur permettre de mieux réussir leur examen de fin d'année du Ministère de l'Éducation. Quatre-vingts élèves de sixième primaire de l'école du Quartier doivent subir la batterie de tests. Des contraintes de temps forcent le conseiller pédagogique à ne donner qu'un échantillon de quatre tests aux élèves: un test pour chacune des quatre opérations. Seuls les élèves obtenant une moyenne reconnue comme significativement sous le seuil de 60 pour 100 auront droit à l'enseignement spécial. Nous sommes donc dans la situation où l'on doit choisir entre les hypothèses suivantes pour chaque élève:

$$H_0: M \geq 60$$
$$H_1: M < 60$$

où M est la moyenne vraie (donc théorique) de l'élève pour la batterie des douze tests.

Une erreur E_1 sera commise ici chaque fois que l'on détectera un élève ayant obtenu une moyenne «m» plus petite que 60 pour l'ensemble des quatre tests, mais ayant en réalité une moyenne vraie M supérieure ou égale à 60: on peut penser que ceci arrivera pour les élèves très malchanceux ou fatigués lors de l'administration des tests.

Une erreur E_2 sera commise chaque fois que l'on ne détectera pas un élève qui a réellement une moyenne M plus petite que 60, mais qui a obtenu pour l'ensemble des quatre tests une moyenne «m» plus grande que 60: ce sera le cas pour les élèves très chanceux ou ceux qui ont copié lors de l'administration des tests.

On voit donc qu'ici une erreur E_2 est au moins aussi importante qu'une erreur E_1.

Il doit être conclu, des lignes qui précèdent, que l'importance relative de E_1 et E_2 dépend du problème envisagé. Or un malaise subsiste encore: bien qu'il soit possible de fixer comme on le veut α, la probabilité de commettre une erreur E_1, il n'en est pas ainsi avec β, la probabilité de commettre une erreur E_2. Toutefois, il est presque toujours possible de minimiser la probabilité de commettre l'erreur la plus grave. Par exemple, on peut souvent choisir H_0 et H_1 de telle sorte que E_1, et non E_2, soit considérée l'erreur la plus grave. Comme nous avons un contrôle parfait de α, il s'agira de rendre ce nombre très petit ($\alpha = 0{,}05$, $\alpha = 0{,}02$, $\alpha = 0{,}01$) pour assurer cette minimisation. Par ailleurs, si l'on ne peut choisir les hypothèses de cette façon et que E_2 semble l'erreur la plus grave à éviter, alors on pourra augmenter α (à 0,10 ou plus!), ce qui aura pour effet, comme on l'a vu précédemment, de diminuer β.

Test unilatéral et test bilatéral

Lors d'un test d'hypothèse, il existe deux grandes façons de formuler les hypothèses. On peut utiliser des hypothèses *directionnelles* comme

$$H_0: M \geqslant 60$$
$$H_1: M < 60.$$

Dans ce cas, la direction du paramètre étudié est anticipée: l'emploi des symboles « $<$ » et « $>$ » le montre bien. Une telle formulation montre que l'intérêt de ce test est de savoir si oui ou non, le paramètre M, la moyenne de la population, peut être considéré inférieur à 60. Par contre, des hypothèses comme

$$H_0: M_1 = M_2$$
$$H_1: M_1 \neq M_2$$

sont dites *non directionnelles*, puisqu'aucune direction n'est anticipée. On emploie alors les symboles « $=$ » et « $\neq$ ». Notre intérêt ici est de savoir si les moyennes M_1 et M_2 peuvent être considérées différentes ou non.

Les hypothèses formulées de façon directionnelle ne se traitent pas de la même façon que les hypothèses formulées de façon non directionnelle. Dans le premier cas où une direction est considérée, l'emploi d'un *test* dit *unilatéral* est exigé. Dans le second cas où aucune direction n'est spécifiée, on doit utiliser un *test bilatéral*. La définition de la région de rejet peut aider à comprendre cette distinction. Pour les hypothèses non directionnelles, la région de rejet de H_0 est divisée en deux parties (graphe 4.16a), d'où l'appellation de test bilatéral. Chaque partie correspond à une proportion de surface qui équivaut à $\alpha/2$, où α est le seuil de signification. Pour les hypothèses directionnelles, la région de rejet est constituée d'une seule partie (graphe 4.16b), à savoir la partie correspondant à une proportion de surface égale

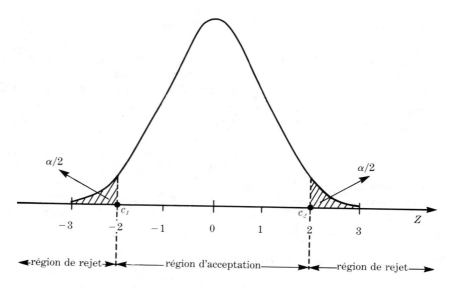

GRAPHE 4.16a):   Région de rejet de H_0 d'un test bilatéral.

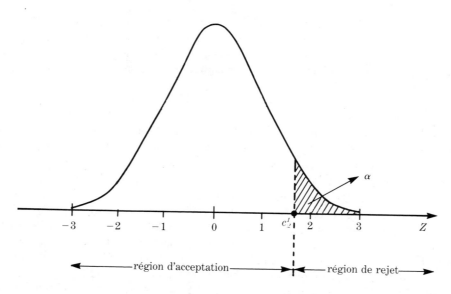

GRAPHE 4.16b):   Région de rejet de H_0 d'un test unilatéral

à α. On effectuera alors un test unilatéral. Si l'on note $[c_1, c_2]$ l'intervalle de la région d'acceptation pour un test bilatéral et $]\leftarrow, c_2^l]$ l'intervalle équivalent pour un test unilatéral, on peut voir que le point critique c_2^l est plus près de 0 que c_2. Ceci est dû au fait que la proportion de surface α est concentrée d'un seul côté de la courbe.

Par exemple, dans le cas d'une courbe normale de moyenne 0 et d'écart-type 1, on aura, pour $\alpha = 0,05$, $c_1 = -1,96$, $c_2 = 1,96$, puisque $[c_1, c_2] = [-1,96, 1,96]$ comme on l'a déjà vu, et $c_2^l = 1,64$ comme on peut le trouver au tableau III.1 (en appendice).

Il est donc possible qu'un résultat soit considéré statistiquement significatif au seuil $\alpha = 0,05$ en utilisant un test unilatéral et que le même résultat ne soit pas considéré statistiquement significatif au même seuil en utilisant un test bilatéral. Ce serait le cas, par exemple, si l'on obtenait une valeur $z = 1,80$.

On pourrait dire que les tests unilatéraux rejettent plus facilement l'hypothèse nulle que les tests bilatéraux. Ce qui ne veut pas dire que l'on puisse toujours employer un test unilatéral. Un tel test est en effet approprié uniquement lorsque l'une des deux «directions» de la distribution n'offre aucun intérêt théorique a priori pour le problème considéré.

Voyons plutôt l'exemple suivant. Une équipe de chercheurs a mis au point une batterie de tests diagnostiques en mathématiques. Les chercheurs sont d'avis qu'en intégrant ces tests en classe, on obtiendra une méthode d'enseignement plus efficace. Afin de mettre à l'épreuve l'efficacité de cette méthode, ils ont formé deux groupes d'élèves. Le premier groupe, noté A (auquel correspondra la méthode A), devra utiliser les tests diagnostiques alors que le second groupe, noté B, (auquel correspondra la méthode B), n'y aura pas accès. À la fin d'une période d'expérimentation correspondant à un trimestre de l'année scolaire, un examen de mathématiques sera administré aux deux groupes. Appelons m_A (resp. m_B) la moyenne des élèves du groupe A (resp. groupe B) à cet examen de mathématiques. De telle sorte que M_A et M_B seront les moyennes des populations correspondantes.

La question qui se pose alors est celle-ci : les chercheurs peuvent-ils formuler des hypothèses directionnelles comme

$$H_0: M_A \leq M_B$$
$$H_1: M_A > M_B$$

sur la base d'un préjugé favorable pour les tests diagnostiques ? La réponse est on ne peut plus claire : NON !

Car dans cette situation, on ne peut que trouver, le cas échéant, des résultats statistiquement significatifs en faveur de la méthode A (cas où l'on rejette H_0). Si l'on ne peut rejeter H_0, cela ne montre pas que la méthode B soit supérieure de façon statistiquement significative. A priori, il est théoriquement possible et d'un intérêt objectif certain que la méthode B soit supérieure à la méthode A : ceci pourrait se produire dans le cas par exemple où des tests diagnostiques mal conçus entraveraient la bonne marche de l'enseignement.

En conséquence, si le chercheur est intéressé à connaître seulement la différence entre deux phénomènes, il utilise alors un test bilatéral. Par contre, s'il est intéressé à connaître la supériorité d'un phénomène sur un autre, il peut faire un test unilatéral, dans le cas où il y a suffisamment d'évidence logique, théorique ou empirique reconnue. Dans le cas où il n'y a pas suffisamment d'évidence, il peut procéder ainsi. Effectuer d'abord un test bilatéral. Si H_0 ($M_A = M_B$) n'est pas rejetée, il ne se pose pas de problème d'interprétation. Si H_0 est rejetée en faveur de H_1 ($M_A \neq M_B$), il conclut à une différence statistiquement significative entre les deux phénomènes (entre les deux moyennes).

Puis il peut noter quelle est la moyenne qui est supérieure. Il s'agit là d'une évidence empirique fort importante pour les recherches futures. Il n'a bien sûr pas réglé définitivement la question, mais il a en tout cas posé des bases solides, statistiquement et scientifiquement. Bases à partir desquelles de prochaines recherches postulant une hypothèse directionnelle pourront être envisagées.

Test d'hypothèse et attitude exploratoire

Tout au long de ce chapitre, nous avons fait référence aux méthodes confirmatoires et particulièrement à la procédure du test d'hypothèse. Nous avons vu qu'il était important de considérer la taille des échantillons en jeu, le rôle de E_2, l'erreur de second type, et la façon de formuler les hypothèses, directionnelle ou non.

Cependant, avant même de considérer ces enjeux, il est primordial que le chercheur conserve une attitude exploratoire pour l'analyse de ses données. Les lignes qui suivent illustrent cette affirmation.

Le tableau 4.6 présente les scores (fictifs) de deux groupes d'élèves G_A et G_B à un examen de français. Nous sommes intéressés à comparer le rendement moyen en français de ces deux groupes, considérés comme des échantillons de populations d'élèves P_A et P_B.

Un test d'hypothèse sera donc employé où

$$H_0: M_A = M_B$$
$$H_1: M_A \neq M_B.$$

Après avoir calculé les moyennes des échantillons, m_A et m_B, on se rend compte qu'elles sont égales. Ainsi la différence $d = m_A - m_B = 6 - 6 = 0$ se situe dans la région d'acceptation de H_0.

Or, avant d'effectuer le test d'hypothèse, il aurait été préférable d'adopter une attitude plus exploratoire, comme en font foi les lignes qui suivent. Regardons le

TABLEAU 4.6

Scores en français des 50 élèves du groupe G_A et des 40 élèves du groupe G_B

	G_A		G_B	
Score	Fréquence		Score	Fréquence
1	3		1	1
2	4		2	2
3	8		3	2
4	4		4	4
5	3		5	6
6	1		6	9
7	6		7	6
8	9		8	5
9	6		9	3
10	6		10	2
	$n_A = 50$			$n_B = 40$
	$m_A = 6{,}00$			$m_B = 6{,}00$

diagramme en feuilles dos-à-dos du graphe 4.17. Du premier coup d'oeil, nous voyons que la distribution du groupe G_A a une forme distincte de celle de G_B. La distribution de G_A présente deux sommets alors que la distribution de G_B semble plutôt symétrique à un sommet.

La moyenne de G_B se situe au coeur même des données de la distribution et représente bien une mesure de tendance centrale des scores du groupe G_B. Cependant, la moyenne de G_A se situe entre les deux sommets de la distribution. Cette moyenne nous donne une idée plus ou moins représentative de la tendance centrale des scores du groupe G_A : en effet, seulement un élève de G_A obtient un score égal à la moyenne et à peine 20% des élèves ont un score près de la moyenne, soit 5, 6 ou 7. Alors que pour G_B, neuf élèves obtiennent un score égal à la moyenne et plus de 50% des élèves obtiennent un score de 5, 6 ou 7.

Lorsqu'une telle situation arrive, on ne peut comparer les deux moyennes de façon adéquate. Il faut explorer les données à fond pour tenter d'expliquer ce double sommet présent dans la distribution de G_A. Il est possible que ce double sommet soit formé par deux sous-groupes naturels de G_A, tel qu'exposé au graphe 4.18.

Après enquête en effet, on réussit à montrer que G_A est constitué de deux classes d'élèves très distinctes. La première G_A^1 se compose d'élèves (☹) qui ont des faiblesses importantes en français : leur moyenne est $m_A^1 = 3$. Par contre, les

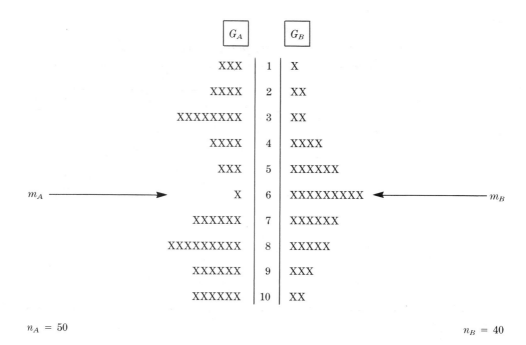

$n_A = 50$ $n_B = 40$

GRAPHE 4.17:   Diagramme en feuilles dos-à-dos des scores en français du groupe G_A et du groupe G_B.

élèves (☺) de la seconde classe, G_A^{II}, ont généralement de très bons résultats en français : leur moyenne est $m_A^{II} = 8$. Il n'est donc pas approprié de regrouper G_A^{I} et G_A^{II} afin de comparer la moyenne de G_A à la moyenne de G_B.

Serait-il donc plus approprié de comparer G_A^{I} à G_B puis G_A^{II} à G_B ? Pas plus ! Comme nous le verrons à la fin du chapitre suivant, plusieurs conditions doivent être remplies avant de procéder à de telles comparaisons.

Or ces conditions ne sont pas toutes satisfaites ici. En somme, l'analyse montre que l'on ne peut pas procéder adéquatement à des tests d'hypothèse pour la comparaison des moyennes, avec les données que nous avons en main.

Ainsi, même en analyse confirmatoire, il convient de conserver une attitude exploratoire afin de scruter à fond les données. Il est d'une importance capitale, par exemple, d'étudier les caractéristiques comme la forme et la dispersion des distributions *avant* d'effectuer un test d'hypothèse visant à comparer les moyennes. Autrement, l'analyse risque de mener à des conclusions fort peu pertinentes.

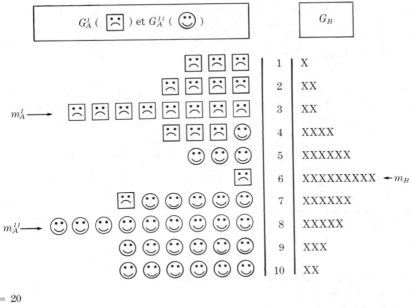

$n_A^I = 20$

$n_A^{II} = 30$

GRAPHE 4.18 : Diagramme en feuilles dos-à-dos des scores en français des sous-groupes G_A^I (☹) et G_A^{II} (☺) et du groupe G_B.

Pertinence des tests d'hypothèse

Afin de clore cette section, nous désirons présenter un point de vue critique souvent formulé à l'égard des tests d'hypothèse et plus précisément à l'égard du concept de « signification statistique » employé lors de ces tests. Cette présentation sera, espérons-nous, de nature à susciter une saine réflexion chez le lecteur et l'obligera à faire montre de prudence lors de l'utilisation de cette procédure.

Nous avons parlé antérieurement du très grand usage des tests d'hypothèse dans le domaine de l'éducation. Plusieurs s'interrogent sur la place prépondérante qui leur a été donnée depuis nombre d'années. Certains remettent même carrément en cause l'utilisation de ces tests. Qu'en est-il au juste ? D'où vient cet engouement pour les tests d'hypothèse en éducation ?

Lawlis et Peek [1979] mentionnent que les tests d'hypothèse semblent attrayants pour la psychologie (ou l'éducation) car on veut, tout comme en sciences physiques, *prouver* quelque chose. Tel qu'il a été indiqué plus haut, le test d'hypothèse donne une règle de décision, et non une preuve mathématique. Poursuivant dans la même veine, Shaver et Norton [1980] s'interrogent sur la réelle possibilité d'établir des lois générales en éducation, comme cela se fait régulièrement en physique par exemple: d'ailleurs pourquoi voudrait-on *nécessairement* faire comme en sciences physiques?

Cependant, même s'il est vrai que les méthodes de recherche en éducation peuvent se distinguer de celles employées en sciences physiques, la méthode scientifique de base, elle, devrait être respectée. Mais, comme l'indique Carver [1978], les utilisateurs de tests d'hypothèse statistiques ne la respectent généralement pas: ils donnent priorité au test de l'hypothèse nulle, considérant comme valables les seuls résultats *statistiquement* significatifs, même si ces résultats n'ont pas ou peu de signification pratique. Ce dernier auteur, dans une analyse on ne peut plus serrée de ce problème, étonne lorsqu'il nous révèle son credo:

> «Je crois que nous devrions *éliminer* de nos recherches les tests de signification statistique. De tels tests sont non seulement inutiles, mais aussi nuisibles parce qu'ils sont interprétés comme signifiant quelque chose qu'ils ne sont pas».[14]

S'adressant prioritairement aux chercheurs en éducation, cet auteur mentionne cependant que ses critiques devraient être prises en considération par les psychologues, sociologues et en fin de compte par tous ceux qui se servent des tests de signification statistiques. Carver illustre et nous met en garde, par le fait même, contre quelques inférences extravagantes («fantaisies») souvent faites lors de l'emploi d'un test d'hypothèse. Il en arrive ensuite au credo formulé plus haut.

Cette position radicale semble un peu excessive même si Carver n'est pas le seul à y adhérer (voir par exemple Derrick [1976]). Par ailleurs, des auteurs plus modérés sur cette question, comme Epstein [1978] ou Stoodley [1980], se refusent à regarder un résultat comme «vrai ou faux», «bon ou pas» sur la seule base d'une signification statistique. Shaver [1980] parle de surutilisation et de mauvaise utilisation des tests d'hypothèse. En général, ces derniers auteurs croient que l'on accorde une importance excessive à ces tests mais ne vont pas jusqu'à recommander, comme Carver, leur ablation pure et simple de l'arsenal méthodologique des chercheurs en éducation.

Que faire donc en regard de cette situation?

Eh bien! le moins que l'on puisse faire serait d'effectuer quelques commentaires parmi lesquels plusieurs pourront y voir des suggestions, de manière à éviter les pièges inhérents à l'utilisation des tests d'hypothèse. Ces commentaires ne concernent d'ailleurs pas uniquement les tests d'hypothèse.

---

14. « I believe we should eliminate statistical significance testing in our research. Such testing is not only useless, it is also harmful because it is interpreted to mean something it is not. » (p. 392)

Même s'il s'agit là d'un voeu qui risque de rester pieux, nous croyons nécessaire en premier lieu de stipuler l'importance pour le chercheur de développer d'autres stratégies de recherche que celle visant à tout régler une fois pour toutes en une « passe ». Bien sûr cette procédure est beaucoup plus alléchante, à première vue du moins, que de s'engager dans un processus de recherche itératif à plus long terme. Elle risque toutefois de presser le chercheur à trouver nécessairement des résultats significatifs de façon rapide, même s'il doit pour cela sauter des étapes fondamentales dans l'analyse de ses données, ou pire se confiner à un problème de recherche banal ou ayant peu d'intérêt scientifique véritable. Il sera alors tenté d'utiliser des procédures qui règlent tout en une « passe », comme le test d'hypothèse a l'habitude d'être perçu. Surtout lorsque l'on connaît les facilités sans cesse croissantes du traitement informatique de ces tests. Or la plupart des problèmes de recherche en éducation comportent de multiples facettes et nécessitent un processus méthodologique que le seul test d'hypothèse ne peut résoudre complètement.

C'est pourquoi d'autres procédures d'analyse doivent être suggérées. Comme il a été remarqué, le fait d'adopter une attitude exploratoire d'analyse des données nous semble un préalable essentiel à l'utilisation de toute méthode confirmatoire, et en particulier d'un test d'hypothèse. D'ailleurs Carver [1978], Stoodley [1980] et Shaver [1980] parlent aussi en termes élogieux de l'approche exploratoire centrée, comme nous l'avons vu, sur l'examen analytique des données. Oh ! bien sûr, il s'agit d'y mettre le temps. Mais tel que reconnu à plusieurs reprises plus avant dans le texte, le jeu en vaut la chandelle ; ces techniques sont simples, fiables et intuitives, donc accessibles même aux chercheurs traditionnellement allergiques à l'analyse quantitative.

Pourtant, la plupart du temps, le chercheur voudra aller plus loin que l'étape exploratoire. Il tentera de faire des inférences, de voir si les résultats obtenus à partir de l'échantillon observé se généralisent à une certaine population. Traditionnellement, dans le domaine de l'éducation, on utilise le test d'hypothèse pour effectuer ces inférences. Il existe cependant d'autres procédures, moins connues, et pour la plupart plus récentes, qui semblent aussi plus puissantes que le classique test d'hypothèse.

Quoique sujette à maintes critiques, l'utilisation d'intervalles de confiance, par exemple, offre du moins l'avantage de ne pas donner l'illusion qu'on a tout réglé en une passe, qu'on est arrivé à une solution définitive. Au contraire, l'approche « intervalles de confiance » devrait orienter le chercheur vers une ou plusieurs études de répétition dans le but de voir si les résultats obtenus se retrouvent lors de ces études ultérieures. Carver [1978] croit qu'il s'agit là du salut de la recherche en éducation : la répétition donne, selon lui, une évidence scientifique indéniable. Shaver [1980] est aussi un adepte des études de répétition.

Comme son nom l'indique, cette procédure consiste essentiellement à refaire une étude dans un contexte différent, ou avec un autre échantillon de sujets. Le chercheur aura une confiance d'autant plus grande en ses résultats dans la mesure où des résultats semblables seront obtenus lors d'une étude de répétition. On trouvera dans Sidman [1960, chap. 3 et 4] ou encore dans Huck, Cormier et Bounds [1974, p. 369] les ingrédients nécessaires à ce genre d'étude. S'agit-il là enfin de la solution miracle? Peut-être pas, mais en tout cas cela nous semble beaucoup plus fiable qu'un test d'hypothèse effectué sur un seul échantillon mesuré une fois dans un contexte particulier.

Bien sûr, répéter une recherche est plus onéreux en temps et en argent que d'utiliser une stratégie de recherche qui semble tout régler en une passe, mais nous croyons que la fiabilité des résultats de recherche en éducation vaut sans aucun doute cet effort accru.

Par ailleurs, une autre procédure a été proposée par Gibbons, Olkin et Sobel [1977]. Ces auteurs, dans le contexte d'une réévaluation de la pertinence des tests de signification, initient leurs lecteurs à une méthodologie statistique portant sur le choix et la mise en ordre des populations étudiées. On notera l'à-propos de cette procédure dans le cas par exemple où un chercheur veut savoir quelle méthode d'enseignement est la plus efficace parmi deux ou plusieurs possibles, c'est-à-dire celle qui produira le meilleur rendement scolaire moyen sur la base de certains échantillons. Nous avons vu précédemment qu'en général, le test d'hypothèse n'est pas une procédure convenable pour identifier directement la méthode la plus efficace.

Cette solution nous semble fort adéquate ... pour quiconque a le loisir de se farcir un bouquin méthodologique très spécialisé de 569 pages. À noter toutefois que le texte semble clair et relativement simple, même s'il n'est pas dédié explicitement aux chercheurs en sciences humaines, en sciences de l'éducation ou en psychologie. Nous pensons que cette nouvelle méthodologie pourrait se développer davantage au cours des années futures.

D'ici là, il est plus réaliste de croire que la procédure du test d'hypothèse sera utilisée encore de façon très fréquente. C'est pourquoi, au lieu de proscrire cette procédure, nous préférons donner au lecteur des suggestions susceptibles de contribuer à une saine utilisation des tests d'hypothèse. Ces suggestions se trouvent à la section 4.7.

4.6   CONCLUSION

L'objectif majeur de ce chapitre fut de présenter les principaux concepts et procédures adoptés en analyse confirmatoire : question de définir le langage et la manière de penser de l'analyse confirmatoire. Nous avons voulu montrer comment il était possible, dans ce contexte, d'inférer des résultats généraux, relatifs à une population, à partir de résultats particuliers, relatifs à un échantillon.

Pour ce, des distinctions claires ont été établies entre les couples de termes ou d'expressions : population et échantillon, statistique d'un échantillon et paramètre d'une population, échantillonnage aléatoire et échantillonnage subjectif, distribution des données brutes et distribution des moyennes d'échantillon, distribution normale et distribution « t ».

Puis, nous nous sommes servis d'un certain nombre de résultats, dont un énoncé du théorème central limite pour exposer les deux types de procédures en vogue : les méthodes d'estimation et le test d'hypothèse.

Nous avons dû mettre plus spécialement en relief le test d'hypothèse, de loin la procédure la plus usitée dans le domaine de l'éducation. Nous avons vu d'ailleurs qu'en corollaire à cette procédure est associée l'expression « signification statistique », dont l'importance est parfois exagérée. Un résultat « statistiquement significatif » ne représente pas toujours, loin de là, un résultat réellement significatif en pratique. On ne saurait trop insister sur cette nuance. Un des buts du test d'hypothèse est de déterminer si un résultat, significatif en apparence, ne serait pas réductible à une fluctuation aléatoire, c'est-à-dire à un résultat statistiquement non significatif. Par ailleurs, il est très important de spécifier qu'avant d'utiliser bon nombre de méthodes confirmatoires, certaines conditions doivent être présumées vraies, parmi lesquelles : échantillons choisis au hasard, populations normales, homogénéité des variances. Or il est plutôt rare que ces conditions soient vérifiées au moins approximativement dans une recherche typique en éducation, surtout en ce qui concerne le choix au hasard des échantillons. En conséquence, bon nombre de recherches utilisant des méthodes confirmatoires présentent des résultats bien souvent contestables. Le plan de la recherche est inadéquat ou inexistant, une ou plusieurs conditions d'application du modèle sont violées, ou alors l'interprétation des résultats semble beaucoup trop audacieuse ou . . . fausse. Non, l'utilisation des méthodes confirmatoires ne se borne pas à calculer un « t », un « X^2 » ou un « F », ou même à se servir d'un progiciel pour faire plus vrai. À ce sujet, nous avons la ferme impression que le progiciel informatique n'est pas toujours le meilleur ami du chercheur, pas même celui du statisticien contrairement à une opinion parfois répandue. Une utilisation abusive des progiciels sert même à renforcer l'idée (erronée !) qu'une analyse de données peut se régler en *une « passe » rapide*, pourvu que l'on ait choisi la bonne méthode.

Ces méthodes cachent presque toujours des pièges subtils, que seul un oeil bien averti saura contourner. Les méthodes confirmatoires sont-elles donc une chasse gardée de certains statisticiens aguerris ? Peut-être pas, mais on doit soulever, une fois encore, l'importance de l'engagement d'un consultant dès le début d'une recherche de type confirmatoire. Ce qui ne signifie pas que le consultant devrait tout faire. Rappelons ici le rôle essentiel du chercheur dans l'analyse de ses données, en respectant toutefois les limites de ses compétences. Souvenons-nous aussi que l'étape confirmatoire ne constitue pas la seule partie d'une analyse de données : elle n'est bien souvent même pas la partie la plus importante. L'étape exploratoire est fondamentale et détermine parfois tout le reste de l'analyse : ce qui arrive dans le cas par exemple où l'on doit transformer les données pour satisfaire les conditions d'utilisation d'une certaine méthode que l'on voudra employer lors d'une étape (confirmatoire) ultérieure.

Mosteller et Tukey [1977, p. 21] distinguent d'ailleurs trois niveaux possibles d'analyse de données :

1) le niveau *descriptif pur* où l'on ne s'intéresse qu'aux statistiques comme la moyenne ou la variance des données brutes,

2) le niveau *descriptif augmenté* où, en plus de décrire, on veut donner une idée de l'imprécision ou de l'incertitude en calculant par exemple l'écart-type de la moyenne (c.-à-d. l'erreur-type) $\frac{e}{\sqrt{n}}$,

e) le niveau inférentiel ou *confirmatoire* formel : intervalles de confiance, tests d'hypothèse.

Les auteurs insistent aussi sur le fait que, dans certains cas, il est possible que nous devions nous contenter du deuxième niveau d'analyse.

Les prochains chapitres traiteront des principales méthodes confirmatoires utilisées en éducation : test « t », analyse de la variance, analyse de la corrélation et de la régression. Le but de cet exercice n'est pas de présenter un certain nombre de recettes pratiques tout usage. Il s'agit plutôt de donner au lecteur un moyen de distinguer les différents objectifs poursuivis par ces méthodes de manière à ce qu'il puisse les utiliser de la façon la plus pertinente possible. Notre centre d'intérêt ne sera donc pas la mécanique algébrique formelle inhérente aux méthodes, mais bien plutôt les conditions et le pourquoi de leur utilisation.

4.7 RECOMMANDATIONS ET LECTURES PROPOSÉES

Recommandations

1) Échantillonner de façon aléatoire à chaque fois que c'est possible de le faire.

2) Si l'échantillonnage subjectif doit être utilisé, définir a posteriori la population de façon logique à l'aide des caractéristiques de l'échantillon.

3) Il est prudent de s'assurer des services d'un consultant lors de l'élaboration d'un plan d'échantillonnage.

4) Le chercheur devrait considérer plus souvent l'utilisation de la procédure d'estimation par intervalles de confiance.

5) La stratégie d'analyse des données prévoyant une ou plusieurs études de répétition devrait être reconnue comme plus sûre et utilisée de façon courante par les chercheurs en éducation.

6) Un test d'hypothèse ne doit pas être vu comme une preuve formelle. C'est une règle qui permet, dans certains cas, de prendre une décision comportant un risque calculé.

7) Les résultats d'une recherche ne devraient pas être analysés uniquement en fonction de leur signification statistique.

8) Le test d'hypothèse devrait être utilisé essentiellement pour donner des indices aux chercheurs. Dans ce cas, on aurait avantage à

— adopter une attitude exploratoire, c'est-à-dire représenter les données graphiquement et étudier les principales caractéristiques des distributions en cause (en particulier la forme),
— choisir H_0, H_1, et α de manière à minimiser l'erreur la plus grave,
— interpréter un résultat statistiquement significatif en tenant compte de la valeur de α et de la taille de l'échantillon,
— employer un test unilatéral seulement lorsque l'une des deux directions de la distribution n'offre aucun intérêt théorique a priori,
— vérifier les conditions d'application avant d'effectuer le test (voir chap. 5 et 6),
— analyser la grandeur de l'effet de traitement observé, que cet effet soit statistiquement significatif ou non.

Lectures proposées

ALDER, H.L., ROESSLER, E.B., [1977] *Introduction to probability and statistics*, Freeman & Co., San Francisco, chap. 8, 9, 10.

BAILLARGEON, G., RAINVILLE, J., [1977] *Statistique appliquée*, Éditions SMG, Trois-Rivières, Tome 2, chap. 6, 7.

BERTAUD, M., CHARLES, B., [1980] *Initiation à la statistique et aux probabilités*, Presses de l'Université de Montréal, Montréal, chap. IX, X.

CARVER, R., [1978] The case against statistical significance testing, *Harvard Educational Review*, Vol. 48, No 3, pp. 378-399.

COHEN, S.A., HYMAN, J.S., [1979] How come so many hypotheses in educational research are supported? (A modest proposal), *Educational Researcher*, December, pp. 12-16.

ERICKSON, B.H., NOSANCHUK, T.A., [1977] *Understanding data*, McGraw-Hill Ryerson Ltd., chap. 7, 8, 9.

FERGUSON, G., [1976] *Statistical analysis in psychology and education*, McGraw-Hill Book Company, New York, chap. 8, 9, 10.

GIBBONS, J.D., OLKIN, I., SOBEL, M., [1977] *Selecting and ordering populations: a new statistical methodology*, John Wiley & Sons, New York, chap. 1

HOEL, P.G., [1971] *Introduction to mathematical statistics*, John Wiley & Sons, New York, chap. 5, 8.

HUCK, S.W., CORMIER, W.H., BOUNDS, W.G., [1974] *Reading statistics and research*, Harper & Row, New York, chap. 16.

KRUSKALL, W., [1978] Formulas, numbers, words: statistics in prose, *The American Scholar*, Vol. 47, No 2, pp. 223-229.

OWENS, R.G., [1979] Do psychologists need statistics?, *Bulletin of the British Psychological Society*, Vol. 32, pp. 103-106.

SCHWARTZ, D., [1969] *Méthodes statistiques à l'usage des médecins et des biologistes*, Flammarion Médecine-Sciences, Paris, chap. II, III, IV.

SHAVER, J.P., [1980] Readdressing the role of statistical tests of significance, communication présentée à la rencontre annuelle de l'American Educational Research Association, Boston, Avril 1980, 22 p.

SIDMAN, M., [1960] *Tactics of scientific research: Evaluating experimental data in psychology*, Basic Books, New York, chap. 3, 4.

SNEDECOR, G.W., COCHRAN, W.G., [1980] *Statistical methods*, The Iowa State University Press, Ames, Iowa, chap. 1, 2, 3, 4, 5, 21.

CHAPITRE 5

Analyse de la variance

5.1 INTRODUCTION

Selon Scheffé [1959, p. 3], l'analyse de la variance consiste à analyser des données qui dépendent de plusieurs types d'effets opérant simultanément, afin de quantifier ces effets et, éventuellement, d'en évaluer l'importance.

Par exemple, les scores à un examen de dissertation française peuvent dépendre de l'effet « correcteur » ou de l'effet « thème de la dissertation » ou encore de l'effet combiné « correcteur-thème ». Ce dernier effet suggère que la sévérité du correcteur varie selon le thème de la dissertation.

Afin de quantifier les différents effets qui nous intéressent, il importe de faire un choix judicieux des variables indépendantes en jeu. C'est justement dès l'élaboration du plan de la recherche qu'il faut faire ce choix. On pourra quantifier l'effet « correcteur » dans la mesure où il sera possible de recueillir des données qui varieront d'un correcteur à l'autre. Le plan de la recherche devra donc, dans ce cas, prévoir l'engagement de plusieurs correcteurs.

Une fois ce choix effectué, la méthode consiste à décomposer la variation (ou variance) totale des données en plusieurs termes correspondant aux effets qui nous intéressent. D'où le nom « analyse de la variance ». Il sera possible, après la décomposition, d'évaluer l'importance de chaque terme, de chaque effet. Nous utiliserons la technique du test d'hypothèse pour y arriver.

Plusieurs conditions doivent être remplies pour que ce test d'hypothèse soit valide. Nous verrons que ces conditions ne peuvent être prises à la légère et que leur vérification est une entreprise qui se doit d'être intégrée à la méthode.

Même si l'analyse de la variance comprend habituellement un test d'hypothèse et qu'elle est donc considérée traditionnellement comme une méthode confirmatoire d'analyse des données, il est possible d'utiliser à d'autres fins les termes qui entrent dans la décomposition de la variation totale des données. L'intérêt réside en effet quelquefois dans le calcul d'un indice descriptif à partir de ces termes.

L'étude de cette méthode nous permettra également d'introduire des concepts comme l'interaction de deux effets, les plans nichés et les plans croisés, les modèles fixe, aléatoire ou mixte.

Le test « t » sera présenté comme un cas particulier de l'analyse de la variance à une dimension.

L'exposé de concepts et de modèles nouveaux devra, à l'occasion, être appuyé d'un certain nombre de formules et d'équations mathématiques. Nous avons tenté de réduire au minimum ces inévitables présentations techniques. D'ailleurs, des exemples numériques relativement simples seront utilisés tout au long du chapitre afin de concrétiser ces nouveaux apprentissages.

5.2   L'ANALYSE DE LA VARIANCE À UNE DIMENSION

Les sommes de carrés

L'analyse de la variance s'accommode bien de plusieurs types de plan de recherche. Le cas le plus simple, appelé analyse de la variance à une dimension, correspond à un plan constitué d'une variable dépendante quantitative et d'une variable indépendante souvent qualitative. La procédure consiste à diviser la variation totale de la variable dépendante en deux composantes : la première reflétant la variation *entre* les niveaux de la variable indépendante et la deuxième donnant un indice de la variation des données *à l'intérieur* de chaque niveau. L'objectif est d'arriver à identifier la partie de la variation totale de la variable dépendante qui provient de la variation des niveaux de la variable indépendante afin de se rendre compte jusqu'à quel point celle-ci influence celle-là.

La situation se présente comme suit. Soit une variable indépendante à k niveaux, G_1, G_2, G_3, ... G_k. À chaque *niveau*, correspond un certain nombre de données ou de mesures n_1, n_2, n_3, ... n_k provenant d'une variable dépendante.

G_1	G_2	G_3	...	G_k
x_{11}	x_{21}	x_{31}		x_{k1}
x_{12}	x_{22}	x_{32}		x_{k2}
x_{13}	x_{23}	x_{33}		x_{k3}
.	.	.		.
.	.	.		.
.	.	.		.
x_{1n_1}	x_{2n_2}	x_{3n_3}		x_{kn_k}

Moyennes m_1 m_2 m_3 m_k

$$m = \frac{n_1 m_1 + n_2 m_2 + \ldots + n_k m_k}{\displaystyle\sum_{i=1}^{k} n_i} \text{ est la moyenne générale.}$$

Maintenant, comment répartir la variation totale en deux composantes ? Et surtout quel indice de variation utilisera-t-on pour ce faire ?

En alignant quelques lignes de symboles algébriques, on se rend compte que la variance n'est malheureusement pas cet indice recherché. Cependant sa proche parente, la somme des carrés des écarts à la moyenne, c'est-à-dire le numérateur de la variance, fait bien l'affaire.

En effet, reconnaissons d'abord que pour i variant de 1 à k et pour j variant de 1 à n_i,

$$(x_{ij} - m) = x_{ij} - m - m_i + m_i = (x_{ij} - m_i) + (m_i - m),$$

c'est-à-dire que chaque écart d'une donnée quelconque x_{ij} à la moyenne m se décompose en deux parties : la première constitue la différence entre cette donnée x_{ij} et la moyenne m_i du niveau G_i et la deuxième reflète la variation entre la moyenne m_i du niveau G_i et la moyenne m.

Si par la suite on élève au carré l'écart $x_{ij} - m$, on obtient :

$$(x_{ij} - m)^2 = [(x_{ij} - m_i) + (m_i - m)]^2 = (x_{ij} - m_i)^2 + (m_i - m)^2 + 2(x_{ij} - m_i)(m_i - m).$$

Puis, si l'on effectue la somme de tous ces écarts au carré pour i variant de 1 à k et pour j de 1 à n_i, le résultat suivant apparaît :

$$\boxed{\sum_{i=1}^{k} \sum_{j=1}^{n_i} (x_{ij} - m)^2} = \boxed{\sum_{i=1}^{k} \sum_{j=1}^{n_i} (x_{ij} - m_i)^2} + \boxed{\sum_{i=1}^{k} n_i(m_i - m)^2} \quad ①$$

Remarquons qu'au cours des calculs, on a « perdu » les termes du type $2(x_{ij} - m_i)(m_i - m)$. La raison est fort simple. Ces termes s'annulent, du fait que :

$$\sum_{j=1}^{n_i} (x_{ij} - m_i) = 0 \text{ pour chaque } i.$$

Un exemple simple illustrera l'équation ①. Supposons que nous soyons intéressés à étudier l'influence de diverses méthodes d'enseignement sur l'attitude des élèves face à l'école. Trois méthodes sont choisies : la variable indépendante « méthodes d'enseignement » a donc $k = 3$ niveaux. L'« attitude face à l'école » est la variable dépendante. Un groupe d'élèves est assigné au hasard à chacune des méthodes. Le tableau 5.1 montre les résultats (fictifs) obtenus par les élèves à l'échelle d'attitude.

TABLEAU 5.1

Résultats (sur 10) de trois groupes d'élèves à une échelle d'attitude face à l'école

	G_1	G_2	G_3	
	$x_{11} = 3$	$x_{21} = 9$	$x_{31} = 4$	
	$x_{12} = 2$	$x_{22} = 9$	$x_{32} = 5$	
	$x_{13} = 5$	$x_{23} = 10$	$x_{33} = 3$	
	$x_{14} = 1$	$x_{24} = 9$	$x_{34} = 5$	
	$x_{15} = 4$	$x_{25} = 8$	$x_{35} = 6$	
	$x_{16} = 3$		$x_{36} = 2$	
			$x_{37} = 3$	
			$x_{38} = 4$	
Moyennes	$m_1 = 3$	$m_2 = 9$	$m_3 = 4$	$m = \dfrac{(3 \times 6) + (9 \times 5) + (4 \times 8)}{19} = 5$

On a bien $\sum\limits_{j=1}^{n_i} (x_{ij} - m_i) = 0$, puisque pour le groupe G_1 par exemple :

$$
\begin{aligned}
&(3-3) \ + \ (2-3) \ + \ (5-3) \ + \ (1-3) \ + \ (4-3) \ + \ (3-3) \\
=\ & \quad 0 \quad - \quad 1 \quad + \quad 2 \quad - \quad 2 \quad + \quad 1 \quad + \quad 0 \\
=\ & \quad 0.
\end{aligned}
$$

On ferait de même pour G_2 et G_3.

De plus, si l'on calcule le terme de gauche de l'équation ①, on obtient :

$$
\begin{aligned}
\sum_{i=1}^{3} \sum_{j=1}^{n_i} (x_{ij} - m)^2 = \sum_{i=1}^{3} \sum_{j=1}^{n_i} (x_{ij} - 5)^2 &= [(3-5)^2 + (2-5)^2 + \ldots (3-5)^2] \\
&+ [(9-5)^2 + (9-5)^2 + \ldots (8-5)^2] \\
&+ [(4-5)^2 + (5-5)^2 + \ldots (4-5)^2]
\end{aligned}
$$

$$
\begin{aligned}
&= [(-2)^2 + (-3)^2 + \ldots + (-2)^2] + [4^2 + 4^2 + \ldots 3^2] \\
&\qquad\qquad + [(-1)^2 + 0^2 + \ldots + (-1)^2] \\
&= [4 + 9 + 0 + 16 + 1 + 4] + [16 + 16 + 25 + 16 + 9] + [1 + 0 + 4 + 0 + 1 + 9 + 4 + 1] \\
&= 34 + 82 + 20 = 136.
\end{aligned}
$$

Maintenant, si l'on fait la somme des deux termes de droite dans ①:

$$\sum_{i=1}^{3} \sum_{j=1}^{n_i} (x_{ij}-m_i)^2 \;+\; \sum_{i=1}^{3} n_i\,(m_i-m)^2 \;=\; \{[(3-3)^2 \;+\; (2-3)^2 \;+\; \ldots \;(3-3)^2]$$
$$+\; [(9-9)^2 \;+\; (9-9)^2 \;+\; \ldots \;+\; (8-9)^2]$$
$$+\; [(4-4)^2 \;+\; (5-4)^2 \;+\; \ldots \;+\; (4-4)^2]\}$$
$$+\; \{6(3-5)^2 \;+\; 5(9-5)^2 \;+\; 8(4-5)^2\}$$
$$=\; \{[0+1+4+4+1+0] \;+\; [0+0+1+0+1] \;+\; [0+1+1+1+4+4+1+0]\}$$
$$+\; \{(6\times4) \;+\; (5\times16) \;+\; (8\times1)\}$$
$$=\; \{10 \;+\; 2 \;+\; 12\} \;+\; \{24 \;+\; 80 \;+\; 8\} \;=\; 24 \;+\; 112 \;=\; 136,$$

d'où l'égalité.

Les trois *sommes de carrés* de l'équation ① doivent être bien distinguées car elles constituent les calculs de base d'une analyse de la variance à une dimension. La *somme des carrés totale* $\sum_{i=1}^{k} \sum_{j=1}^{n_i} (x_{ij}-m)^2$ donne un indice de la variation des données à la moyenne générale, c'est-à-dire un indice de variation totale. La *somme des carrés intra-niveau* (ou intra-groupe) $\sum_{i=1}^{k} \sum_{j=1}^{n_i} (x_{ij}-m_i)^2$ permet de mesurer la variation entre chaque donnée x_{ij} et la moyenne du niveau (ou du groupe) correspondant m_i, de façon à obtenir un indice de variation à l'intérieur de chaque niveau. La dernière somme de carrés $\sum_{i=1}^{k} n_i\,(m_i-m)^2$ appelée *somme des carrés inter-niveaux* (ou inter-groupes) correspond à la variation des données d'un niveau à l'autre et donne un indice de l'écart entre les moyennes m_i de chaque niveau et la moyenne générale m.

L'approche « rapport de corrélation »

Une fois le sens de ces sommes de carrés bien assimilé, il devient possible d'identifier, ce qui était notre objectif initial, la partie de la variation totale de la variable dépendante qui provient de la variation entre les niveaux de la variable indépendante. En fait, il s'agit de comparer la somme des carrés inter-niveaux à la somme des carrés totale.

Le rapport suivant

$$\eta^2 \;=\; \frac{\text{somme des carrés inter-niveaux}}{\text{somme des carrés totale}} \;=\; \frac{\displaystyle\sum_{i=1}^{k} n_i\,(m_i-m)^2}{\displaystyle\sum_{i=1}^{k} \sum_{j=1}^{n_i} (x_{ij}-m)^2}$$

permet cette comparaison. η^2 peut être interprété comme la proportion de variation inter-niveaux incluse dans la variation totale de la variable dépendante ou encore comme un indice de l'intensité de la relation entre la variable indépendante et la variable dépendante. Cette dernière interprétation lui a d'ailleurs valu le nom de *rapport de corrélation*.

La valeur minimale de η^2 arrivera dans le cas où la somme des carrés inter-niveaux sera nulle, c'est-à-dire dans le cas où il n'y aura aucune variation entre les divers niveaux de la variable indépendante (ex. $m_1 = m_2 = m_3 = \ldots = m_k = m$).

La valeur maximale de η^2 se produira lorsque la somme des carrés inter-niveaux sera égale à la somme des carrés totale, c'est-à-dire, d'après l'équation ① lorsque la somme des carrés intra-niveau sera nulle.

Plus η^2 sera élevé, plus on pourra témoigner de l'importance de la variation inter-niveaux ou encore de l'intensité de la relation entre les deux variables.

Pour les données du tableau 5.1, nous avons

$$\eta^2 = \frac{112}{136} = 0{,}8235.$$

Ainsi, plus de 82% de la variation totale de la variable dépendante provient de la variation entre les niveaux de la variable indépendante. Ce qui semble fort appréciable. Mais comment jauger objectivement l'importance d'un tel rapport? L'utilisation d'un test d'hypothèse pourra nous en donner un indice.

Pour ce, nous emploierons le rapport

$$\frac{\eta^2/(k-1)}{(1-\eta^2)/(n-k)} \qquad \text{où} \qquad n = \sum_{i\,=\,1}^{k} n_i$$

qui suit une distribution F avec $(k-1)$ degrés de liberté au numérateur et $(n-k)$ degrés de liberté au dénominateur. Par exemple, pour le cas traité plus haut où $\eta^2 = 0{,}8235$, $k = 3$, $n = 19$, on a $F_0 = \dfrac{0{,}8235/2}{0{,}1765/16} = 37{,}33$, avec 2 et 16 degrés de liberté. Ce résultat est statistiquement significatif pour $\alpha = 0{,}05$ comme pour $\alpha = 0{,}01$, ou même pour $\alpha = 0{,}001$.

On en conclura donc que la variation inter-niveaux est statistiquement significative au seuil $\alpha = 0{,}05$, c'est-à-dire que la différence entre les moyennes $m_1 = 3$, $m_2 = 9$ et $m_3 = 4$ est considérée comme statistiquement significative, ou encore que le fait d'adopter une méthode d'enseignement plutôt qu'une autre influence d'une façon statistiquement significative l'attitude des élèves face à l'école.

Cette approche, utilisant le rapport de corrélation pour évaluer l'importance de la variation moyenne entre les niveaux, n'est pas souvent prise en compte par les chercheurs qui doivent employer l'analyse de la variance à une dimension. Pourtant, son interprétation sous forme de proportion est aussi facile qu'intéressante.

L'approche classique que nous verrons dans les prochains paragraphes exige la définition d'autres concepts (ex. carrés moyens) et est très fréquemment employée. Elle est aisément généralisable à l'analyse de la variance à plusieurs dimensions et permet d'utiliser plusieurs tests d'hypothèse.

Nous en faisons une présentation très détaillée.

L'approche classique

Définition des carrés moyens

Nous partons donc avec les trois sommes de carrés bien connues pour en arriver au même objectif d'évaluation de la variation moyenne inter-niveaux.

Pour chaque somme de carrés, on trouve d'abord le nombre de degrés de liberté qui lui est associé. Ceci ne sera pas bien compliqué puisqu'il a déjà été montré à la section 4.4 qu'une somme de carrés telle $(x_1 - m)^2 + (x_2 - m)^2 + \ldots + (x_n - m)^2$ ne compte que $n - 1$ termes complètement libres de varier, c'est-à-dire $n - 1$ degrés de liberté.

En conséquence, la somme des carrés totale $\sum_{i=1}^{k} \sum_{j=1}^{n_i} (x_{ij} - m)^2$ qui compte $n = n_1 + n_2 + \ldots + n_k$ termes, aura $n - 1$ degrés de liberté.

La somme des carrés intra-niveau $\sum_{i=1}^{k} \sum_{j=1}^{n_i} (x_{ij} - m_i)^2$ qui peut se lire $\sum_{j=1}^{n_1} (x_{1j} - m_1)^2 + \sum_{j=1}^{n_2} (x_{2j} - m_2)^2 + \ldots + \sum_{j=1}^{n_k} (x_{kj} - m_k)^2$ aura donc $(n_1 - 1) + (n_2 - 1) + \ldots + (n_k - 1) = n - k$ degrés de liberté.

On peut montrer également que la somme des carrés inter-niveaux $\sum_{i=1}^{k} n_i (m_i - m)^2$ aura $k - 1$ degrés de liberté, puisqu'il y a k termes dans cette somme et que

$$m = \frac{\sum_{i=1}^{k} n_i m_i}{\sum_{i=1}^{k} n_i} = \frac{\sum_{i=1}^{k} n_i m_i}{n}.$$

Ainsi à l'additivité des sommes de carrés (équation ①) s'ajoute l'additivité des degrés de liberté correspondants:

Somme de carrés:
$$\underbrace{\sum_{i=1}^{k} \sum_{j=1}^{n_i} (x_{ij} - m)^2}_{\text{TOTAL}} = \underbrace{\sum_{i=1}^{k} \sum_{j=1}^{n_i} (x_{ij} - m_i)^2}_{\text{INTRA}} + \underbrace{\sum_{i=1}^{k} n_i (m_i - m)^2}_{\text{INTER}} \quad ①$$

Degrés
de liberté: $\boxed{n-1}$ $=$ $\boxed{n-k}$ $+$ $\boxed{k-1}$ (II)

On forme ensuite les termes ayant la somme de carrés au numérateur et les degrés de liberté au dénominateur. Ces termes seront appelés des *carrés moyens*.

Il y aura le *carré moyen intra-niveau* $\dfrac{\displaystyle\sum_{i=1}^{k}\sum_{j=1}^{n_i}(x_{ij}-m_i)^2}{n-k}$, noté C.M. INTRA

et le *carré moyen inter-niveaux* $\dfrac{\displaystyle\sum_{i=1}^{k}n_i(m_i-m)^2}{k-1}$, noté C.M. INTER.

Un mot maintenant sur le sens de chacun de ces carrés moyens. Afin de mieux en saisir le sens, il convient d'étudier le cas particulier où il y a le même nombre de données n_0 pour chaque niveau, c'est-à-dire $n_1 = n_2 = \ldots = n_k = n_0$. Dans ce cas, le carré moyen intra-niveau devient simplement la moyenne des variances d'échantillon de chaque niveau, puisqu'il est égal à

$$\frac{\displaystyle\sum_{i=1}^{k}\sum_{j=1}^{n_0}(x_{ij}-m_i)^2}{k(n_0-1)} \text{ , et donc à } \sum_{i=1}^{k}\frac{1}{k}\left[\frac{\displaystyle\sum_{j=1}^{n_0}(x_{ij}-m_i)^2}{n_0-1}\right]$$

Par ailleurs, le carré moyen inter-niveaux nous apparaît comme le produit de n_0, le nombre de données par niveau, et de la variance d'échantillon des moyennes m_i des niveaux :

$$\sum_{i=1}^{k}\frac{n_i(m_i-m)^2}{k-1} = n_0\left[\sum_{i=1}^{k}\frac{(m_i-m)^2}{k-1}\right]$$

Des interprétations analogues mais plus complexes seraient faites dans le cas général où il y a un nombre distinct de données par niveau.

Comparaison des carrés moyens

Comment donc, à partir de ces carrés moyens, arriver à juger l'importance de la variation moyenne entre les niveaux ? Autrement dit, quels termes seront utilisés pour effectuer le test d'hypothèse ?

Supposons d'abord que :

1) les données de chaque niveau i proviennent d'une population normale P_i, pour $i = 1$ à k.

2) les variances des populations P_i sont toutes égales :

$$V_1 = V_2 = \ldots = V_k = V.$$

Nous donnons, à la section 5.10, plus de détails concernant ces deux conditions d'application.

Notons, selon notre habitude, M_i et M les moyennes de population correspondantes à m_i et m respectivement. Nous sommes maintenant prêts à énoncer le résultat suivant (Ferguson [1976, p. 228-229]) : le carré moyen intra-niveau est un estimateur sans biais de V, et le carré moyen inter-niveaux est un estimateur sans biais de

$$V + \sum_{i=1}^{k} \frac{(M_i - M)^2}{k-1} \left(\frac{n - \sum\limits_{i=1}^{k} \left(\frac{n_i^2}{n} \right)}{k-1} \right).$$

On déduit aisément de ce résultat deux corollaires importants :

Corollaire 1

Dans le cas où les moyennes M_i sont toutes égales (à M), le carré moyen intra-niveau et le carré moyen inter-niveaux sont deux estimateurs sans biais de V.

En effet : $\displaystyle\sum_{i=1}^{k} (M_i - M)^2 = 0.$

Corollaire 2

Dans le cas où les moyennes M_i ne sont pas toutes égales, le carré moyen inter-niveaux estime un paramètre plus grand que V, le paramètre estimé par le carré moyen intra-niveau.

En effet, si les M_i ne sont pas toutes égales, il existe alors au moins un « i » pour lequel $M_i - M \neq 0$.

Ainsi le terme $\displaystyle\sum_{i=1}^{k} \frac{(M_i - M)^2}{k-1} \left(\frac{n - \sum\limits_{i=1}^{k} \left(\frac{n_i^2}{n} \right)}{k-1} \right)$ est positif.

Afin de concrétiser ces deux corollaires, nous allons analyser des données[1] de Snedecor et Cochran [1957, p. 294] et présentées au tableau 5.2. Il s'agit de $k = 3$ échantillons de taille $n_0 = 2$ représentant trois niveaux d'une variable indépendante. Ces données ont été choisies au hasard à partir d'une population de nombres aléatoires distribués normalement avec moyenne $M = 5$ et variance $V = 1$. C'est-à-dire que $M_1 = M_2 = M_3 = M = 5$.

TABLEAU 5.2

Données fictives provenant d'une population de nombres aléatoires distribués normalement avec moyenne $M = 5$ et variance $V = 1$

G_1	G_2	G_3
$x_{11} = 4,6$	$x_{21} = 3,3$	$x_{31} = 6,3$
$x_{12} = 5,2$	$x_{22} = 4,7$	$x_{32} = 4,2$
$m_1 = 4,9$	$m_2 = 4$	$m_3 = 5,25$

$$m = 4,72$$

Comme $n_1 = n_2 = n_3 = n_0 = 2$, le carré moyen intra-niveau est égal à:

$$\frac{1}{3} \sum_{i=1}^{3} \sum_{j=1}^{2} (x_{ij} - m_i)^2 = \frac{1}{3} [(0,3)^2 + (-0,3)^2 + (0,7)^2 + (-0,7)^2 + (1,05)^2 + (-1,05)^2]$$

$$= \frac{1}{3} [3,37] = 1,12,$$

et le carré moyen inter-niveaux est égal à:

$$2 \left[\sum_{i=1}^{3} \frac{(m_i - m)^2}{2} \right] = \sum_{i=1}^{3} (m_i - m)^2 = [(0,18)^2 + (-0,72)^2 + (0,53)^2] = 0,83.$$

On voit qu'il semble plausible d'admettre (comme au corollaire 1) que ces deux quantités, C.M. INTRA = 1,12 et C.M. INTER = 0,83, estiment la variance $V = 1$.

Cependant, qu'arrive-t-il avec ces carrés moyens si l'on s'éloigne du cas où $M_1 = M_2 = M_3 = M = 5$? Pour le montrer, nous allons utiliser une habile stratégie due à Snedecor et Cochran.

Diminuons chacune des données du niveau G_1 de «2» et augmentons chacune des données du niveau G_3 de «3». Ceci ne changera pas les variances, mais

---

1. Reproduit avec permission de Snedecor G.W., Cochran, W.G., [1957] *Méthodes statistiques*, traduction de *Statistical Methods* (6th edition), The Iowa State University Press, Ames, Iowa.

affectera les moyennes de population. On aura donc $M_1 = 3$, $M_2 = 5$, $M_3 = 8$ et $V_1 = V_2 = V_3 = V = 1$.

Les données du tableau 5.2 sont donc modifiées comme au tableau 5.3 :

TABLEAU 5.3

Données fictives, provenant d'une population de nombres aléatoires distribués normalement avec moyenne $M = 5$ et variance $V = 1$, modifiées pour que $M_1^I = 3$, $M_2^I = 5$, $M_3^I = 8$ et $V_1 = V_2 = V_3 = V = 1$

G_1^I	G_2^I	G_3^I
$x_{11}^I = 2{,}6$	$x_{21}^I = 3{,}3$	$x_{31}^3 = 9{,}3$
$x_{12}^I = 3{,}2$	$x_{22}^I = 4{,}7$	$x_{32}^I = 7{,}2$
$m_1^I = 2{,}9$	$m_2^I = 4$	$m_3^I = 8{,}25$
		$m^I = 5{,}05$

Le carré moyen intra-niveau est le même que pour les données x_{ij} originales (tableau 5.2), car le fait d'ajouter ou de retrancher une constante ne change[2] pas les termes $\sum\limits_{j=1}^{2} (x_{ij} - m_i)^2$.

Par contre, le carré moyen inter-niveaux devient :

$$2\left[\sum_{i=1}^{3} \frac{(m_i^I - m^I)^2}{2} \right] = \sum_{i=1}^{3} (m_i^I - m^I)^2 = (-2{,}15)^2 + (-1{,}05)^2 + (3{,}20)^2 = 15{,}97,$$

alors qu'il vaut 0,83 dans le cas où les moyennes M_i sont égales. Bien que cet écart puisse paraître un peu surprenant, il corrobore de façon remarquable la théorie qui stipule que même si C.M. INTER $= 0{,}83$ est un estimateur sans biais de $V = 1$, le C.M. INTER $= 15{,}97$ est un estimateur sans biais de

$$1 + \left[\frac{(3-5)^2 + (5-5)^2 + (8-5)^2}{2} \right]\left[\frac{6 - 3\left(\frac{4}{6}\right)}{2} \right]$$

$$= 1 + \left[\frac{13}{2} \right]\left[2 \right] = 1 + 13 = 14.$$

Il existe une façon graphique, donc plus intuitive, d'illustrer cet écart entre la valeur du carré moyen inter-niveaux lorsque les M_i sont égales et sa valeur lorsque

---

2. On peut s'en convaincre en calculant directement le C.M. INTRA pour les x_{ij}^I, ou alors en remarquant que $x_{ij}^I - m_i^I = x_{ij} + c - (m_i + c) = x_{ij} - m_i$.

les M_i ne sont pas toutes égales. Cette idée est adaptée de Erickson et Nosanchuk [1977, p. 173].

Le graphe 5.1 présente les deux situations qui nous intéressent. La situation «a» correspond au cas où les M_i sont toutes égales, et la situation «b» au cas où les M_i ne sont pas toutes égales. Les populations sont normales et $V_1 = V_2 = V_3 = V$ dans les deux situations. On voit que dans la situation «a», les moyennes d'échantillon m_i sont semblables, alors qu'elles diffèrent de façon notable dans la situation «b».

Puisque la dispersion (donc la variance) de l'échantillon G_i (pour chaque $i = 1$, 2, 3) est la même d'une situation à l'autre, les deux sommes de carrés intra-niveau sont alors identiques. Si l'on compare maintenant les deux échantillons cumulatifs, une observation capitale peut être retenue : on *voit* que la dispersion est clairement plus grande dans la situation «b». C'est-à-dire que la somme des carrés totale en «b» est plus grande que la somme des carrés totale en «a». Or du fait de l'additivité des sommes de carré (équation ①), ceci implique que la somme des carrés inter-niveaux en «b» est plus grande que la somme des carrés inter-niveaux en «a». Ainsi, C.M. INTER en «b» est bien plus grand que C.M. INTER en «a».

	G_1		G_2		G_3		TOTAL (CUMULATIF)
1		1		1		1	
2		2		2		2	
3	X	3	XX	3	X	3	XXXX
4	XX	4	X	4	X	4	XXXX
5	XXX	5	XXX	5	XXXX	5	XXXXXXXXX
6	XXXX	6	XXXX	6	XXXX	6	XXXXXXXXXXXX
7	XXX	7	XXX	7	XXX	7	XXXXXXXXX
8	XX	8	X	8	XX	8	XXXXX
9	X	9	XX	9	X	9	XXXX
10		10		10		10	
11		11		11		11	

GRAPHE 5.1a) : Diagrammes[3] en feuilles de 3 échantillons, provenant de populations normales où $V_1 = V_2 = V_3 = V$ et $M_1 = M_2 = M_3 = M$, et du cumulatif de ces échantillons.

3. Reproduits avec permission de Erickson, B.H., Nosanchuk, T.A., [1977] *Understanding data*, McGraw-Hill Ryerson Limited, Toronto, p. 175 (tableau 10.2), p. 176 (tableau 10.3).

G_1		G_2		G_3		TOTAL (CUMULATIF)	
1	X	1		1		1	X
2	XX	2		2		2	XX
3	XXX	3	XX	3		3	XXXXX
4	XXXX	4	X	4		4	XXXXX
5	XXX	5	XXX	5	X	5	XXXXXXX
6	XX	6	XXXX	6	X	6	XXXXXXX
7	X	7	XXX	7	XXXX	7	XXXXXXXX
8		8	X	8	XXXX	8	XXXXX
9		9	XX	9	XXX	9	XXXXX
10		10		10	XX	10	XX
11		11		11	X	11	X

GRAPHE 5.1b): Diagrammes[3] en feuilles de 3 échantillons, provenant de populations normales où $V_1 = V_2 = V_3 = V$ et $M_1 \neq M_2 \neq M_3$ et du cumulatif de ces échantillons.

Les corollaires 1 et 2 énoncés plus avant et concrétisés par les calculs et les graphiques précédents nous permettront de trouver les termes utilisés dans le test d'hypothèse visant à jauger l'importance de la variation moyenne entre les niveaux de la variable indépendante.

Le test d'hypothèse sur les moyennes

Nous testerons donc l'hypothèse nulle
    H_0: Les moyennes M_i sont toutes égales,
    c'est-à-dire $M_1 = M_2 = M_3 = \ldots = M_k$
versus l'hypothèse alternative
    H_1: Les moyennes M_i ne sont pas toutes égales.

La statistique utilisée pour ce test sera le rapport

$$F = \frac{\text{C.M. INTER}}{\text{C.M. INTRA}} = \frac{\text{S.C. INTER}/k-1}{\text{S.C. INTRA}/n-k}$$

qui suit (compte tenu de certaines conditions d'application décrites en 5.10), une distribution «F» de Fisher (voir section 4.4) avec $k-1$ degrés de liberté au numérateur et $n-k$ degrés de liberté au dénominateur.

Le fait d'employer ce rapport est justifié par nos deux corollaires précités. En effet, nous avons vu que si l'on se place dans la situation où H_0 est supposée vraie, alors le rapport F devrait tendre vers 1 puisque le carré moyen inter-niveaux et le carré moyen intra-niveau sont tous deux des estimateurs sans biais du même paramètre (corollaire 1). Cependant, le rapport F devrait être sensiblement plus grand (d'aucuns diraient d'une façon statistiquement significative) que 1, si H_1 est vraie. Car alors le paramètre estimé par le carré moyen inter-niveaux est plus grand que le paramètre estimé par le carré moyen intra-niveau (corollaire 2). En fait, le paramètre estimé par le carré moyen inter-niveaux est égal au paramètre estimé par le carré moyen intra-niveau (soit V), plus un terme qui varie en fonction de la différence entre les M_i.

En résumé, le test d'hypothèse de l'ANOVA à une dimension inclut les étapes suivantes (une fois les conditions d'application vérifiées):

1) Calcul des sommes de carrés: S.C. INTER et S.C. INTRA.

2) Calcul des degrés de liberté $k-1$, $n-k$ et des carrés moyens:

$$\text{C.M. INTER} = \frac{\text{S.C. INTER}}{k-1}, \text{C.M. INTRA} = \frac{\text{S.C. INTRA}}{n-k}.$$

3) Détermination du seuil de signification α.

4) Calcul du rapport $F = \dfrac{\text{C.M. INTER}}{\text{C.M. INTRA}}$.

5) Établissement de la valeur critique F_c, à partir d'une distribution «F» avec $k-1$ et $n-k$ degrés de liberté et correspondant au seuil α (voir graphe 5.2).

6) Si la valeur du rapport F calculé en «4» est plus grande que la valeur critique F_c, on rejette H_0 en faveur de H_1. Dans le cas contraire, on ne peut rejeter H_0.

Reprenons les données du tableau 5.2 afin de présenter un exemple numérique de cette procédure:

1) S.C. INTER $= 1{,}66$, S.C. INTRA $= 3{,}37$.

2) Comme $k = 3$ et $n_1 = n_2 = n_3 = n_0 = 2$, alors $n = 3 \times 2 = 6$ et $k - 1 = 2$, $n - k = 3$.

$$\text{Ainsi, C.M. INTER} = \frac{1{,}66}{2} = 0{,}83, \text{C.M. INTRA} = \frac{3{,}37}{3} = 1{,}12.$$

3) Prenons $\alpha = 0{,}05$.

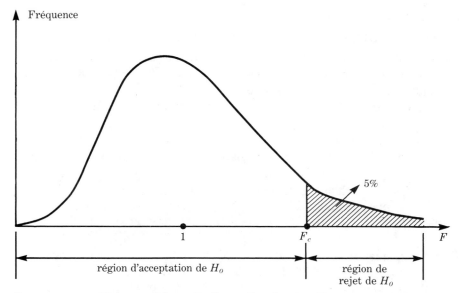

GRAPHE 5.2 : Valeur critique F_c d'une distribution F correspondant à un seuil de signification $\alpha = 0{,}05$.

4) $F = \dfrac{0{,}83}{1{,}12} = 0{,}74.$

5) $F_c = 9{,}55$ d'après la table de la distribution F. (voir l'appendice III)

6) Comme $F < F_c$, on ne peut rejeter l'hypothèse nulle H_0. Cette décision, basée sur des observations empiriques, est d'ailleurs en accord avec la réalité ; nous savons en effet que, dans ce cas-ci, les moyennes de population sont toutes égales.

Si par contre nous suivons la même procédure pour les données du tableau 5.3, nous obtenons :

1) S.C. INTER $= 2[(2{,}9-5{,}05)^2 + (4-5{,}05)^2 + (8{,}25 - 5{,}05)^2]$
$$= 31{,}93,$$
S.C. INTRA $= 3{,}37.$

2) C.M. INTER $= \dfrac{31{,}93}{2} = 15{,}97,$

C.M. INTRA $= \dfrac{3{,}37}{3} = 1{,}12.$

3) $\alpha = 0{,}05.$

4) $F = \dfrac{15{,}97}{1{,}12} = 14{,}25.$

5) $F_c = 9{,}55$.

6) Comme $F > F_c$, on rejette l'hypothèse nulle H_0.

Ce qui veut dire que, dans ce cas-ci, la différence entre les trois moyennes d'échantillon est considérée comme statistiquement significative au seuil $\alpha = 0{,}05$.

Ce résultat est en accord, on le sait, avec la réalité puisque dans ce cas-ci, nous savions déjà que les trois moyennes de population étaient distinctes ($M_1 = 3$, $M_2 = 5$, $M_3 = 8$).

L'analyse des données du tableau 5.1, selon l'approche classique, terminera la présentation de la procédure générale d'analyse de la variance à une dimension.

Ces données reflètent comme nous l'avons déjà indiqué les résultats de trois groupes d'élèves à une échelle d'attitude face à l'école, chaque groupe étant associé à une méthode d'enseignement différente. Nous sommes intéressés à savoir si le score moyen à l'échelle d'attitude est le même, peu importe la méthode d'enseignement suivie.

C'est-à-dire que l'on se demandera, compte tenu des différences observées entre les moyennes d'échantillon m_i des trois groupes, s'il est plausible que les moyennes des populations correspondantes soient égales ou pas. Répétons encore ici que nous supposons vérifiées les conditions d'application détaillées en 5.10.

Testons l'hypothèse nulle

H_0: $M_1 = M_2 = M_3$

contre l'hypothèse alternative:

H_1: Les moyennes M_1, M_2, M_3 ne sont pas toutes égales.

Des calculs effectués plus haut à l'aide des données de ce tableau on a déjà trouvé que

1) S.C. INTER = 112, S.C. INTRA = 24.

Ainsi,

2) Comme $k = 3$ et $n = 6+5+8 = 19$,
$$k-1 = 2, \quad n-k = 16.$$

D'où C.M. INTER $= \dfrac{112}{2} = 56$,

et   C.M. INTRA $= \dfrac{24}{16} = 1{,}5$.

3) Prenons $\alpha = 0{,}05$.

4) $F = \dfrac{56}{1{,}5} = 37{,}33$.

5) $F_c = 3{,}63$.

6) Comme $F > 3{,}63$, on rejette l'hypothèse nulle H_0 en toute sécurité. Ce qui confirme l'hypothèse alternative H_1 selon laquelle, dans les populations, les moyennes M_1, M_2, M_3 ne sont pas toutes égales. Ces résultats apportent donc une évidence significative quand aux différences d'attitude des élèves face à l'école suivant la méthode d'enseignement adoptée.

La coutume est de synthétiser les résultats obtenus comme au tableau 5.4.

TABLEAU 5.4

Analyse de la variance à une dimension des données du tableau 5.1

Source	S.C.	D.L.	C.M.	F
INTER	112	2	56	
INTRA	24	16	1,5	37,33*
TOTAL	136	18		

Comme $F = 37{,}33 > 3{,}63 = F_c$ à $\alpha = 0{,}05$, on rejette alors l'hypothèse nulle.

On peut vérifier que cette approche classique donne le même résultat que le test de signification du rapport de corrélation η^2. Ceci n'est d'ailleurs pas si surprenant, puisque les statistiques F utilisées pour effectuer les tests de signification sont identiques dans un cas (approche « rapport de corrélation ») comme dans l'autre (approche classique):

$$\frac{\eta^2/k-1}{1-\eta^2/n-k} = \frac{\dfrac{\text{S.C. INTER}}{\text{S.C. TOTAL}}\Big/ k-1}{\left[1 - \dfrac{\text{S.C. INTER}}{\text{S.C. TOTAL}}\right]\Big/ n-k}$$

$$= \frac{\dfrac{1}{\text{S.C. TOTAL}}\,[\text{S.C. INTER}/k-1]}{\dfrac{1}{\text{S.C. TOTAL}}\,[\text{S.C. INTRA}/n-k]} = \frac{\text{C.M. INTER}}{\text{C.M. INTRA}}.$$

Les deux derniers exemples que nous avons étudiés donnent la même conclusion: le rejet de H_0. Les trois moyennes de population, les M_i, ne sont donc pas considérées comme égales. Mais cette conclusion ne constitue souvent qu'une phase préliminaire de l'analyse des données. La plupart du temps on ne se contentera pas de ce résultat. On voudra savoir par exemple si les M_i sont différentes deux à deux ou si l'une des moyennes se distingue particulièrement des autres. C'est de ce sujet dont il sera question dans la prochaine section.

5.3   LES COMPARAISONS « A POSTERIORI »

Une fois que l'on est assuré d'un rapport F significatif, il peut être intéressant de pousser plus loin l'analyse afin de comparer les moyennes deux à deux, ou d'effectuer tout autre type de comparaison entre les moyennes.

Plusieurs méthodes ont été développées pour rendre à terme ces analyses « a posteriori ». Le lecteur intéressé consultera à ce sujet les textes de Kirk [1982, chap. 3], Winer [1971, chap. 3], ou Ferguson [1976, chap. 18]. Bien que l'unanimité ne se soit pas faite chez ces auteurs autour d'une seule méthode, nous présenterons celle qui semble d'utilité la plus générale. La *méthode S*, due à *Scheffé* [1959], permet en effet toutes les comparaisons possibles entre les moyennes d'échantillon de taille égale ou non. Une telle souplesse d'application ne se retrouve pas pour les autres méthodes[4]. De plus, la méthode de Scheffé est très robuste (ou insensible) au manque de normalité ou d'homogénéité des variances dans les populations (voir 5.10). Enfin, cette méthode est jugée plus rigoureuse ou conservatrice que les autres, dans le sens qu'elle donnera moins de différences significatives entre les moyennes comparées (ou moins d'erreurs de type E_1). Nous donnerons une description simple de la méthode S dans la suite du texte.

On appelle *comparaison* (ou *contraste*) entre des moyennes une somme pondérée des moyennes

$$C = c_1 m_1 + c_2 m_2 + \ldots + c_k m_k,$$

telle que $\sum_{i=1}^{k} c_i = 0$.

De plus, on convient, pour homogénéiser les coefficients c_i, que $\sum_{i=1}^{k} |c_i| = 2$: c'est-à-dire la somme des coefficients en valeur absolue est 2.

Si, par exemple, on est intéressé à comparer deux moyennes m_1 et m_2 d'un ensemble de $k = 4$ moyennes, on fait $c_1 = 1$, $c_2 = -1$, $(c_3 = c_4 = 0)$ pour obtenir la comparaison $C = m_1 - m_2$, avec $c_1 + c_2 + c_3 + c_4 = 1 - 1 + 0 + 0 = 0$ et $|c_1| + |c_2| = |1| + |-1| = 1 + 1 = 2$. Si dans ce même ensemble on veut comparer les deux premières avec les deux dernières moyennes, on devra prendre $c_1 = \frac{1}{2}$, $c_2 = \frac{1}{2}$, $c_3 = -\frac{1}{2}$, $c_4 = -\frac{1}{2}$;

ainsi $C^1 = \frac{1}{2}(m_1 + m_2) - \frac{1}{2}(m_3 + m_4)$,

$$c_1 + c_2 + c_3 + c_4 = \frac{1}{2} + \frac{1}{2} + \left(-\frac{1}{2}\right) + \left(-\frac{1}{2}\right) = 0,$$

et $|c_1| + |c_2| + |c_3| + |c_4| = \left|\frac{1}{2}\right| + \left|\frac{1}{2}\right| + \left|-\frac{1}{2}\right| + \left|-\frac{1}{2}\right| = \frac{1}{2} + \frac{1}{2} + \frac{1}{2} + \frac{1}{2} = 2.$

---

4   Il semble généralement admis que dans le cas particulier où l'on ne veut comparer que des échantillons de tailles égales, deux à deux, la méthode de Tukey soit supérieure.

Une comparaison est considérée statistiquement significative si la valeur absolue de C est supérieure à

$$S = \sqrt{(k-1) \times F_c \times [\text{C.M. INTRA}] \times \left[\sum_{i=1}^{k} \frac{(c_i)^2}{n_i} \right]}$$

où k : nombre de niveaux de la variable indépendante,

F_c : valeur critique calculée à partir d'une distribution F avec $k-1$ et $n-k$ degrés de liberté, pour le seuil α prédéterminé,

C.M. INTRA : carré moyen intra-niveau tel que calculé au cours de l'analyse de la variance,

c_i : les coefficients définis dans la comparaison,

n_i : la taille de l'échantillon du niveau i.

Quelques exemples illustreront la méthode S.

Reprenons les données du tableau 5.1. Comme l'analyse de la variance de ces données nous indique un F significatif, nous pouvons effectuer des comparaisons a posteriori et tenter de voir quelles moyennes diffèrent entre elles. Comparons par exemple $m_1 = 3$ à $m_2 = 9$ au seuil $\alpha = 0,05$.

Nous avons déjà calculé que $k-1 = 2$, $F_c = 3,63$ et C.M. INTRA $= 1,5$. De plus, comme nous voulons comparer entre elles les 2 moyennes m_1 et m_2, on aura $c_1 = 1$, $c_2 = -1$, $c_3 = 0$ et puisque $n_1 = 6$, $n_2 = 5$, $n_3 = 8$ alors

$$\sum_{i=1}^{k} \frac{(c_i)^2}{n_i} = \sum_{i=1}^{3} \frac{(c_i)^2}{n_i} = \frac{(1)^2}{6} + \frac{(-1)^2}{5} + \frac{(0)^2}{8} = \frac{1}{6} + \frac{1}{5} = \frac{11}{30} = 0,37.$$

D'où $S = \sqrt{2 \times 3,63 \times 1,5 \times 0,37} = 2$

Or comme $C = m_1 - m_2 = 3 - 9 = -6$ est plus grande en valeur absolue que 2 (c.-à-d. $|C| = 6 > S = 2$), la différence entre ces moyennes est alors considérée statistiquement significative au seuil $\alpha = 0,05$.

Remarquons que si l'on veut comparer deux autres moyennes, il faudra trouver une autre valeur de S, puisque les n_i diffèrent. En conséquence, le terme $\sum_{i=1}^{k} \frac{(c_i)^2}{n_i}$ variera d'une comparaison à l'autre. Par exemple pour la comparaison entre m_1 et m_3, $c_1 = 1$, $c_2 = 0$, $c_3 = -1$; ainsi

$$\sum_{i=1}^{k} \frac{(c_i)^2}{n_i} = \frac{1}{6} + \frac{0}{5} + \frac{(-1)^2}{8} = \frac{1}{6} + \frac{1}{8} = \frac{7}{24} = 0,29$$

et $S = \sqrt{2 \times 3,63 \times 1,5 \times 0,29} = 1,78$.

Comme la comparaison $C = m_1 - m_3 = 3 - 4 = -1$ n'est pas supérieure, en valeur absolue, à 1,78, elle n'est pas considérée statistiquement significative au seuil $\alpha = 0,05$.

Par contre, la comparaison $C = m_2 - m_3 = 9 - 4 = 5$ est statistiquement significative au même seuil, puisque S vaut 1,88.

Mais outre ces comparaisons entre deux moyennes, d'autres types de comparaisons peuvent être envisagées. Supposons, en effet, toujours en se référant aux données du tableau 5.1, que l'on veuille comparer la moyenne m_2 à la somme (pondérée) des deux autres[5]. Dans ce cas, $c_1 = \dfrac{1}{2}$, $c_2 = -1$, $c_3 = \dfrac{1}{2}$, $c_1 + c_2 + c_3 = 0$ et $|c_1| + |c_2| + |c_3| = 2$. La comparaison étudiée sera alors $\dfrac{1}{2} m_1 - m_2 + \dfrac{1}{2} m_3$ ou encore $\dfrac{1}{2}(m_1 + m_3) - m_2$.

On a $|C| = \left| \dfrac{1}{2}(m_1 + m_3) - m_2 \right| = \left| \dfrac{1}{2}(7) - 9 \right| = |-5,5| = 5,5$,

$$\sum_{i=1}^{k} \frac{(c_i)^2}{n_i} = \frac{(\frac{1}{2})^2}{6} + \frac{(-1)^2}{5} + \frac{(\frac{1}{2})^2}{8} = \frac{1}{24} + \frac{1}{5} + \frac{1}{32} = 0,27$$

et donc $S = \sqrt{2 \times 3,63 \times 1,5 \times 0,27} = 1,72$.

Du fait que $|C| > S$, la comparaison est statistiquement significative au seuil $\alpha = 0,05$. C'est-à-dire qu'il existe une différence statistiquement significative entre la moyenne m_2 et la somme pondérée de m_1 et m_3.

L'utilisation de comparaisons a posteriori constitue une excellente façon d'analyser à fond les données provenant d'au moins trois groupes. Après avoir trouvé le rapport F de l'ANOVA statistiquement significatif (ce qui nous indique uniquement une différence d'ensemble entre les moyennes), on est en effet justifié de pousser plus loin l'analyse afin d'identifier quelles moyennes diffèrent significativement les unes des autres.

Cependant, il existe une autre façon d'effectuer des comparaisons détaillées entre les moyennes. Il s'agit de planifier des comparaisons bien spécifiques lorsque l'on effectue une recherche, avant même de faire une quelconque analyse des données. La section suivante traite des avantages et des inconvénients de ces comparaisons dites « a priori ».

5.4 LES COMPARAISONS « A PRIORI »

Les comparaisons orthogonales

Plutôt que de faire une analyse de la variance, c'est-à-dire un test global sur les moyennes, suivie de comparaisons a posteriori, il peut être plus avantageux, dans certains cas, de planifier au préalable une série de comparaisons spécifiques,

---

5   Comme dans le cas, par exemple, où le niveau G_2 correspondrait à une méthode d'enseignement fort différente des deux autres, il pourrait être d'un certain intérêt, alors, d'effectuer cette comparaison.

appelées comparaisons a priori. Ces comparaisons correspondent en fait à des questions bien précises soulevées par le chercheur et prévues dès l'élaboration du plan de la recherche. Elles peuvent remplacer en quelque sorte le test global de l'analyse de la variance.

Les prochains paragraphes indiquent la procédure à suivre pour effectuer des comparaisons a priori.

On établira que deux comparaisons C et C^1 sont *orthogonales* si l'information transmise par C est indépendante de l'information transmise par C^1.

Dans le cas où les conditions de normalité et d'homogénéité des variances des populations sont satisfaites (voir 5.10), le critère (Hays [1973, p. 589-590]) $\sum_{i=1}^{k} \frac{c_i c_i^1}{n_i} = 0$ suffit pour garantir l'orthogonalité des comparaisons :

$$C = c_1 m_1 + c_2 m_2 + c_3 m_3 + \ldots + c_k m_k$$

et $\quad C^1 = c_1^1 m_1 + c_2^1 m_2 + c_3^1 m_3 + \ldots + c_k^1 m_k.$

Bien qu'il soit possible d'effectuer des comparaisons a priori orthogonales ou non orthogonales, nous nous attarderons uniquement aux premières, car elles sont plus à la portée de ce texte et possèdent des avantages statistiques que nous indiquerons à la fin de cette section.

Pour illustrer ce concept, retournons au tableau 5.2. Nous avons 3 échantillons de tailles égales ($n_1 = n_2 = n_3 = n_0 = 2$) correspondant aux $k = 3$ niveaux de la variable indépendante. Plusieurs comparaisons peuvent être planifiées.

Par exemple, $C = m_1 - m_2$ ou encore $C^1 = m_1 - m_3$.

Or il ne s'agit pas de comparaisons orthogonales puisque

$$\frac{1 \times 1}{2} + \frac{(-1) \times 0}{2} + \frac{0 \times (-1)}{2} = \frac{1}{2} \neq 0$$

D'ailleurs, on peut se rendre compte aisément que pour $k = 3$ niveaux, les couples du type (C, C^1), où les comparaisons C et C^1 correspondent à des différences de deux moyennes (comme ci-haut), ne sauraient donner lieu à des comparaisons orthogonales. (La vérification de cet énoncé est laissée au lecteur !).

Par contre, les comparaisons $C = m_1 - m_2$ et $C^1 = -\frac{1}{2} m_1 - \frac{1}{2} m_2 + m_3 = -\frac{1}{2}(m_1 + m_2) + m_3$ sont orthogonales car

$$\frac{1 \times \left(-\frac{1}{2}\right)}{2} + \frac{(-1) \times \left(-\frac{1}{2}\right)}{2} + \frac{0 \times 1}{2} = -\frac{1}{4} + \frac{1}{4} + 0 = 0.$$

Par contre il n'existe pas d'autre comparaison qui soit en même temps orthogonale à C et à C^1. (Le lecteur est sincèrement convié à l'essai). En effet, dans le cas où il y a *trois* niveaux, on ne peut trouver que des ensembles de *deux* comparaisons orthogonales. Mais attention, nous ne disons pas qu'il existe un seul ensemble de deux comparaisons orthogonales. Il est facile de vérifier en effet que pour $k = 3$ et $n_1 = n_2 = n_3 = n_0$, comme ci-haut, $C = m_1 - \dfrac{1}{2} (m_2 + m_3)$ et $C^1 = m_2 - m_3$ constitue un autre ensemble de *deux* comparaisons orthogonales.

Le résultat général se lit comme suit: lorsque la variable indépendante possède k niveaux, on ne trouvera que des ensembles avec un maximum de $k - 1$ comparaisons orthogonales.

Le test d'hypothèse des comparaisons

Notre intérêt se portera maintenant sur les tests d'hypothèse des comparaisons a priori.

Supposons que $\{C, C^1, C^{11}, C^{111}, \ldots C^{(k-1)}\}$ représente un ensemble de $(k-1)$ comparaisons orthogonales que l'on veut tester, où k constitue comme d'habitude le nombre de niveaux de la variable indépendante.

On peut montrer que le rapport (Hays [1973, p. 587])

$$F = \frac{C^2}{(\text{C.M. INTRA}) \times \left(\sum_{i=1}^{k} \dfrac{c_i^2}{n_i} \right)}$$

suit une distribution F avec 1 degré de liberté au numérateur et $n - k$ degrés de liberté au dénominateur.

En conséquence, pour chacune des $(k-1)$ comparaisons de cet ensemble, on calculera ce rapport F. S'il dépasse la valeur critique F_c (correspondant à un seuil α fixé à l'avance), alors la comparaison sera dite statistiquement significative au seuil α.

Les données du tableau 5.3 serviront comme exemple pour illustrer ce test d'hypothèse. N'oublions pas qu'ici, nous considérons qu'aucune analyse de la variance n'a été effectuée. De plus, les paramètres M_i^1 sont bien sûr supposés inconnus. Nous avons déjà vu que pour $k = 3$ et $n_1 = n_2 = n_3$, les comparaisons $C = m_1^1 - m_2^1$ et $C^1 = \dfrac{-1}{2} (m_1^1 + m_2^1) + m_3^1$ sont orthogonales. Nous pouvons donc les tester. Choisissons $\alpha = 0{,}05$. Dans le cas de C, les hypothèses nulle et alternative sont:

$$H_0: M_1^1 = M_2^1$$
$$H_1: M_1^1 \neq M_2^1$$

et $F = \dfrac{(m_1^1 - m_2^1)^2}{\text{C.M. INTRA} \times \left(\sum\limits_{i=1}^{3} \dfrac{c_i^2}{n_i} \right)} = \dfrac{(2,9 - 4)^2}{1,12 \times \left(\dfrac{(-1)^2}{2} + \dfrac{1^2}{2} \right)} = \dfrac{1,21}{1,12} = 1,08.$

Or $F_c = 10,13$ pour 1 $d.l.$ au numérateur et $n - k = 3$ $d.l.$ au dénominateur si $\alpha = 0,05$.

Donc, la comparaison $C = m_1^1 - m_2^1$ n'est pas considérée statistiquement significative, et on ne peut rejeter H_0.

Dans le cas de C^1, les hypothèses nulle et alternative sont:

$$H_0: \frac{1}{2} (M_1^1 + M_2^1) = M_3^1$$
$$H_1: \frac{1}{2} (M_1^1 + M_2^1) \neq M_3^1$$

Ici, $F = \dfrac{\left[-\dfrac{1}{2} (m_1^1 + m_2^1) + m_3^1 \right]^2}{1,12 \times \left[\dfrac{\left(-\dfrac{1}{2} \right)^2}{2} + \dfrac{\left(-\dfrac{1}{2} \right)^2}{2} + \dfrac{1^2}{2} \right]} = \dfrac{23,04}{1,12 \times (6/8)} = 27,43,$

ce qui dépasse largement la valeur critique $F_c = 10,13$.

Ainsi l'hypothèse nulle est rejetée, ce qui devient une évidence pour supporter l'hypothèse de la différence entre le paramètre M_3^1 et le paramètre $\dfrac{M_1^1 + M_2^1}{2}$.

On peut conclure de cet exemple que les données ne permettent pas de révéler une différence entre les moyennes M_1^1 et M_2^1; en effet, la comparaison $C = m_1^1 - m_2^1$ n'est pas statistiquement significative. Cependant, puisque $C^1 = -\dfrac{1}{2} (m_1^1 + m_2^1) + m_3^1$ est statistiquement significative, il appert que la moyenne M_3^1 soit différente de la somme pondérée $\dfrac{M_1^1 + M_2^1}{2}$.

Si l'on suppose, toujours en se référant à cet exemple et donc au tableau 5.3, que G_3^1 est un groupe témoin et que G_1^1 et G_2^1 sont des groupes expérimentaux, il est parfaitement sensé de comparer G_1^1 à G_2^1, puis de comparer G_3^1 à une somme pondérée des deux autres.

Comparaisons a priori ou comparaisons a posteriori

Ceci soulève donc une question de grande importance que le chercheur devrait se poser au moment de l'élaboration de ses hypothèses et de son plan de recherche.

Serait-il mieux d'opter pour les comparaisons a priori ou pour les comparaisons a posteriori? Il n'y a malheureusement pas de réponse unique à cette question. Ça dépend, pourrait-on dire. Avant de tenter de solutionner ce dilemme, il convient d'élaborer sur les traits caractéristiques qui différencient les deux approches. Le tableau 5.5 présente les principales distinctions entre les comparaisons a priori et les comparaisons a posteriori.

En gros, on peut affirmer que les trois premiers items sont plutôt perçus comme des inconvénients à l'utilisation des comparaisons a priori et militent donc en faveur de l'approche a posteriori.

La technique présentée dans cette section pour tester les comparaisons a priori requiert l'*orthogonalité*. Or on sait que, dans ce cas, seulement $k-1$ comparaisons peuvent être testées. Même la technique de Dunn (Kirk [1982, p. 106]), utilisée dans les cas des comparaisons a priori non orthogonales, n'est optimale qu'avec un *nombre limité* de comparaisons. Cette limitation n'existe pas pour les comparaisons a posteriori.

De plus, les comparaisons a priori doivent être définies *avant* toute cueillette de données, ce qui constitue une contrainte supplémentaire, mais le chercheur peut très bien effectuer, au cours de la même recherche, des comparaisons a priori *et* des comparaisons a posteriori (Kirk [1982, p. 148]).

TABLEAU 5.5

Distinctions entre les approches a priori et a posteriori

Comparaisons a priori	Comparaisons a posteriori
1 Obligation[6] de vérifier l'orthogonalité des comparaisons.	1 Indifférence de l'orthogonalité des comparaisons.
2 Nombre limité de comparaisons.	2 Nombre illimité de comparaisons.
3 Définies avant la cueillette des données, soit lors de l'élaboration des hypothèses et du plan de recherche.	3 Définies après la cueillette des données, soit lors de l'analyse des données.
4 Test plus puissant.	4 Test moins puissant.
5 Test global d'ANOVA non requis.	5 Test F global d'ANOVA requis. Doit être significatif.

Les deux derniers items de ce tableau constituent des avantages certains en faveur de l'adoption de l'approche a priori.

---

6   Sauf bien sûr pour les comparaisons a priori non orthogonales que nous n'avons pas traitées ici.

Le test d'une comparaison quelconque sera généralement plus *puissant* si celle-ci est planifiée (a priori) que si elle ne l'est pas (a posteriori). C'est-à-dire qu'il sera généralement plus facile de détecter si une comparaison est statistiquement significative si elle a été planifiée. Cet argument à lui seul devra peser très lourd lors du choix entre l'une des deux approches, notamment en faveur d'un plan de recherche suffisamment contrôlé et réfléchi pour que le chercheur prédise ses résultats majeurs.

Un autre argument en faveur des comparaisons a priori : non seulement le *test F global* d'analyse de la variance n'a pas à donner un verdict significatif, mais on n'a même pas besoin d'un tel test dans ce cas. En effet, les tests spécifiques faits sur les comparaisons a priori ne dépendent pas d'un test global (significatif) sur l'ensemble des moyennes. En réalité, il est possible que de tels tests spécifiques sur des comparaisons a priori donnent des verdicts significatifs sans que le test F global le fasse. D'ailleurs, certains tests sur des comparaisons a posteriori sont si puissants qu'ils peuvent donner un verdict significatif sans que le test global donne un tel verdict. Incidemment, cette dernière constatation montre à quel point il est important de respecter toutes les étapes de la procédure lorsque l'on veut effectuer des comparaisons a posteriori : on doit d'abord effectuer un test global ; si celui-ci ne s'avère pas significatif, il n'est pas question de procéder à des comparaisons a posteriori même si celles-ci devaient s'avérer significatives.

Est-il possible maintenant, une fois établies les distinctions entre ces deux approches, de dégager des lignes de force qui permettent de prendre des décisions éclairées ?

À la lumière des informations précédentes, nous pouvons affirmer tout d'abord que ce choix dépend du problème de recherche envisagé. Il semble clair que si un chercheur a un nombre relativement restreint de questions (et donc de comparaisons) précises auxquelles il veut répondre, celui-ci devrait tendre vers l'élaboration de comparaisons a priori.

Par ailleurs, si l'intérêt du chercheur réside surtout dans la comparaison globale des k niveaux d'une variable indépendante, il devra d'abord faire un test F global d'analyse de la variance. Puis, après inspection des données, donc au cours de l'étape d'analyse des données, il pourra explorer d'autres questions d'ordre secondaire comme la différence entre les couples de moyennes, si le test F global est significatif.

Afin d'effectuer un choix optimal entre ces deux types de comparaisons, il importe que le chercheur spécifie le plus précisément possible son problème (et ses sous-problèmes) de recherche et ses hypothèses avant de recueillir ses données.

Le choix entre l'approche a priori et l'approche a posteriori sera d'autant plus éclairé que le problème et les hypothèses auront été bien précisés.

En somme, le choix entre ces deux types de comparaison ne peut être considéré comme arbitraire. Il dépend en grande partie de la formulation du problème et est intimement lié aux hypothèses et au plan de la recherche.

5.5   LE TEST « t » POUR LA COMPARAISON DE DEUX MOYENNES

Le test t pour échantillons indépendants

Nous avons vu qu'il était possible de comparer des moyennes provenant de plusieurs niveaux d'une variable indépendante à l'aide de l'analyse de la variance. Nous pouvons non seulement effectuer un test F global pour tester l'égalité des moyennes, mais aussi procéder à des comparaisons a priori ou a posteriori sur quelques-unes de ces moyennes.

Le cas particulier où le nombre de niveaux $k = 2$ peut être considéré à part. Bien sûr, il est possible d'étudier ce cas de la même façon que les autres plus complexes ($k \geqslant 3$).

Nous aurons plutôt recours ici à une méthode plus simple connue sous le vocable de test « t ». Cette méthode procède d'un résultat déjà énoncé en 4.4: soit deux échantillons de tailles n_1 et n_2, de moyennes m_1 et m_2 et de variances v_1 et v_2. Si ces échantillons sont tirés de populations P_1 et P_2 telles que

1) les éléments de P_1 et P_2 sont distribués normalement avec moyennes M_1 et M_2 respectivement,
2) les variances de population V_1 et V_2 sont égales et
3) les échantillons de P_1 sont indépendants des échantillons de P_2,

la statistique:

$$t = \frac{(m_1 - m_2) - (M_1 - M_2)}{\sqrt{\left[\dfrac{(n_1-1)v_1 + (n_2-1)v_2}{n_1 + n_2 - 2}\right]\left[\dfrac{1}{n_1} + \dfrac{1}{n_2}\right]}}$$

suit alors une loi de Student avec $n_1 + n_2 - 2$ degrés de liberté.

Ce que l'on appelle communément le test t pour la comparaison de deux moyennes est un test d'hypothèse qui utilise la statistique t pour comparer les moyennes.

Il existe un lien étroit entre le test « t » et l'analyse de la variance. On peut montrer, en effet, que si la statistique t suit une loi de Student avec $n_1 + n_2 - 2$ degrés de liberté, la statistique t^2 suit une loi F de Fisher avec 1 et $n_1 + n_2 - 2$ degrés de liberté (voir par exemple Hays [1973, sections 11.16 et 12.14] et Ferguson [1976, p. 233]).

Vérifions ce résultat à l'aide des données des deux groupes G_1 et G_2 du tableau 5.1.

Nous avons: $G_1 = \{3, 2, 5, 1, 4, 3\}$, $G_2 = \{9, 9, 10, 9, 8\}$,

$$m_1 = 3, m_2 = 9 \quad, \quad m = 5{,}73$$
$$v_1 = 2, v_2 = 0{,}5$$
$$n_1 = 6, n_2 = 5 \quad.$$

Alors, dans les conditions de l'hypothèse nulle ($M_1 - M_2 = 0$),

$$t = \frac{(3 - 9) - 0}{\sqrt{\left[\dfrac{(5 \times 2) + (4 \times 0{,}5)}{6 + 5 - 2}\right]\left[\dfrac{1}{6} + \dfrac{1}{5}\right]}}$$

$$= \frac{-6}{\sqrt{\dfrac{12}{9} \times \dfrac{11}{30}}} = \frac{-6}{0{,}699} = -8{,}58.$$

D'où $t^2 = 73{,}62$

D'un autre côté, $F = \dfrac{\text{C.M.INTER}}{\text{C.M. INTRA}} = \dfrac{\text{S.C. INTER}/k - 1}{\text{S.C. INTRA}/n - k}$

$$= \frac{\text{S.C. INTER}}{\text{S.C. INTRA}/n_1 + n_2 - 2} =$$

$$\frac{6(3 - 5{,}73)^2 + 5(9 - 5{,}73)^2}{\dfrac{1}{9}\left[(3 - 3)^2 + (2 - 3)^2 + \ldots + (3 - 3)^2 + (9 - 9)^2 + (9 - 9)^2 + \ldots + (8 - 9)^2\right]}$$

$$= \frac{44{,}62 + 53{,}56}{\dfrac{1}{9}(12)}$$

$$= \frac{98{,}18}{\dfrac{12}{9}} = 73{,}63.$$

En conséquence, les deux approches donnent le même résultat, moyennant les erreurs minimes dues aux arrondissements. Nous avons déjà indiqué sommairement en 5.2 qu'il était important de vérifier deux conditions avant d'effectuer un test d'hypothèse en analyse de la variance, soit les conditions se rapportant à la normalité et à l'homogénéité des variances. Notons que ces conditions, décrites en 5.10, doivent aussi être vérifiées dans le cas du test t.

Le test t pour échantillons dépendants (appariés)

Pour utiliser adéquatement le test « *t* » décrit auparavant, une troisième condition d'application est de rigueur: l'indépendance des échantillons (voir section 5.10). Qu'arrive-t-il lorsque cette condition n'est pas remplie? Par exemple, dans le cas où l'on doit comparer les moyennes d'un examen administré deux fois au même groupe d'élèves, les échantillons sont alors correlés et on ne peut plus utiliser le test décrit précédemment.

Dans ce cas, l'approche suivante doit être employée. Supposons que le groupe d'élèves est constitué de « *n* » individus. Dénotons d_i la différence pour l'individu « *i* » entre le résultat de l'examen à la première administration et le résultat à la seconde administration. Désignons également m_d la moyenne de ces différences. Alors, le rapport

$$t = \frac{m_d \sqrt{n}}{\sqrt{\dfrac{\displaystyle\sum_{i=1}^{n} (d_i - m_d)^2}{n-1}}}$$

suit une distribution de Student avec $n-1$ degrés de liberté.

Ce rapport sert lors d'un test d'hypothèse où

$$H_0: M_d = 0$$
$$H_1: M_d \neq 0,$$

c'est-à-dire

$$H_0: M_1 = M_2$$
$$H_1: M_1 \neq M_2$$

Ce genre de test « *t* » est dit apparié pour le distinguer du précédent.

5.6   L'ANALYSE DE LA VARIANCE À DEUX DIMENSIONS

Distinction entre une et deux dimensions

Nous avons vu en 5.2 comment évaluer l'effet d'une variable indépendante sur une variable dépendante. Qu'advient-il maintenant si deux variables indépendantes sont en jeu?

Nous situerons ce problème à l'intérieur d'un contexte bien concret. Supposons qu'un chercheur soit intéressé à l'effet de quatre méthodes d'enseignement des mathématiques sur les caractéristiques affectives de trois types d'élèves distincts. Il doit donc recueillir ses données auprès de douze groupes d'élèves. Le tableau 5.6 présente les résultats obtenus auprès de ces groupes à une échelle d'attitude envers les mathématiques. Les moyennes (m) apparaissent au bout de chaque ligne et de chaque colonne.

Après exploration, on remarque qu'il existe certaines différences apparemment importantes entre les données. Par exemple, un groupe d'élèves du type T_1 a obtenu un résultat moyen de 32 pour la méthode M_3 tandis qu'un groupe du même type a obtenu un résultat de 7 pour la méthode M_4. D'un autre côté, le groupe de type T_1 qui suit la méthode M_1 a obtenu 12, alors que le groupe de type T_2 qui suit la même méthode a obtenu 28.

Tableau 5.6

Résultats d'une échelle d'attitude envers les mathématiques pour douze groupes d'élèves répartis suivant l'une des quatre méthodes d'enseignement et l'un des trois types d'élèves

Méthode Type	M_1	M_2	M_3	M_4	m
T_1	12	13	32	7	16
T_2	28	32	63	9	33
T_3	17	9	34	8	17
m	19	18	43	8	22

En outre, on remarque que certains résultats sont particulièrement élevés (ex.: 63). Comment en arriver à faire ressortir ces variations qui apparaissent dans les données?

Il serait peut-être adéquat d'effectuer deux analyses de la variance à une dimension. La première pour comparer les méthodes, et la seconde pour comparer les types d'élèves. Les résultats de ces analyses se trouvent aux tableaux 5.7 et 5.8. D'après ces deux tableaux, il y aurait une différence statistiquement significative entre les méthodes, mais il n'y aurait pas de telle différence entre les types d'élèves. Ce serait là les conclusions à tirer si l'on adoptait cette procédure.

Par contre, en procédant de la sorte, on n'utilise pas convenablement l'information fournie par les données. Car l'analyse de la variance à une dimension ne permet pas de tenir compte simultanément des effets dus aux méthodes et aux types d'élèves. Par exemple, l'analyse des types (lignes) seulement n'utilise pas le fait que les données 12, 28 et 17 proviennent de la même méthode. De même, l'analyse des méthodes (colonnes) seulement ne permet pas d'employer l'information relative aux types. Une autre façon d'analyser les données doit donc être mise de l'avant.

L'analyse de la variance à deux dimensions permet d'étudier les effets simultanés de deux variables indépendantes sur une variable dépendante. Contrairement à l'analyse de la variance à une dimension, le modèle à deux dimensions suppose que chaque donnée est influencée simultanément par les deux variables indépendantes. On utilisera par exemple l'information que la donnée 12 du tableau 5.6 provient de la méthode M_1 et du type T_1.

Voyons donc comment, du point de vue technique, on peut en arriver à présenter ce modèle à deux dimensions.

TABLEAU 5.7

Analyse de la variance à une dimension des données du tableau 5.6 selon les lignes : comparaison des types seulement

Source	S.C.	D.L.	C.M.	F
INTER	728	2	364	1,43
INTRA	2298	9	255	
TOTAL	3026	11		
Comme $F = 1,43 < 4,26 = F_c$ à $\alpha = 0,05$, on ne peut rejeter l'hypothèse nulle.				

TABLEAU 5.8

Analyse de la variance à une dimension des données du tableau 5.6 selon les colonnes : comparaison des méthodes seulement

Source	S.C.	D.L.	C.M.	F
INTER	1986	3	662	5,09*
INTRA	1040	8	130	
TOTAL	3026	11		
Comme $F = 5,09 > 4,07 = F_c$ à $\alpha = 0,05$, on peut rejeter l'hypothèse nulle.				

Les carrés moyens et les rapports F

Supposons deux variables indépendantes, la première (V.I.1) à « c » niveaux, et la seconde (V.I.2) à « l » niveaux. Lorsque l'on effectue une analyse de la variance à deux dimensions, il est d'usage de représenter les données comme au tableau 5.9. La moyenne des données de chaque ligne s'écrit $m_{i.}$ pour i variant de 1 à l. La moyenne des données de chaque colonne se lit $m_{.j}$ pour j variant de 1 à c. La grande moyenne est notée $m_{..}$.

Ce tableau n'est pas sans rappeler la situation décrite au tableau 5.6 où V.I.1 correspond aux méthodes, V.I.2 aux types, pour $c = 4$ et $l = 3$.

Comme il s'agit d'une analyse de la variance, la procédure générale de décomposition de la variation totale mise de l'avant en 5.2.1 prévaut ici également. La différence étant qu'ici, trois composantes au lieu de deux seront utilisées.

La première reflète la variation entre les niveaux de V.I.1, la deuxième donne la variation entre les niveaux de V.I.2, et la troisième est considérée comme un terme d'erreur qui permet d'évaluer la variation restante ou résiduelle, une fois que l'on a tenu compte des deux autres sources de variation des données.

Afin d'arriver à cette décomposition, il faut poser l'identité $(x_{ij} - m_{..}) = (m_{i.} - m_{..}) + (m_{.j} - m_{..}) + (x_{ij} - m_{i.} - m_{.j} + m_{..})$ pour chaque donnée x_{ij}.

TABLEAU 5.9

Représentation des données en vue d'une analyse de la variance à deux dimensions

V.I.2 \ V.I.1	1	2	3	—	—	—	c	
1	x_{11}	x_{12}	x_{13}	—	—	—	x_{1c}	$m_{1.}$
2	x_{21}	x_{22}	x_{23}	—	—	—	x_{2c}	$m_{2.}$
3	x_{31}	x_{32}	x_{33}	—	—	—	x_{3c}	$m_{3.}$
—	—	—	—				—	—
—	—	—	—				—	—
—	—	—	—				—	—
—	—	—	—				—	—
l	x_{l1}	x_{l2}	x_{l3}	—	—	—	x_{lc}	$m_{l.}$
m	$m_{.1}$	$m_{.2}$	$m_{.3}$	—	—	—	$m_{.c}$	$m_{..}$

Si par la suite on met au carré chaque côté de cette identité et que l'on fait la somme pour toutes les données, on arrive à une équation, notée (III), semblable à l'équation (I) établie en 5.2, à savoir:

$$\sum_{i=1}^{l} \sum_{j=1}^{c} (x_{ij} - m_{..})^2 = l \sum_{j=1}^{c} (m_{.j} - m_{..})^2 + c \sum_{i=1}^{l} (m_{i.} - m_{..})^2 +$$

$$\sum_{i=1}^{l} \sum_{j=1}^{c} (x_{ij} - m_{i.} - m_{.j} + m_{..})^2 \quad \text{(III)}$$

On peut vérifier l'équation ⓘ(III) à l'aide des données du tableau 5.6. Dans ce cas,

$$\sum_{i=1}^{l} \sum_{j=1}^{c} (x_{ij} - m_{..})^2 = (12-22)^2 + (13-22)^2 + \ldots + (7-22)^2 + (28-22)^2 + (32-22)^2$$
$$+ \ldots\ldots + (8-22)^2$$
$$= 3026$$

$$c \sum_{i=1}^{l} (m_{i.} - m_{..})^2 = 4[(16-22)^2 + (33-22)^2 + (17-22)^2] = 728$$

$$l \sum_{j=1}^{c} (m_{.j} - m_{..})^2 = 3[(19-22)^2 + (18-22)^2 + (43-22)^2 + (8-22)^2] = 1986$$

$$\sum_{i=1}^{l} \sum_{j=1}^{c} (x_{ij} - m_{i.} - m_{.j} + m_{..})^2 = (12-16-19+22)^2 + (13-16-18+22)^2$$
$$+ \ldots + (8-17-8+22)^2 = 312.$$

On voit que $728 + 1986 + 312 = 3026$.

Les trois termes de droite de l'équation ⓘ(III) représentent bien les composantes décrites précédemment. Le terme

$$l \sum_{j=1}^{c} (m_{.j} - m_{..})^2$$

fournit un indice de la variation des données entre les niveaux de V.I.1. Le terme $c \sum_{i=1}^{l} (m_{i.} - m_{..})^2$ permet d'évaluer la variation selon V.I.2. Quant au troisième terme, la composante considérée comme un terme d'erreur, il en sera question beaucoup plus en détail un peu plus loin. Chacun des termes de l'équation ⓘ(III) est une somme de carrés comme en 5.2. De gauche à droite, ces termes seront respectivement: la somme des carrés totale (S.C.T.), la somme des carrés due à la première variable indépendante (S.C.V.I.1), la somme des carrés due à la seconde variable indépendante (S.C.V.I.2) et la somme des carrés résiduelle ou d'erreur (S.C.E.).

Afin de comparer les $m_{i.}$ ou les $m_{.j}$, ce qui sera habituellement notre objectif, le même principe vu lors de l'étude de l'analyse de la variance à une dimension prévaut dans notre cas: il s'agit de comparer des carrés moyens. Nous avons déjà les sommes de carrés. Il manque les degrés de liberté. D'une façon analogue à celle utilisée en 5.2 (voir équation ⓘ(II)), il est possible de montrer l'additivité des degrés de liberté. Il s'ensuit:

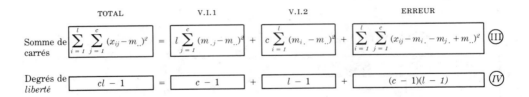

TOTAL	V.I.1	V.I.2	ERREUR	
Somme de carrés $\displaystyle\sum_{i=1}^{l}\sum_{j=1}^{c}(x_{ij}-m_{..})^2$	$= l\displaystyle\sum_{j=1}^{c}(m_{.j}-m_{..})^2$	$+ c\displaystyle\sum_{i=1}^{l}(m_{i.}-m_{..})^2$	$+ \displaystyle\sum_{i=1}^{l}\sum_{j=1}^{c}(x_{ij}-m_{i.}-m_{j.}+m_{..})^2$	(III)
Degrés de liberté $\quad cl-1$	$= \quad c-1$	$+ \quad l-1$	$+ \quad (c-1)(l-1)$	(IV)

Les carrés moyens sont par la suite obtenus de la façon habituelle, en divisant chaque somme des carrés par les degrés de liberté correspondants. La statistique à employer lors du test d'hypothèse des moyennes $m_{.j}$ relatives à la V.I.1 est $F_1 = \dfrac{\text{C.M.V.I.1}}{\text{C.M.E.}}$, distribuée selon une loi F avec $c-1$ degrés de liberté au numérateur et $(c-1)(l-1)$ degrés de liberté au dénominateur. De même, pour les $m_{i.}$ relatives à la V.I.2, la statistique employée est $F_2 = \dfrac{\text{C.M.V.I.2}}{\text{C.M.E.}}$, qui est distribuée selon une loi F avec $l-1$ degrés de liberté au numérateur et $(c-1)(l-1)$ degrés de liberté au dénominateur.

Nous sommes maintenant prêts à analyser les données du tableau 5.6 conformément au modèle à deux dimensions. Les résultats de l'analyse de la variance à deux dimensions sont présentés au tableau 5.10. On voit que les sommes de carrés sont conformes à ce qui a été calculé plus haut.

Si l'on compare cette analyse avec les deux analyses à une dimension (tableaux 5.7 et 5.8), on remarque une distinction appréciable. En premier lieu, on arrive aux mêmes conclusions pour la comparaison des méthodes. Or la différence des moyennes entre les types d'élèves n'avait pas été trouvée statistiquement significative en utilisant le modèle à une dimension. Cependant, l'analyse de la variance à deux dimensions, plus adéquate dans ce cas-ci, révèle que cette différence est aussi statistiquement significative.

La comparaison entre les deux analyses à une dimension et l'analyse à deux dimensions est intéressante puisqu'elle montre à quel point il peut être important de faire un juste choix de la méthode d'analyse, compte tenu de l'information disponible dans les données.

Le modèle à deux dimensions est donc jugé plus satisfaisant pour analyser les données du tableau 5.6, puisque l'on a pu comparer adéquatement les méthodes et les types d'élèves tout en employant le maximum d'informations.

TABLEAU 5.10

Analyse de la variance à deux dimensions des données du tableau 5.6

SOURCE	S.C.	D.L.	C.M.	*F*
V.I.1	1986	3	662	12,73*
V.I.2	728	2	364	7*
Erreur	312	6	52	
Total	3026	11		

Comme $F_1 = 12,73 > 4,76 = F_c$ à $\alpha = 0,05$ et $F_2 = 7 > 5,14 = F_c$ à $\alpha = 0,05$, les $m_{.j}$ aussi bien que les $m_{i.}$ sont considérées différentes de façon statistiquement significative.

L'évaluation des effets combinés

Il reste un autre élément dont nous n'avons pas tenu compte dans le tableau 5.6. On remarque en effet que le groupe d'élèves de type T_2 qui a suivi la méthode M_3 obtient un résultat très élevé de 63, alors que les groupes d'élèves de types T_1 et T_3 qui ont suivi la même méthode obtiennent respectivement 32 et 34. Il semble que cette valeur particulièrement élevée « 63 » soit spécifique à un seul niveau de chacune des deux variables indépendantes.

De façon plus générale, la différence entre les données des niveaux T_1 et T_2 de la variable « type » n'est pas la même d'une méthode à l'autre. Cette différence passe de 2 pour la méthode M_4 à 16 pour la méthode M_1, à 19 pour M_2 et enfin à 31 pour M_3. De plus, la différence entre les niveaux M_3 et M_4 de la variable « méthode » n'est pas non plus la même d'un type d'élèves à l'autre. Dans ce cas, la différence passe de 25 pour le type T_1, à 26 pour le type T_3 et enfin à 54 pour le type T_2.

Il *semble* donc qu'il y ait un effet combiné de deux variables indépendantes en plus des effets spécifiques dus à chacune de ces deux variables. Malheureusement, les données du tableau 5.6, ne permettent pas d'évaluer cet effet combiné, considéré comme de l'erreur, nous le savons déjà.

Afin de pouvoir évaluer adéquatement l'effet combiné tout en ayant la possibilité d'estimer l'erreur, il est nécessaire d'obtenir plus d'une mesure pour chaque cellule du tableau : une *cellule* est définie ici comme l'intersection d'un niveau d'une première variable indépendante avec un niveau de la seconde variable indépendante.

Supposons, par exemple, que dans le cas du problème décrit au début de cette section, nous ayons obtenu les résultats de deux groupes d'élèves pour chaque méthode et chaque type. Les données recueillies de la sorte se présentent comme au tableau 5.11. On retrouve les données du tableau 5.6 à la première ligne de chaque cellule.

TABLEAU 5.11

Résultats d'une échelle d'attitude envers les mathématiques pour 24 groupes d'élèves répartis suivant l'une des quatre méthodes d'enseignement et l'un des trois types d'élèves avec deux groupes par cellule

Méthode Type	M_1	M_2	M_3	M_4	m
T_1	12 15	13 16	32 31	7 10	17,00
T_2	28 30	32 29	63 59	9 7	32,13
T_3	17 16	9 8	34 37	8 10	17,38
m	19,67	17,83	42,67	8,50	22,17

Les moyennes de chaque ligne sont maintenant prises sur huit données et les moyennes de chaque colonne, sur six données.

Avec une telle configuration, il est maintenant possible de distinguer, dans la variance totale, la variance due à l'effet combiné de la variance d'erreur.

Dans la décomposition de la variation totale des données, quatre composantes seront présentes. En se référant au tableau 5.12 et, comme nous en avons maintenant l'habitude, en se rendant compte de l'identité

$$(x_{ijk} - m_{...}) = (m_{.j.} - m_{...}) + (m_{i..} - m_{...})$$
$$+ (m_{ij.} - m_{i..} - m_{.j.} + m_{...}) + (x_{ijk} - m_{ij.}),$$

nous pouvons établir l'équation

$$\sum_{i=1}^{l} \sum_{j=1}^{c} \sum_{k=1}^{n} (x_{ijk} - m_{...})^2 = nl \sum_{j=1}^{c} (m_{.j.} - m_{...})^2 + nc \sum_{i=1}^{l} (m_{i..} - m_{...})^2$$

$$+ n \sum_{i=1}^{l} \sum_{j=1}^{c} (m_{ij.} - m_{i..} - m_{.j.} + m_{...})^2 + \sum_{i=1}^{l} \sum_{j=1}^{c} \sum_{k=1}^{n} (x_{ijk} - m_{ij.})^2 \ \text{Ⓥ},$$

où $m_{ij.}$ est la moyenne des « n » observations de l'intersection du niveau « j » de la V.I.1 avec le niveau « i » de la V.I.2.

Le côté droit de l'équation $\overset{\text{V}}{\bigcirc}$ comporte les quatre termes annoncés plus avant. Le premier est un indice de la variance entre les niveaux de la V.I.1, donc de l'écart entre les moyennes $m_{.j.}$. Le deuxième terme donne la variation entre les niveaux de la V.I.2, donc de l'écart entre les moyennes $m_{i..}$. Le troisième terme, qui n'est pas sans rappeler le terme d'erreur de l'équation $\overset{\text{III}}{\bigcirc}$, indique la variation due à l'effet combiné des variables V.I.1 et V.I.2: on le nommera par la suite le terme d'*interaction*. Le quatrième et dernier terme indique la variation des données à l'intérieur des cellules: c'est un terme d'erreur.

TABLEAU 5.12

Représentation des données en vue d'une analyse de la variance à deux dimensions avec « n » observations par cellule.

V.I.2 \ V.I.1	1	2	3	.....	c	m
1	x_{111} x_{112} $\vdots$ x_{11n}	x_{121} x_{122} $\vdots$ x_{12n}	x_{131} x_{132} $\vdots$ x_{13n}	.....	x_{1c1} x_{1c2} $\vdots$ x_{1cn}	$m_{1..}$
2	x_{211} x_{212} $\vdots$ x_{21n}	x_{221} x_{222} $\vdots$ x_{22n}	x_{231} x_{232} $\vdots$ x_{23n}	.....	x_{2c1} x_{2c2} $\vdots$ x_{2cn}	$m_{2..}$
3	x_{311} x_{312} $\vdots$ x_{31n}	x_{321} x_{322} $\vdots$ x_{32n}	x_{331} x_{332} $\vdots$ x_{33n}	.....	x_{3c1} x_{3c2} $\vdots$ x_{3cn}	$m_{3..}$
$\vdots$	$\vdots$	$\vdots$	$\vdots$	.....	$\vdots$	$\vdots$
l	x_{l11} x_{l12} $\vdots$ x_{l1n}	x_{l21} x_{l22} $\vdots$ x_{l2n}	x_{l31} x_{l32} $\vdots$ x_{l3n}	.....	x_{lc1} x_{lc2} $\vdots$ x_{lcn}	$m_{l..}$
m	$m_{.1.}$	$m_{.2.}$	$m_{.3.}$	.....	$m_{.c.}$	$m_{...}$

Dans le cas où l'on a plus d'une observation par cellule, on peut établir parallèlement à l'équation V , l'équation suivante pour les degrés de liberté :

$$ncl - 1 = (c-1) + (l-1) + (c-1)(l-1) + cl(n-1) \quad \text{VI} .$$

TOTAL   V.I.1   V.I.2   Interaction   Erreur

Le test d'hypothèse relatif aux moyennes $m_{.j.}$ de la V.I.1 utilise la statistique $F_1 = \dfrac{\text{C.M.V.I.1}}{\text{C.M.E.}}$ distribuée selon une loi F avec $c-1$ degrés de liberté au numérateur et $cl(n-1)$ degrés au dénominateur. Le test d'hypothèse relatif aux moyennes $m_{i..}$ de la V.I.2 utilise la statistique $F_2 = \dfrac{\text{C.M.V.I.2}}{\text{C.M.E.}}$ distribuée selon une loi F avec $l-1$ degrés de liberté au numérateur et $cl(n-1)$ degrés au dénominateur.

Le test d'hypothèse relatif à l'effet d'interaction entre V.I.1 et V.I.2 utilise la statistique $F_3 = \dfrac{\text{C.M.I.}}{\text{C.M.E.}}$ distribuée selon une loi F avec $(c-1)(l-1)$ degrés de liberté au numérateur et $cl(n-1)$ degrés au dénominateur.

Rappelons que :

$$\text{C.M.V.I.1} = \frac{\text{S.C.V.I.1}}{c-1} = \frac{nl}{c-1} \sum_{j=1}^{c} (m_{.j.} - m_{...})^2$$

$$\text{C.M.V.I.2} = \frac{\text{S.C.V.I.2}}{l-1} = \frac{nc}{l-1} \sum_{i=1}^{l} (m_{i..} - m_{...})^2$$

$$\text{C.M.I.} = \frac{\text{S.C.I}}{(c-1)(l-1)} = \frac{n}{(c-1)(l-1)} \sum_{i=1}^{l} \sum_{j=1}^{c} (m_{ij.} - m_{i..} - m_{.j.} + m_{...})^2$$

$$\text{C.M.E.} = \frac{\text{S.C.E.}}{cl(n-1)} = \frac{\sum_{i=1}^{l} \sum_{j=1}^{c} \sum_{k=1}^{n} (x_{ijk} - m_{ij.})^2}{cl(n-1)}$$

Un exemple clarifiera ces derniers développements techniques. Nous utiliserons les données du tableau 5.11. Dans ce cas, $c=4$, $l=3$, $n=2$. Les résultats de l'analyse de la variance se trouvent au tableau 5.13.

Il appert que les effets dus aux colonnes (V.I.1) et aux lignes (V.I.2) donnent des résultats statistiquement significatifs, comme avec les données du tableau 5.6. C'est-à-dire que la différence entre les moyennes $m_{.j.}$ (resp. $m_{i..}$) est considérée statistiquement significative. Mais il y a plus. Le test sur l'effet combiné montre que l'interaction est aussi significative. Ainsi non seulement y a-t-il une différence entre les méthodes d'enseignement et une différence entre les types d'élèves, mais les résultats confirment que le fait de jumeler un type d'élèves précis à une méthode d'enseignement particulière peut donner lieu à une attitude exagérément distincte des autres. Un cas d'espèce est le type T_2 jumelé à la méthode M_3 (tableau 5.11) : l'attitude envers les mathématiques est beaucoup plus positive ici que dans tous les autres cas.

TABLEAU 5.13

Analyse de la variance à deux dimensions des données du tableau 5.11

SOURCE	S.C.	D.L.	C.M.	F
V.I.1 (Méthode)	3792,34	3	1264,11	400,03*
V.I.2 (Type)	1190,59	2	595,30	188,39*
Interaction	622,42	6	103,74	32,83*
Erreur	37,93	12	3,16	
Total	5643,28	23		

Les trois tests F donnent des résultats statistiquement significatifs au seuil $\alpha = 0,01$.

Représentation graphique de l'interaction

Afin de mieux saisir ce concept d'interaction et pouvoir interpréter correctement ce qui se passe, il convient de l'illustrer de façon graphique. Le tableau 5.14 montre deux variables indépendantes où $c=4$, $l=3$, $n=2$. Chacune des douze cellules contient les deux données associées et la moyenne $m_{ij.}$ de ces deux données dans le coin supérieur droit. Il est facile de vérifier que ces deux variables sont sans interaction. En effet, tous les termes $(m_{ij.} - m_{i..} - m_{.j.} + m_{...})$ de la S.C.I. sont nuls. Par exemple, pour $i=1$, $j=1$, $2-5-12+15=0$ et pour $i=3$, $j=4$, $26-25-16+15=0$. Donc CMI $= 0$, et il n'y a aucune interaction. D'ailleurs, on voit bien que la différence entre les moyennes $m_{ij.}$ des cellules de n'importe quels deux niveaux d'une variable indépendante reste constante d'un niveau à l'autre de la seconde variable indépendante. Par exemple, $4-2 = 14-12 = 24-22 = 2$ ou encore $12-2 = 14-4 = 18-8 = 16-6 = 10$. Le graphe 5.3 montre comment sont représentées les deux variables sans interaction du tableau 5.14.

En abscisse, on retrouve les quatre niveaux de la première variable indépendante (V.I.1) et en ordonnée, les moyennes $m_{ij.}$ des cellules. On voit que le fait d'être sans interaction s'illustre par le parallélisme des trois courbes. Chacune de ces courbes correspond d'ailleurs à un niveau de la seconde variable indépendante (V.I.2). Il est clair que le parallélisme observé ici correspond aux différences constantes entre les $m_{ij.}$ d'un niveau à l'autre que nous avons déjà remarquées.

TABLEAU 5.14
Deux variables indépendantes sans interaction ($n = 2$)

V.I.1 / V.I.2	1		2		3		4		m
1	1 3	2	1 7	4	3 13	8	5 7	6	5
2	10 14	12	12 16	14	14 22	18	18 14	16	15
3	18 26	22	20 28	24	28 28	28	29 23	26	25
m	12		14		18		16		15

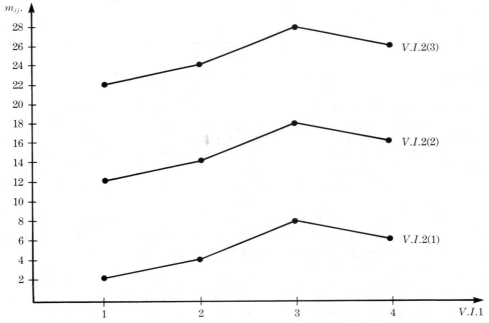

GRAPHE 5.3 : Les variables indépendantes $V.I.1$ et $V.I.2$ ne sont pas en interaction.

Le graphe 5.4 représente les données du tableau 5.11. L'effet d'interaction trouvé plus haut (voir tableau 5.13) est illustré par le manque de parallélisme entre les trois courbes. Cette façon visuelle de représenter les données ne remplace pas

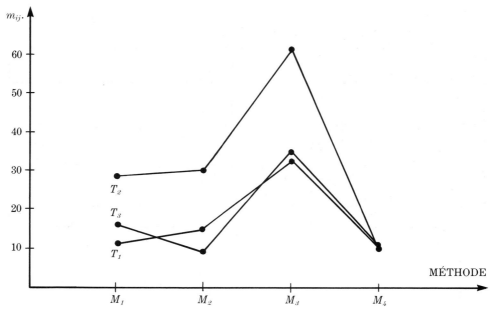

GRAPHE 5.4 : Les variables « type » et « méthode » sont en interaction.

l'analyse de la variance formelle, mais elle donne une indication quant aux possibilités d'interaction lors de la phase d'exploration des données préalable à l'analyse confirmatoire et permet une interprétation réfléchie du test d'hypothèse dans le cas où ce dernier se montre significatif. Rappelons, encore une fois, que même au cours d'une analyse confirmatoire, il est bon de garder à chaque moment une attitude exploratoire. Les résultats de l'analyse ne peuvent qu'en sortir grandement enrichis.

Lorsque le test sur l'effet d'interaction donne un verdict significatif, il faut interpréter avec grande prudence les effets principaux dus aux colonnes ou aux lignes. Le recours aux représentations graphiques s'avère particulièrement important dans ce cas. Par exemple, nous avons vu au tableau 5.13 qu'il y avait une différence significative d'attitude entre les types d'élèves. Or, si l'on se reporte au graphe 5.4, on constate qu'il faut nuancer un peu ce résultat. En effet, si la différence est très grande au niveau de la méthode M_3, elle paraît vraiment infime au niveau de la méthode M_4. Kirk [1982, p. 365] suggère alors d'effectuer des tests sur les effets simples, c'est-à-dire sur les différences entre les niveaux d'une variable indépendante par rapport à un seul niveau de l'autre variable indépendante. Il est plus que probable par exemple qu'un test entre les niveaux T_1, T_2 et T_3 donnerait un verdict significatif au niveau M_3, mais non au niveau M_4. Le lecteur intéressé aux tests sur les effets simples est invité à consulter Kirk [1982].

Comme nous avons pu le constater, la présentation du modèle à deux dimensions de l'analyse de la variance a permis l'introduction de concepts fort importants comme l'interaction et le nombre (n) de répétitions des observations dans chaque cellule.

Cette présentation a eu l'avantage également d'illustrer comment se fait la généralisation à deux dimensions de l'analyse de la variance. La procédure de généralisation à trois dimensions ou plus est analogue, bien que plus complexe. Le lecteur intéressé trouvera plusieurs ouvrages donnant les détails techniques de ces analyses (Ferguson [1976], Montgomery [1976], Kirk [1982], Winer [1971]).

Enfin, les diverses analyses effectuées à partir d'un exemple (tableau 5.6) nous ont reconfirmé l'extrême importance d'une définition adéquate du plan de la recherche avant la cueillette et donc avant l'analyse des données.

Ainsi, le chercheur n'a d'autre choix que de recueillir plusieurs observations par cellule s'il veut évaluer l'interaction entre deux variables indépendantes.

5.7 LES MODÈLES FIXE, ALÉATOIRE ET MIXTE

Lors d'une analyse de la variance, il importe de connaître le degré de généralisation que nous voudrions donner aux niveaux des diverses variables indépendantes en jeu. Les niveaux des variables choisies pour l'analyse peuvent être les seuls qui nous intéressent, dans lequel cas nous aurons un modèle *fixe*. Par contre, nous pouvons considérer les niveaux des variables comme ayant été échantillonnés à partir d'une population de niveaux. Nous parlerons alors de modèle *aléatoire*. Le modèle *mixte*, enfin, constitue un mélange des deux premiers : les niveaux d'au moins une variable indépendante sont fixes et les niveaux d'au moins une variable indépendante sont échantillonnés à partir d'une population de niveaux.

L'exemple décrit au cours de la section précédente et qui concerne l'attitude des élèves face aux mathématiques en fonction de la méthode d'enseignement et du type d'élèves illustrera l'importance du choix d'un modèle adéquat. Nous avions choisi quatre méthodes et trois types d'élèves. Nous devons décider, avant d'entreprendre l'analyse, si l'étude porte sur ces seules quatre méthodes et sur ces seuls trois types. Si c'est le cas, nous avons affaire à un modèle fixe. Tous les niveaux des variables indépendantes sont considérés comme fixes et ce sont sur eux et seulement eux que portera l'analyse. Plaçons-nous maintenant dans une situation fort distincte. Imaginons que trois juges observent simultanément les comportements de quatre enseignants. Nous établirons deux variables indépendantes, la variable « juge » et la variable « enseignant », et une variable dépendante, les fréquences de comportement. Dans ce cas, il est possible de faire porter l'étude sur une population de juges dont sont issus les trois choisis et une population d'enseignants dont proviennent les quatre choisis. Le modèle est donc *aléatoire*. D'un autre côté, si l'étude porte sur la population d'enseignants mais sur les trois juges seulement, ou encore sur les quatre enseignants seulement mais sur une population de juges, nous avons un modèle *mixte*.

Lors d'un test d'hypothèse, le choix d'un modèle est capital puisqu'il détermine les termes à utiliser pour construire le rapport F. Afin d'expliquer ce phénomène, il convient d'examiner les paramètres estimés par les divers carrés moyens, un peu comme nous l'avons fait en 5.2. Nous utiliserons le cas de l'analyse de la variance à deux dimensions avec «n» observations par cellule. Commençons par écrire une donnée quelconque x_{ijk} d'une cellule de la façon suivante :

$$x_{ijk} = m_{..} + a_j + b_i + ab_{ij} + e_{ijk},$$

où $a_j = (m_{.j.} - m_{...})$ représente l'effet dû à V.I.1,

   $b_i = (m_{i..} - m_{...})$ l'effet dû à V.I.2,

   $ab_{ij} = (m_{ij.} - m_{i..} - m_{.j.} + m_{...})$ l'effet d'interaction,

   $e_{ijk} = (x_{ijk} - m_{ij.})$ l'erreur, et $m_{...}$ la moyenne générale. On peut vérifier que la somme des cinq termes ainsi définis (qui sont en fait des estimés) est bien égale à x_{ijk}.

Supposons, d'autre part, que les c niveaux de V.I.1 ont été échantillonnés aléatoirement d'une population de C niveaux et que les l niveaux de V.I.2 ont été échantillonnés aléatoirement d'une population de L niveaux.

Dans ces conditions, en notant V_a, V_b, V_{ab} et V_e les variances de population de a_j, b_i, $(ab)_{ij}$ et e_{ijk}, il peut être montré (Wilk et Kempthorne [1955]) que les divers carrés moyens estiment les paramètres illustrés au tableau 5.15.

TABLEAU 5.15

Paramètres estimés par les carrés moyens pour une analyse de la variance à deux dimensions (*n* observations par cellule)

Carré moyen	Paramètre estimé
C.M.V.I.1	$V_e + n \dfrac{(L-l)}{L} V_{ab} + nlV_a$
C.M.V.I.2	$V_e + n \dfrac{(C-c)}{C} V_{ab} + ncV_b$
C.M.I.	$V_e + nV_{ab}$
C.M.E.	V_e

À l'aide de ce résultat, nous trouverons les rapports F nécessaires aux divers tests d'hypothèse pour les trois modèles. Souvenons-nous d'abord qu'en 5.2, pour construire un rapport F, nous avons suivi la règle suivante : le paramètre estimé par le carré moyen situé au numérateur du rapport F est égal au paramètre estimé par le carré moyen au dénominateur plus un terme relatif à l'effet testé.

Par exemple, nous avons vu en 5.2 que pour l'analyse de la variance à une dimension, $F = \dfrac{\text{C.M. INTER}}{\text{C.M. INTRA}}$, où le paramètre estimé par le C.M. INTRA est V et le paramètre estimé par le C.M. INTER est

$$V + \sum_{i=1}^{k} \frac{(M_i - M)^2}{(k-1)} \left(\frac{n - \sum_{i=1}^{k} \left(\frac{n_i^2}{n} \right)}{k-1} \right).$$

On remarque que le terme de droite de cette somme varie en fonction de l'effet testé, soit la différence entre les moyennes M_i.

Revenons maintenant au cas de l'analyse de la variance à deux dimensions. Si l'on suppose le modèle fixe, aucun échantillonnage n'est requis et $c = C$, $l = L$.

Ainsi, comme on peut le voir au tableau 5.16 et en se servant des résultats du tableau 5.15, le paramètre estimé de C.M.V.I.1 devient $V_e + nlV_a$ et le paramètre estimé par C.M.V.I.2 devient $V_e + ncV_b$.

Les rapports F présentés dans la dernière colonne du tableau 5.16 découlent de ce dernier résultat et de la règle énoncée antérieurement. Par exemple, pour tester l'effet dû à V.I.1, le rapport F est $\dfrac{\text{C.M.V.I.1}}{\text{C.M.E.}}$ parce que C.M.V.I.1 estime $V_e + nlV_a$, C.M.E. estime V_e et V_a est la variance de population des $a_j = (m_{.j.} - m_{...})$ qui représente l'effet dû à V.I.1.

L'analyse de la variance que l'on retrouve au tableau 5.13 est un bon exemple de ce que l'on obtient en employant le modèle fixe.

Supposons maintenant le modèle aléatoire où les l niveaux (resp. c niveaux) proviennent d'une population de L niveaux (resp. C niveaux). Dans ce cas, le terme $\dfrac{(L-l)}{L} = \dfrac{L}{L} - \dfrac{l}{L} = 1 - \dfrac{l}{L}$ tend vers 1, puisque L est supposé beaucoup plus grand que l. Le rapport $\dfrac{l}{L}$ tend donc vers zéro. De même, le terme $\dfrac{C-c}{C}$ tend vers 1. La teneur des paramètres estimés du tableau 5.17 (modèle aléatoire) provient donc des résultats du tableau 5.15 où $\dfrac{L-l}{L} = \dfrac{C-c}{C} = 1$.

Si par ailleurs nous suivons notre règle de construction des rapports F, on remarque que le carré moyen du dénominateur dans le cas des variables V.I.1 et V.I.2 doit être C.M.I. Dans le cas de l'interaction, le carré moyen du dénominateur doit être C.M.E. On obtient donc, pour le modèle aléatoire, un résultat différent de celui obtenu pour le modèle fixe.

Le tableau 5.18 donne, pour compléter cette présentation, les paramètres estimés et les rapports F d'un modèle mixte où V.I.1 est considérée aléatoire et V.I.2 fixe.

Dans ce cas, $\dfrac{C-c}{C} = 1$ et $\dfrac{L-l}{L} = 0$.

TABLEAU 5.16

Paramètres estimés et rapports F pour le modèle fixe d'une analyse de la variance à deux dimensions (n observations par cellule)

Carré moyen	Paramètre estimé	Rapport F
C.M.V.I.1	$V_e + nlV_a$	$\dfrac{\text{C.M.V.I.1}}{\text{C.M.E.}}$
C.M.V.I.2	$V_e + ncV_b$	$\dfrac{\text{C.M.V.I.2}}{\text{C.M.E.}}$
C.M.I.	$V_e + nV_{ab}$	$\dfrac{\text{C.M.I.}}{\text{C.M.E.}}$
C.M.E.	V_e	

TABLEAU 5.17

Paramètres estimés et rapports F pour le modèle aléatoire d'une analyse de la variance à deux dimensions (n observations par cellule)

Carré moyen	Paramètre estimé	Rapport F
C.M.V.I.1	$V_e + nV_{ab} + nlV_a$	$\dfrac{\text{C.M.V.I.1}}{\text{C.M.I.}}$
C.M.V.I.2	$V_e + nV_{ab} + ncV_b$	$\dfrac{\text{C.M.V.I.2}}{\text{C.M.I.}}$
C.M.I.	$V_e + nV_{ab}$	$\dfrac{\text{C.M.I.}}{\text{C.M.E.}}$
C.M.E.	V_e	

Paramètres estimés et rapports F pour le modèle mixte (V.I.1 aléatoire, V.I.2 fixe) d'une analyse de la variance à deux dimensions (n observations par cellule)

Carré moyen	Paramètre estimé	Rapport F
C.M.V.I.1	$V_e + nlV_a$	$\dfrac{\text{C.M.V.I.1}}{\text{C.M.E.}}$
C.M.V.I.2	$V_e + nV_{ab} + ncV_b$	$\dfrac{\text{C.M.V.I.2}}{\text{C.M.I.}}$
C.M.I.	$V_e + nV_{ab}$	$\dfrac{\text{C.M.I.}}{\text{C.M.E.}}$
C.M.E.	V_e	

Appliquons le modèle fixe aux données du tableau 5.11. Il est bien justifiable en effet de considérer les méthodes (V.I.1) et les types d'élèves (V.I.2) comme déterminés, fixes.

Dans ce cas, les sommes des carrés, les degrés de liberté, les carrés moyens et les rapports F seront identiques à ceux trouvés au tableau 5.13, c'est-à-dire que l'effet dû à V.I.1, l'effet dû à V.I.2 et l'effet d'interaction seront tous significatifs.

Imaginons d'autre part, comme nous l'avons fait au début de cette section, que V.I.1 correspond à la variable «enseignant» et V.I.2 à la variable «juge». Le modèle aléatoire est alors plus justifiable dans ce cas. Si, de plus, nous utilisons les mêmes données que celles du tableau 5.11, nous obtiendrons les mêmes carrés moyens que ceux du tableau 5.13. Par contre, les rapports F relatifs à V.I.1 et à V.I.2 seront bien inférieurs à ceux trouvés pour le modèle fixe. En effet, d'après le tableau 5.17, pour le modèle aléatoire, le rapport F relatif à V.I.1 est égal à $\dfrac{1264{,}4}{103{,}74} = 12{,}19$ et le rapport relatif à V.I.2 est égal à $\dfrac{595{,}30}{103{,}74} = 5{,}74$. Bien plus encore, ce dernier rapport n'est même plus significatif (au seuil $\alpha = 0{,}01$).

Cet exemple montre à quel point il importe de choisir adéquatement parmi les modèles fixe, aléatoire ou mixte d'analyse de la variance. Comme nous l'avons déjà dit, ce choix dépend du degré de généralisation que nous voulons effectuer sur les niveaux des variables indépendantes en jeu.

Si l'on choisit le modèle fixe, les résultats de l'analyse auront une portée limitée aux seuls niveaux choisis. En contrepartie, on pourra plus facilement rejeter l'hypothèse nulle relative à V.I.1 ou celle relative à V.I.2 à un seuil de signification donné que si le modèle aléatoire est utilisé. La raison étant, comme on a d'ailleurs pu le constater ici empiriquement, que le carré moyen dû à l'interaction (C.M.I.) sera généralement plus grand que le carré moyen dû à l'erreur (C.M.E.). Donc les rapports F relatifs à V.I.1 et V.I.2 utilisés pour le modèle fixe seront généralement plus grands que les rapports F utilisés pour le modèle aléatoire.

Pour un traitement plus détaillé et aussi plus technique des modèles d'analyse de la variance, le lecteur est référé à Hays [1973], Snedecor et Cochran [1980], ou Montgomery [1976].

5.8 LES COMPOSANTES DE VARIANCE

Traditionnellement, l'analyse de la variance mène au calcul du rapport F de carrés moyens employé dans les tests d'hypothèse. Or il est possible d'utiliser les carrés moyens à d'autres fins. Par exemple, la construction de tests diagnostiques (Scallon [1981, p. 33]) et les études de généralisabilité (Bertrand et Leclerc [1984], Cardinet et Tourneur [1985]) utilisent surtout les valeurs des composantes de variance comme V_a, V_b, V_{ab} ou V_e définies au cours de la section précédente. La composante V_a, entre autres, détermine la part de la variance totale spécifique à $a_j = (m_{.j.} - m_{...})$, l'effet dû à V.I.1.

Il est capital de bien faire la distinction entre le (paramètre estimé par le) carré moyen d'un effet quelconque et la composante de variance correspondante. Il s'agit là de deux concepts différents que l'on a parfois tendance à confondre car ils sont intimement liés l'un à l'autre, comme nous le verrons. Afin d'y parvenir nous considérerons le modèle aléatoire d'une analyse de la variance à deux dimensions avec une seule observation par cellule (c.-à-d. $n = 1$). À l'aide du tableau 5.17, nous avons obtenu le paramètre estimé pour chacun des carrés moyens. Les résultats se trouvent au tableau 5.19. Comme $n = 1$, le carré moyen dû à l'interaction C.M.I. est supposé confondu au carré moyen dû à l'erreur C.M.E. À toutes fins pratiques, ceci revient à éliminer du tableau 5.17 la ligne C.M.E., soit V_e; puis à éliminer tous les termes notés V_e; et enfin à reformuler C.M.I. comme C.M.E. et V_{ab} comme V_e, en n'oubliant pas que $n = 1$ partout.

Il reste donc trois termes: C.M.V.I.1, C.M.V.I.2 et C.M.E. Le tableau 5.19 montre que le paramètre estimé par chacun des carrés moyens C.M.V.I.1 et C.M.V.I.2 est la somme pondérée de deux composantes de variance. Par exemple la composante V_a, spécifique à a_j, l'effet dû à V.I.1, ne constitue qu'une partie du paramètre estimé par C.M.V.I.1.

Comme les composantes de variance sont positives, théoriquement du moins, il s'ensuit que V_a est plus petite que le terme $V_e + lV_a$, égal au paramètre estimé par C.M.V.I.1.

TABLEAU 5.19

Paramètres estimés pour le modèle aléatoire d'une analyse de la variance à deux dimensions ($n = 1$)

Carré moyen	Paramètre estimé
C.M.V.I.1	$V_e + lV_a$
C.M.V.I.2	$V_e + cV_b$
C.M.E.	V_e

Il est possible de représenter graphiquement ces notions en employant des diagrammes de Venn. La figure 5.1 illustre ce que nous obtenons. Le cercle de gauche représente l'effet dû à V.I.1 et le cercle de droite, l'effet dû à V.I.2. L'intersection entre les deux cercles représente l'effet d'interaction (confondu avec l'erreur). On peut alors illustrer le paramètre estimé par chacun des carrés moyens à l'aide des surfaces suivantes (Figure 5.2): pour V.I.1, il s'agit de la surface du cercle de gauche; pour V.I.2, la surface du cercle de droite; et pour l'interaction (confondue avec l'erreur), la surface commune aux deux cercles, soit l'intersection des cercles.

FIGURE 5.1 : Représentation graphique par diagrammes de Venn des termes principaux d'une analyse de la variance à deux dimensions ($n = 1$).

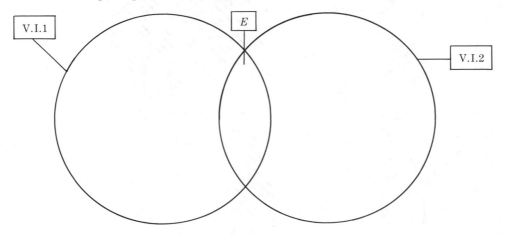

Les diverses composantes de variance sont représentées à la figure 5.3. Si l'on compare cette figure à la figure 5.2, on constate que les représentations graphiques sont en tous points conformes aux résultats du tableau 5.19.

Figure 5.2: Représentation graphique à l'aide de diagrammes de Venn des paramètres estimés par les carrés moyens.

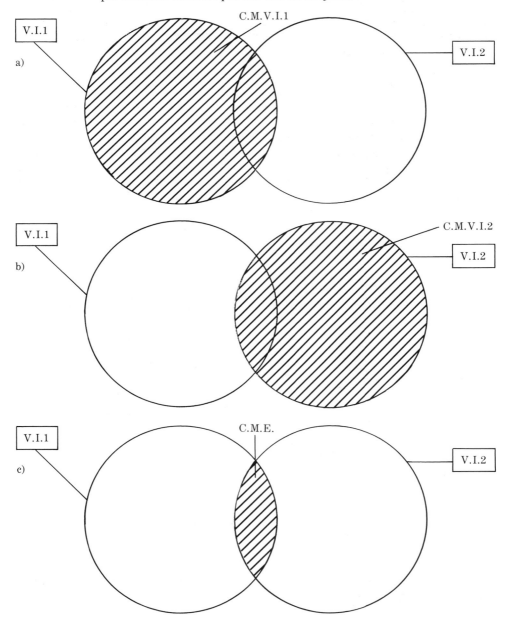

Le paramètre estimé par C.M.V.I.1, par exemple, est constitué graphiquement de deux composantes : une est fonction de V_a, et l'autre de V_e. On *voit* bien en l'occurrence que la composante V_a ne comprend qu'une partie du cercle qui représente le paramètre estimé par C.M.V.I.1. Des constats semblables pourraient être faits pour le paramètre estimé par C.M.V.I.2 et la composante de variance V_b. Par ailleurs, le paramètre estimé par C.M.E. coïncide avec la composante de variance V_e.

Une fois établie clairement la relation entre « paramètre estimé par le carré moyen » et « composante de variance », il est possible de mettre de l'avant des algorithmes de calcul des estimés des composantes de variance. Notons par v_a, v_b et v_e respectivement les estimés de V_a, V_b et V_e.

Comme le paramètre estimé par C.M.V.I.1 est $V_e + lV_a$, il est naturel de postuler l'équation

$$\text{C.M.V.I.1} = v_e + lv_a$$

FIGURE 5.3 :   Représentation graphique par diagrammes de Venn des composantes de variance.

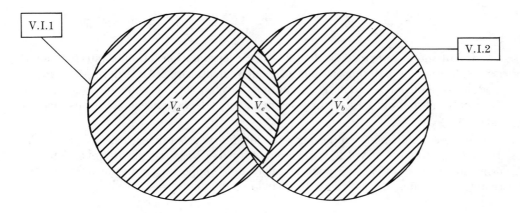

À l'aide du tableau 5.19, on peut aussi postuler que

$$\text{C.M.V.I.2} = v_e + cv_b$$
et $$\text{C.M.E.} = v_e.$$

Puisque les estimés des composantes de variance sont les inconnus, les carrés moyens étant donnés par le tableau usuel d'analyse de la variance, nous reformulons ces équations de la façon suivante :

$$v_e = \text{C.M.E.}$$

$$v_a = \frac{\text{C.M.V.I.1} - \text{C.M.E.}}{l}$$

$$v_b = \frac{\text{C.M.V.I.2} - \text{C.M.E.}}{c}$$

Il est possible, avec cette formulation, d'obtenir les estimés des composantes de variance à partir des carrés moyens.

Les données du tableau 5.6 permettent de concrétiser cette procédure. Le tableau 5.10 d'analyse de la variance de ces données montre que

$$\text{C.M.V.I.1} = 662$$
$$\text{C.M.V.I.2} = 364$$
$$\text{C.M.E.} \quad = \ \ 52.$$

Supposant le modèle aléatoire, c'est-à-dire le cas où V.I.1 est la variable « enseignant » et V.I.2, la variable « juge », comme indiqué à la section précédente, on a :

$$v_a = \frac{662 - 52}{3} = 203{,}33, \ v_b = \frac{364 - 52}{4} = 78, \ v_e = \text{CME} = 52.$$

Il faut supposer le modèle aléatoire ici car les équations établies plus haut sont issues du tableau 5.19 qui postule un modèle aléatoire. Si l'on suppose un autre modèle (fixe ou mixte), d'autres équations devront être établies et des valeurs différentes seront obtenues pour les composantes de variance à partir des *mêmes* carrés moyens.

Si par exemple nous supposons le modèle fixe (c'est-à-dire le cas où V.I.1 est la variable « méthode » et V.I.2, la variable « type d'élèves », tel que défini en 5.6), en utilisant la même stratégie pour le calcul des composantes de variance, et les résultats modifiés[7] du tableau 5.16 pour le modèle où $n = 1$,

$$v_a = \frac{\text{C.M.V.I.1}}{l}$$

$$v_b = \frac{\text{C.M.V.I.2}}{c}$$

$$v_e = \text{C.M.E.}$$

---

7   Comme nous l'avons montré ci-dessus, ces modifications consistent à éliminer la ligne C.M.E. ainsi que tous les termes V_e et à reformuler C.M.I. comme C.M.E., et V_{ab} comme V_e.

Les carrés moyens du tableau 5.10 nous donnent donc dans ce cas-ci

$$v_a = \frac{662}{3} = 220{,}67, \; v_b = \frac{364}{4} = 91, \; v_e = \text{CME} = 52.$$

Avant de présenter un exemple complet qui illustre l'utilisation que l'on peut faire des composantes de variance, nous devons distinguer les deux types de plans d'observation employés en analyse de la variance : le plan croisé et le plan niché.

5.9 PLAN CROISÉ ET PLAN NICHÉ

Les données que nous avons étudiées jusqu'à présent concernant l'analyse de la variance à deux dimensions (ex. : tableau 5.6, tableau 5.11) ont été recueillies selon un plan d'observation dit « croisé ». C'est-à-dire qu'à chaque niveau d'une première variable indépendante correspondent des données pour tous les niveaux de la seconde variable indépendante. Ce type de plan d'observation nous permet de vérifier, lorsque $n > 1$, si un effet d'interaction est présent ou non. Cependant, il n'est pas toujours possible ni même utile d'employer un plan croisé.

Il peut arriver qu'à chaque niveau d'une première variable indépendante correspondent des données pour une partie seulement des niveaux de la seconde variable indépendante. On dit alors que l'on a un plan niché : la seconde variable est nichée sous la première. Le tableau 5.20 montre la distinction entre ces deux plans pour deux variables indépendantes l'une à « c » niveaux, et l'autre à « l » niveaux. La figure 5.4 illustre graphiquement cette différence.

À titre d'exemple bien concret, considérons un groupe de cinq élèves aux prises avec dix problèmes de mathématiques. Si chacun des cinq élèves doit effectuer les dix problèmes, nous avons un plan croisé (tableau 5.21a). Si par contre chacun des élèves effectue deux des dix problèmes, nous avons un plan niché (tableau 5.21b).

Il existe une différence importante entre ces plans lorsque l'on veut entreprendre une analyse de la variance. Puisque, dans un plan niché, les niveaux de la seconde variable indépendante varient d'un niveau à l'autre de la première variable indépendante (tableau 5.20b), il n'est pas possible d'isoler un terme d'interaction entre les deux variables. L'interaction est alors confondue avec l'effet de V.I.2, puisque cette variable se trouve nichée sous V.I.1. La décomposition de la variance totale pour un plan niché comprend donc un terme de moins que pour un plan croisé. À l'aide des notations du tableau 5.22 en effet, il peut être montré que (Ferguson [1976, p. 327]) la décomposition de la somme des carrés totale donne :

$$\sum_{i=1}^{c} \sum_{j=1}^{l} \sum_{k=1}^{n} (x_{ijk} - m_{...})^2 = nl \sum_{i=1}^{c} (m_{i..} - m_{...})^2 + n \sum_{i=1}^{c} \sum_{j=1}^{l} (m_{ij.} - m_{i..})^2$$

$$+ \sum_{i=1}^{c} \sum_{j=1}^{l} \sum_{k=1}^{n} (x_{ijk} - m_{ij.})^2$$

où le premier terme du côté droit de cette équation représente l'effet dû à V.I.1, le deuxième terme l'effet confondu de V.I.2 et de l'interaction, et le troisième terme, l'erreur.

Pour les degrés de liberté, on obtient:

TOTAL   V.I.1   V.I.2   erreur
                                        (nichée sous V.I.1)
$$ncl - 1 = (c-1) + c(l-1) + cl(n-1).$$

Les carrés moyens sont obtenus de la façon habituelle en divisant les sommes de carrés par les degrés de liberté correspondants.

TABLEAU 5.20

Plan croisé et plan niché (deux variables indépendantes)

a) Plan croisé

V.I.1 / V.I.2	1	2	3	—	—	—	c
1	X	X	X	—	—	—	X
2	X	X	X	—	—	—	X
3	X	X	X	—	—	—	X
.	.	.				.	
.	.	.				.	
.	.	.				.	
l	X	X	X	—	—	—	X

b) Plan niché

V.I.1	1	2	3	— — —	c
V.I.2	1 2 3	4 5 6	7 8 9		l-2 l-1 l
	X X X	X X X	X X X		X X X

FIGURE 5.4:   Représentation graphique par diagrammes de Venn de la
distinction entre plan croisé et plan niché

a) Plan croisé

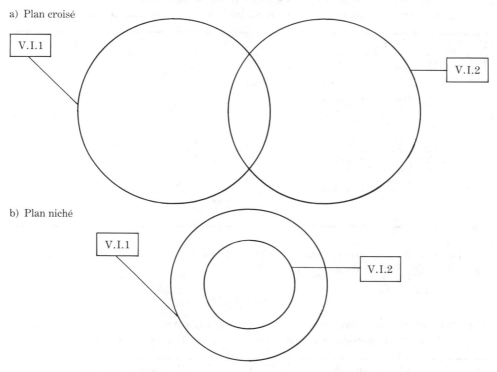

b) Plan niché

TABLEAU 5.21

**Résultats de cinq élèves effectuant dix problèmes selon un plan croisé (a)
ou un plan niché (b)**

a)

Élèves Problèmes	E_1	E_2	E_3	E_4	E_5
P_1					
P_2					
.					
.					
P_{10}					

b)

E_1	E_2	E_3	E_4	E_5
P_1 P_2	P_3 P_4	P_5 P_6	P_7 P_8	P_9 P_{10}

TABLEAU 5.22

**Répartition des données en vue d'une analyse de la variance
à deux dimensions pour un plan niché avec *n* observations par cellule**

V.I.1	1			2				c		
V.I.2	11 12 ... 1l			21 22 ... 2l			....	c1 c2 ... cl		
	x_{111} x_{121} ... x_{1l1}			x_{211} x_{221} ... x_{2l1}				x_{c11} x_{c21} ... x_{cl1}		
	x_{112} x_{122} ... x_{1l2}			x_{212} x_{222} ... x_{2l2}				x_{c12} x_{c22} ... x_{cl2}		
	. . .			. . .				. . .		
	. . .			. . .				. . .		
	x_{11n} x_{12n} ... x_{1ln}			x_{21n} x_{22n} ... x_{2ln}		...		x_{c1n} x_{c2n} ... x_{cln}		
	$m_{11.}$ $m_{12.}$ ... $m_{1l.}$			$m_{21.}$ $m_{22.}$ ... $m_{2l.}$				$m_{c1.}$ $m_{c2.}$ ... $m_{cl.}$		
	$m_{1..}$			$m_{2..}$				$m_{c..}$		
				$m_{...}$						

Les paramètres estimés par les carrés moyens pour un plan niché sont donnés au tableau 5.23 (voir Winer [1971, p. 360]).

TABLEAU 5.23

**Paramètres estimés par les carrés moyens pour une analyse de la variance à
deux dimensions (plan niché, *n* observations par cellule)**

Carré moyen	Paramètre estimé
C.M.V.I.1	$V_e + n\,\dfrac{(L-l)}{L}\,V_b + nlV_a$
C.M.V.I.2	$V_e + nV_b$
C.M.E.	V_e

Si l'on suppose un modèle fixe par exemple, le paramètre estimé par C.M.V.I.1 devient $V_e + nlV_a$, et afin de tester l'effet de V.I.1, on utilise la statistique $F = \dfrac{\text{C.M.V.I.1}}{\text{C.M.E.}}$ avec $(c-1)$ et $cl(n-1)$ degrés de liberté.

Pour le test de l'effet V.I.2 (nichée sous V.I.1), on emploie $F = \dfrac{\text{C.M.V.I.2}}{\text{C.M.E.}}$ avec $c(l-1)$ et $cl(n-1)$ degrés de liberté.

Si l'on suppose un modèle mixte (V.I.1 fixe, V.I.2 aléatoire) ou un modèle aléatoire, le paramètre estimé par C.M.V.I.1 devient $V_e + nV_b + nlV_a$ et dans ce cas la statistique $F = \dfrac{\text{C.M.V.I.1}}{\text{C.M.V.I.2}}$ permet de tester l'effet de V.I.1. À noter: le test F pour V.I.2 ne change pas.

Nous donnerons maintenant un exemple qui illustrera non seulement la pertinence des plans nichés, mais aussi l'utilisation des composantes de variance.

Une équipe de recherche s'intéresse à l'efficacité de l'enseignement. Elle désire savoir si les comportements ou les pratiques des enseignants sont reliés au rendement scolaire de leurs élèves. Pour ce, il est essentiel d'obtenir des données relatives à ces pratiques qui soient fiables. On s'intéresse en particulier à la fiabilité du nombre de questions posées par un enseignant à ses élèves durant les cours de mathématiques.

Afin d'évaluer cette fiabilité, on décide d'observer dix enseignants de mathématiques à cinq occasions chacun.

Comme les dix enseignants sont situés dans des lieux physiques distincts, il n'est pas possible de les observer en même temps. Ainsi chaque groupe de cinq occasions d'observation sera distinct d'un enseignant à l'autre. C'est donc à un plan niché auquel nous avons affaire. Nous supposons également en outre que, pour ce type d'exemple, il est plus naturel d'employer un modèle aléatoire.

Le tableau 5.24 présente les données obtenues. On retrouve au tableau 5.25 les résultats de l'analyse des composantes de variance. Les sommes de carrés et les degrés de liberté ont été calculés à l'aide des formules données antérieurement où $n = 1$.

À savoir, pour les sommes de carrés,

TOTAL	Enseignants	Occasions

$$\sum_{i=1}^{c} \sum_{j=1}^{l} (x_{ij} - m_{..})^2 \;=\; l \sum_{i=1}^{c} (m_{i.} - m_{..})^2 \;+\; \sum_{i=1}^{c} \sum_{j=1}^{l} (x_{ij} - m_{i.})^2$$

et pour les degrés de liberté

$$cl - 1 \qquad = \qquad c - 1 \qquad + \qquad c(l-1).$$

Ainsi S.C. $_{\text{enseignants}} = 5 \sum_{i=1}^{10} (m_{i.} - m_{..})^2$ avec $10 - 1 = 9$ degrés de liberté,

S.C. $_{\text{occasions}} = \sum_{i=1}^{10} \sum_{j=1}^{5} (x_{ij} - m_{i.})^2$ avec $10(5-1) =$ 40 degrés de liberté.

Les carrés moyens se trouvent de la façon habituelle en divisant les sommes de carrés par les degrés de liberté respectifs. Les composantes de variance sont calculées en tenant compte du modèle aléatoire.

On peut les trouver à l'aide du tableau 5.23. Puisque $n = 1$, les termes C.M.E. et V_e disparaissent et puisque le modèle est aléatoire, $\dfrac{L-l}{L} = 1$. Ainsi le paramètre

estimé par C.M.V.I.1, qu'on note ici C.M. $_{\text{enseignants}}$, est égal à $V_b + lV_a$, ou encore à V $_{\text{occasions}} + 5V$ $_{\text{enseignants}}$. De même, le paramètre estimé par C.M.V.I.2, noté C.M. $_{\text{occasions}}$, est égal à V_b, soit V $_{\text{occasions}}$.

$$\text{Ainsi } \quad v_{\text{enseignants}} = \frac{\text{C.M. }_{\text{enseignants}} - \text{C.M. }_{\text{occasions}}}{5}$$

$$v_{\text{occasions}} \quad = \text{C.M. }_{\text{occasions}}$$

TABLEAU 5.24

Nombre de questions posées par dix enseignants à cinq occasions différentes

E_1						E_2						E_3			
0_{11}	0_{12}	0_{13}	0_{14}	0_{15}		0_{21}	0_{22}	0_{23}	0_{24}	0_{25}		0_{31}	0_{32}	0_{33}	0_{34}	0_{35}
47	35	58	60	42		45	29	38	22	33		62	59	48	56	60

E_4						E_5				
0_{41}	0_{42}	0_{43}	0_{44}	0_{45}		0_{51}	0_{52}	0_{53}	0_{54}	0_{55}
42	51	53	48	45		64	58	62	59	70

E_6						E_7						E_8			
0_{61}	0_{62}	0_{63}	0_{64}	0_{65}		0_{71}	0_{72}	0_{73}	0_{74}	0_{75}		0_{81}	0_{82}	0_{83}	0_{84}	0_{85}
45	60	58	42	50		45	39	45	32	38		26	32	30	28	29

E_9						E_{10}				
0_{91}	0_{92}	0_{93}	0_{94}	0_{95}		0_{101}	0_{102}	0_{103}	0_{104}	0_{105}
42	48	51	50	44		40	44	32	41	37

TABLEAU 5.25

Composantes de variance pour les données du tableau 5.24

Source	S.C.	D.L.	C.M.	Composante v
Enseignants	4834,48	9	537,16	99,56
Erreur = Occasions				
(nichées sous enseignants)	1574	40	39,35	39,35
TOTAL	6408,48	49		

Afin d'évaluer la fiabilité du nombre de questions des enseignants, l'équipe des chercheurs décide d'avoir recours à un indice connu sous le nom de coefficient de généralisabilité (Cronbach *et alii* [1972], Cardinet et Tourneur [1985]). Sa formule est dans notre cas :

$$\hat{\rho}_{ens.}^{2} = \frac{v_{ens.}}{v_{ens.} + \dfrac{1}{5}\, v_{occ.}}$$

Ce coefficient nous indique dans quelle mesure le nombre de questions des enseignants peut être observé de façon fiable et ce, quelles que soient les cinq occasions d'observation.

Les valeurs théoriques minimale et maximale de ce coefficient sont respectivement 0 et 1. On considère que les données recueillies sont fiables, généralement lorsque $\hat{\rho}^{2}$ dépasse le seuil de 0,70.

Selon la formule, plus la composante de variance due aux enseignants augmente par rapport à la composante de variance due aux occasions, plus la valeur du coefficient augmente, et donc plus les données ont des chances d'être fiables. Ce qui est évident, car il est mieux que le nombre de questions varie plus d'un enseignant à l'autre que d'une occasion à l'autre pour un même enseignant.

À l'aide des résultats du tableau 5.25, on voit que

$$\hat{\rho}_{ens}^{2} = \frac{99,56}{99,56 + \dfrac{39,35}{5}} = 0,93,$$

ce qui semble bien suffisant (le seuil étant 0,70) pour nous assurer que les données recueillies ici sont fiables.

Il est à remarquer que nous n'avons pas calculé de rapport F lors de ce dernier exemple. Le calcul des carrés moyens a servi d'autres fins : l'estimation des composantes de variance et d'un indice de fiabilité des données. Ainsi aucun test d'hypothèse n'a été effectué.

5.10 LES CONDITIONS D'APPLICATION

Dans les cas où l'analyse de la variance conduit à un test d'hypothèse, certaines conditions concernant la nature des données doivent être respectées.

Au cours de cette section, nous dresserons la liste de ces conditions, indiquerons comment les vérifier et soulignerons ce qu'il faut faire lorsqu'elles ne sont pas respectées.

Trois conditions de base doivent être respectées afin d'utiliser adéquatement l'analyse de la variance :

1) *Normalité* : les erreurs de chaque cellule proviennent d'une population normale avec $M = 0$,
2) *Homogénéité des variances* : la variance de population des erreurs est la même pour chaque cellule,
3) *Indépendance* : les erreurs sont indépendantes d'une cellule à l'autre tout comme à l'intérieur de chaque cellule.

Dans le cas du modèle fixe, ces conditions sont non seulement nécessaires, mais suffisantes.

Pour les modèles aléatoire et mixte, d'autres conditions particulières doivent être respectées, mais celles-ci requièrent des explications qui dépassent nettement le cadre de ce texte. Nous référons le lecteur intéressé à Kirk [1982] ou Hays [1973].

Au lieu de détailler ces trois conditions de base une à une, nous les concrétiserons à l'aide d'exemples simples. Mais auparavant, trois remarques s'imposent.

Primo, même si dans ce texte nous vérifions les conditions d'application *après* avoir effectué l'analyse de la variance (pour des raisons d'ordre pédagogique), il va de soi que *nous proposons* à l'utilisateur la vérification des conditions *avant* l'interprétation de l'analyse.

Secundo, toutes ces conditions ont été formulées en pensant à un modèle d'analyse de la variance à deux dimensions pour que la généralisation soit plus facile dans le cas de modèles plus complexes. Si l'on utilise une analyse à une dimension, on ne tient compte que d'une seule variable indépendante (V.I.1) et on remplace le terme « cellule » par « niveau ».

Tertio, il faut penser aux conditions d'application dès l'étape de formulation du plan de la recherche (chap. 1). En effet, les diverses conditions se rapportent à la normalité des populations, à l'homogénéité des variances ou encore à l'indépendance des données.

Si le nombre de données est très grand pour chaque cellule ou niveau, la condition de normalité peut être présumée d'après le théorème central limite (chap. 4). Il y a un problème seulement lorsque les populations ne sont manifestement pas normales et que le nombre de données est petit.

On peut montrer également que la condition d'homogénéité des variances est beaucoup moins nécessaire lorsqu'il y a un nombre égal de données par cellule (ou niveau).

Enfin, l'échantillonnage aléatoire et l'assignation aléatoire permettent d'assumer beaucoup plus facilement les conditions relatives à l'indépendance des données.

En résumé, s'il est question des conditions d'application dès la discussion du plan de la recherche, un chercheur aura tout au moins la possibilité de maximiser le nombre de données, d'égaliser ce nombre dans chaque cellule et de procéder par échantillonnage aléatoire et assignation aléatoire. Après la cueillette des données, il sera trop tard! S'il n'est pas possible pour lui d'utiliser toutes ces précautions à cause de contraintes financières par exemple, il pourra prévoir les vérifications appropriées dès la mise sur pied du plan de la recherche.

Voici donc un exemple qui nous montrera comment vérifier ces conditions dans un cas très simple.

Revenons au tableau 5.1 qui présente des données déjà analysées selon un modèle fixe à une dimension. On se demande si les conditions de base 1, 2 et 3 sont vérifiées.

Le graphe 5.5 illustre les distributions des erreurs des trois groupes G_1, G_2 et G_3 sous forme de diagrammes en feuilles. Rappelons que les erreurs e_{ij} sont estimées par $x_{ij} - m_i$: chaque donnée x_{ij} est soustraite de sa propre moyenne de groupe m_i.

Puisqu'il y a très peu de données pour chaque niveau, il est plus prudent de procéder à une vérification d'usage concernant la normalité des populations.

On voit que chacune de ces distributions a un seul sommet et semble, à l'oeil, symétrique. Il est bon cependant de calculer un *coefficient d'asymétrie*, noté $g_1 = \dfrac{\mathbf{m}_3}{(\mathbf{m}_2)^{3/2}}$, afin de quantifier cette caractéristique,

où $\mathbf{m}_3 = \displaystyle\sum_{j=1}^{n_i} \dfrac{(x_{ij} - m_i)^3}{n_i}$ et $\mathbf{m}_2 = \displaystyle\sum_{j=1}^{n_i} \dfrac{(x_{ij} - m_i)^2}{n_i}$, pour chaque i.

Rappelons que pour une distribution normale, on doit avoir $g_1 = 0$. Avec les données du tableau 5.1, on calcule facilement que g_1 est nul pour chacune des trois distributions, confirmant ainsi le fait qu'il n'y a pas d'asymétrie. De même, ces distributions ne semblent pas, à l'oeil, comporter d'extrémités trop longues (ou de valeurs aberrantes). Pourtant, il est prudent ici encore de calculer un *coefficient* dit *d'aplatissement* pour quantifier cette caractéristique. Ce coefficient est donné par

$$g_2 = \frac{\mathbf{m}_4}{\mathbf{m}_2^2} - 3 \text{ où } \mathbf{m}_4 = \sum_{j=1}^{n_i} \frac{(x_{ij} - m_i)^4}{n_i}, \text{ pour chaque } i.$$

On doit obtenir $g_2 = 0$ dans le cas d'une distribution normale centrée réduite. Or ici avec les données du tableau 5.1, les coefficients d'aplatissement des trois distributions se situent entre $-0,5$ et -1. Il y a donc un léger écart à la normalité. Mais comme cet écart est relativement faible et va dans le même sens (négatif) pour les trois distributions, alors selon Kirk [1982, p. 75], aucun problème n'est à craindre dans ce cas.

Ainsi, on peut affirmer, sans grand risque de se tromper sérieusement, que la condition de normalité peut être présumée satisfaite. Le lecteur intéressé à pousser plus loin l'analyse des coefficients d'asymétrie et d'aplatissement est invité à consulter Snedecor et Cochran [1980, p. 78].

G_1		G_2		G_3	
-3		-3		-3	
-2	X	-2		-2	X
-1	X	-1	X	-1	XX
0	XX	0	XXX	0	XX
1	X	1	X	1	XX
2	X	2		2	X
3		3		3	

$$n_1 = 6 \qquad n_2 = 5 \qquad n_3 = 8$$

$$m_1 = 3 \qquad m_2 = 9 \qquad m_3 = 4$$

$$v_1 = 2 \qquad v_2 = 0,5 \qquad v_3 = 1,71$$

GRAPHE 5.5: Diagrammes en feuilles des erreurs pour les données du tableau 5.1.

La condition 2 pose plus de problèmes. Les n_i sont distincts, et les v_i également. Faut-il en conclure que nous ne pouvons présumer l'homogénéité des variances? Certes non. Mais par prudence, il serait bon de vérifier cette homogénéité. Nous utiliserons pour ce faire un *test* dû à *Bartlett* (Snedecor et Cochran [1980, p. 252]).

La statistique

$$\chi^2 = \frac{2,3026[\Sigma(n_i-1)\log\left(\dfrac{(\Sigma(n_i-1)v_i)}{\Sigma(n_i-1)}\right) - \Sigma(n_i-1)\log v_i]}{1 + \dfrac{1}{3(k-1)}\left[\Sigma\dfrac{1}{(n_i-1)} - \dfrac{1}{\Sigma(n_i-1)}\right]},$$

qui suit une loi du khi-deux avec $(k-1)$ degrés de liberté, sera utilisée pour tester l'hypothèse (nulle) d'homogénéité des variances.

Il est préférable, dans ce genre de test, de minimiser β, la probabilité d'effectuer une erreur E_2: accepter H_0 alors qu'elle est fausse. Ceci permet un test plus conservateur. Afin de minimiser β, nous utiliserons un seuil α plus grand que d'habitude, puisque α varie de façon inversement proportionnelle à β. Choisissons $\alpha = 0,25$.

Si l'on suppose que l'indice i varie de 1 à k ($k=3$ dans notre cas), la valeur observée de χ^2 pour nos données devient

$$\chi_0^2 = \frac{2,3026[16\log\left(\dfrac{(10+2+12)}{16}\right) - (5\log2 + 4\log0,5 + 7\log1,71)]}{1 + \dfrac{1}{3(2)}\left[\left(\dfrac{1}{5} + \dfrac{1}{4} + \dfrac{1}{7}\right) - \dfrac{1}{16}\right]}$$

$$= \frac{2,3026\,[0,8855]}{1 + [0,0884]} = 1,87.$$

Comme la valeur critique χ_c^2, pour $\alpha = 0,25$ avec deux degrés de liberté est 2,77, nous ne pouvons rejeter l'hypothèse d'homogénéité des variances.

Ce qui nous donne suffisamment d'évidence en faveur de l'homogénéité et donc du respect de la condition 2.

Par ailleurs, nous supposerons que les élèves constituent un échantillon aléatoire et que les dix-neuf élèves ont été assignés aléatoirement à leur groupe afin de respecter la condition 3.

Ce premier exemple nous montre comment on peut vérifier les trois conditions de base d'un modèle fixe d'analyse de la variance.

Le second exemple ne concernera pas les conditions de base citées explicitement mais l'équation linéaire qui exprime chaque donnée en fonction de la moyenne, des différents effets et de l'erreur.

$$\boxed{\text{donnée}} = \boxed{\begin{array}{l}\text{moyenne}\\\text{générale}\end{array}} + \boxed{\text{somme des effets dus à} \left\{\begin{array}{l}\text{V.I.1}\\\text{V.I.2}\\\text{interaction}\end{array}\right.} + \boxed{\begin{array}{l}\text{terme}\\\text{d'erreur}\end{array}}$$

On a en effet supposé que chaque terme du côté droit de cette équation était additif. Un problème peut se poser avec le modèle fixe de l'analyse de la variance à deux dimensions où $n = 1$. Car alors on suppose que le terme d'interaction se confond avec le terme d'erreur. C'est-à-dire que ce sont seulement les effets dus à V.I.1 et à V.I.2 qui s'additionnent à la moyenne générale et au terme d'erreur.

Si l'on ne peut s'assurer de cette condition d'additivité, le paramètre estimé par le carré moyen de l'erreur risque d'être $V_e + V_{ab}$ au lieu de V_e. Ce qui sera gênant lorsque l'on voudra effectuer les tests d'hypothèse. Car comme le paramètre estimé par C.M.V.I.1 est $V_e + lV_a$ (tableau 5.16 où $n = 1$), le rapport F sera $\dfrac{\text{C.M.V.I.1}}{\text{C.M.E.}} = \dfrac{V_e + lV_a}{V_e + V_{ab}}$, qui sera inférieur à $\dfrac{V_e + lV_a}{V_e}$ quand $V_{ab} > 0$. Ceci ne causera pas de problème lorsque l'on conclura à une différence significative, puisque si $\dfrac{V_e + lV_a}{V_e + V_{ab}}$ est significativement plus grand que 1, a fortiori $\dfrac{V_e + lV_a}{V_e}$ le sera. Le problème demeure toujours cependant lorsque l'on ne peut conclure à une différence significative.

Il est possible d'employer un *test* dit *d'additivité*, dû à *Tukey* (Kirk [1982]), pour vérifier si V_{ab} est nul ou non. Nous utiliserons les données du tableau 5.6 pour appliquer ce test.

Le rapport F est égal à $\dfrac{\text{S.C. non add}/1}{\text{S.C. reste}/\text{D.L. reste}}$,

où S.C. non add. $= \dfrac{\left(\sum\limits_{i=1}^{l} \sum\limits_{j=1}^{c} x_{ij} d_i d_j \right)^2}{\left(\sum\limits_{i=1}^{l} d_i^2 \right) \left(\sum\limits_{j=1}^{c} d_j^2 \right)}$,

S.C. reste $=$ S.C.E. $-$ S.C. non add,

D.L. reste $=$ D.L.E. $- 1$,

et $d_i = m_{i.} - m_{..}$, $d_j = m_{.j} - m_{..}$ selon les notations du tableau 5.9. Comme pour le test d'homogénéité des variances, nous utiliserons ici $\alpha = 0{,}25$ afin de minimiser β.

On retrouve au tableau 5.26 les différents résultats des calculs nécessaires pour trouver le rapport F. La partie du haut de ce tableau donne les données brutes, les sommes et les moyennes de chaque ligne et de chaque colonne, ainsi que les différences d_i et d_j entre les moyennes de chaque ligne ou de chaque colonne et la moyenne générale. La partie du bas présente les produits $d_i d_j$.

TABLEAU 5.26

Calculs nécessaires au test d'additivité de Tukey pour les données du tableau 5.6

	E_1	E_2	E_3	E_4	Σ	m	d_i
Mathématiques	12	13	32	7	64	16	-6
Sciences	28	32	63	9	132	33	11
Français	17	9	34	8	68	17	-5
Σ	57	54	129	24	264		
m	19	18	43	8		22	
d_j	-3	-4	21	-14			

$(d_i d_j)$	E_1	E_2	E_3	E_4	
Mathématiques	18	24	-126	84	
Sciences	-33	-44	231	-154	
Français	15	20	-105	70	

Ainsi S.C. non add. $= \dfrac{[(12 \times 18) + (13 \times 24) + \ldots + (8 \times 70)]^2}{(36 + 121 + 25)(9 + 16 + 441 + 196)} = \dfrac{(5344)^2}{120484} = 237{,}03,$

S.C. reste $= 312 - 237{,}03 = 74{,}97$, d'après le tableau 5.10,

et D.L. reste $= 6 - 1 = 5$, d'après le tableau 5.10.

D'où $F = \dfrac{237{,}03}{74{,}97/5} = 15{,}81.$

Ce rapport dépasse largement la valeur critique de 1,69 pour $\alpha = 0{,}25$ avec 1 et 5 degrés de liberté.

On conclut alors que l'hypothèse d'additivité doit être rejetée. D'après le tableau 5.10, les deux tests d'hypothèse pour V.I.1 et V.I.2 sont significatifs. Le rejet de l'hypothèse d'additivité ne causera donc pas de problème d'interprétation.

Cependant, qu'arrive-t-il dans le cas où les tests d'hypothèses relatifs à V.I.1 et V.I.2 ne sont pas significatifs, mais que le test d'additivité est significatif?

Snedecor et Cochran [1980] et Kirk [1982] suggèrent de procéder à une transformation des données (chap. 3) en utilisant la fonction:

$$y = x^p, \text{ pour } p = 1 - \frac{\displaystyle\sum_{i=1}^{l} \sum_{j=1}^{c} x_{ij}\, d_i d_j \times m_{..}}{\left[\displaystyle\sum_{i=1}^{l} d_i^2\right]\left[\displaystyle\sum_{j=1}^{c} d_j^2\right]}.$$

Il est par ailleurs fort intéressant de constater que l'utilisation d'une transformation serait aussi le remède à utiliser en cas de transgression des conditions de normalité et d'homogénéité de la variance. Souvent, la même transformation pourra aplanir les difficultés relatives à l'ensemble des conditions d'application. La consultation d'un expert-analyste est cependant très fortement conseillée à ce stade de l'analyse.

Le but de cette section était de faire prendre conscience au futur utilisateur de l'analyse de la variance que cette méthode ne peut s'employer au bon gré de chacun. Plusieurs conditions doivent être remplies afin d'appliquer même le cas le plus simple. Parfois, il n'est pas vraiment possible de vérifier ces conditions. Elles devront alors être présumées vraies en prenant appui sur des études empiriques exploratoires ou des éléments théoriques quelconques. Comme les conditions d'application ne sont jamais vérifiées à la perfection mais plutôt approximativement, il est bon de retenir les points suivants avant de terminer.

Les conditions relatives à la normalité sont plus importantes pour le modèle aléatoire. Par ailleurs, la condition d'indépendance est capitale surtout pour le modèle fixe : il faut donc éviter d'utiliser, par exemple, des données répétées sur les mêmes individus lorsque l'on emploie ce modèle.

Enfin, les modèles aléatoire et mixte peuvent être plus intéressants, puisqu'ils permettent des inférences aux populations de niveaux. Toutefois, les conditions d'application de ces deux modèles sont clairement plus exigeantes que pour le modèle fixe.

5.11 CONCLUSION

Comme nous avons pu le constater au cours de ce chapitre, l'utilisation adéquate de l'analyse de la variance exige une bonne dose de rigueur. Surtout si un test d'hypothèse doit conclure l'analyse, comme c'est habituellement le cas.

Car l'analyse de la variance nous apparaît non pas comme une méthode, mais comme un ensemble de méthodes consistant à analyser des données qui dépendent de plusieurs types d'effets opérant simultanément, afin de quantifier ces effets et, éventuellement, d'en évaluer l'importance.

Encore, nous n'avons traité que les cas les plus simples. Mais même avec ces cas très simples nous avons dû réduire considérablement les exposés mathématiques afin que la présentation du texte demeure bien claire (!) pour les lecteurs non spécialistes des statistiques. Bien que les formules et les équations soient réduites au minimum, nous croyons que le sujet est traité de façon rigoureuse.

Le texte est écrit dans le but de permettre au lecteur d'assimiler d'abord et avant tout les objectifs des différentes méthodes présentées afin de prendre des décisions adéquates quant au nombre de variables en jeu, au nombre et à la nature (fixe ou aléatoire) des niveaux, au nombre d'observations par cellule, au type de plan (niché ou croisé), et à la sorte d'analyse (comparaison a priori ou test global) qui conviennent au problème de recherche étudié. Quant à la mécanique statistique et aux développements algébriques, ils sont déjà présentés dans une foule de manuels, dont quelques-uns proposés en référence. Incidemment, la lecture de notre texte serait un préalable tout indiqué pour la plupart de ces manuels. Car dans plusieurs manuels, les explications sont presque inexistantes alors que les développements algébriques semblent surabondants. Dans d'autres, trop d'explications cachent un manque de rigueur. Même pour certains volumes à caractère plus mathématique, le traitement des conditions d'applications nous apparaît très insuffisant.

C'est pourquoi nous n'avons pas hésité à expliciter ce dernier sujet en adoptant parfois une attitude exploratoire et en utilisant de nombreux exemples afin de concrétiser les principales conditions. Soulignons une dernière fois qu'en cas de doute concernant la vérification des conditions d'application, il est fortement recommandé de consulter un expert.

Nous avons présenté enfin une utilisation des carrés moyens qui déborde le cadre confirmatoire traditionnel de l'analyse de la variance. Le calcul des composantes de la variance et d'un indice comme le coefficient de généralisabilité n'est en effet pas très répandu dans les manuels. Nous avons insisté sur ce sujet car il offre de plus en plus d'applications en sciences de l'éducation, et il montre que la décomposition de la variance peut mener à autre chose qu'au classique test d'hypothèse.

5.12 RECOMMANDATIONS ET LECTURES PROPOSÉES

Recommandations

1) Le rapport de corrélation peut être employé sans problème comme outil descriptif pour donner une indication de l'intensité de la relation entre une variable indépendante et une variable dépendante.

2) Il faut prévoir, dès l'élaboration du plan de la recherche, le nombre de variables indépendantes, le nombre et la nature (fixe ou aléatoire) des niveaux, le type de plan (niché ou croisé), la sorte d'analyse (comparaisons a priori ou test global) et ce, compte tenu du problème de recherche en jeu.

3) Il est préférable d'utiliser le test t à l'analyse de la variance à une dimension lorsque seulement deux échantillons indépendants de tailles égales sont employés, puisque le test t est plus simple et statistiquement équivalent à l'analyse de la variance dans ce cas.

4) Afin de tester l'effet d'interaction, il convient d'obtenir plus d'une observation par cellule. Autrement, l'effet d'interaction doit être considéré comme confondu avec l'erreur.

5) Les conditions d'application relatives aux divers modèles d'analyse de la variance doivent être vérifiées *avant* d'entreprendre l'interprétation de l'analyse. On doit penser à ces conditions au moment même de l'élaboration du plan de la recherche.

6) Une transformation des données peut être requise lorsque l'une ou l'autre des conditions d'application n'est pas satisfaite. On recommande alors de consulter un analyste.

Lectures proposées

ALDER, H.L., ROESSLER, E.B., [1977] *Introduction to probability and statistics*, Freeman & Co., San Francisco, chap. 16, 17.

CARDINET, J., TOURNEUR, Y., [1985] *Assurer la mesure*, Éditions Peter Lang SA, Berne, Suisse.

ERICKSON, B.H., NOSANCHUK, T.A., [1977] *Understanding data*, McGraw-Hill Ryerson Ltd, Toronto, chap. 10, 15, 16, 17.

FERGUSON, G., [1976] *Statistical analysis in psychology and education*, McGraw-Hill, New York, chap. 15, 16, 18, 19.

FISHER, R.A., [1970] *Statistical methods for research workers*, Hafner Press, New York, chap. V, VII.

FREUND, J.E., [1962] *Mathematical statistics*, Prentice-Hall, Englewood Cliffs, N.J., chap. 14.

HAYS, W.L., [1973] *Statistics for the social sciences*, Holt, Rinehart and Winston, New York, chap. 12, 13, 14.

HUCK, S.W., CORMIER, W.H., BOUNDS, W.G., [1974] *Reading statistics and research*, Harper & Row, New York, chap. 4, 5, 6.

IVERSEN, G.R., NORPOTH, H., [1976] *Analysis of variance*, SAGE Publications Inc., Beverly Hills.

KIRK, R.E., [1982] *Experimental design: procedures for the behavioral sciences*, Wadsworth Publishing Co., Belmont, Ca., chap. 2, 3, 4.

MONTGOMERY, D.C., [1976] *Design and analysis of experiments*, John Wiley & Sons, New York, chap. 3, 6.

SCHEFFÉ, H., [1959] *The analysis of variance*, John Wiley & Sons, New York, chap. 3, 4, 7, 10.

SNEDECOR, G.W., COCHRAN, W.G., [1957] *Méthodes statistiques*, traduction de *Statistical methods* (6th edition), The Iowa State University Press, Ames, Iowa, chap. 4, 10, 11 et 12.

WINER, B.J., [1971] *Statistical principles in experimental design*, McGraw-Hill, New York, chap. 5.

CHAPITRE 6

Corrélation et régression

6.1 INTRODUCTION À LA CORRÉLATION

Les chapitres précédents montrent que plusieurs questions théoriques et hypothèses de recherche peuvent se formuler ainsi: la performance d'un groupe expérimental ayant bénéficié d'un traitement diffère-t-elle de celle d'un groupe témoin? La plupart du temps, l'analyste effectuera un test d'hypothèse sur la différence de moyennes entre deux ou plusieurs groupes; le test t de Student et l'analyse de la variance constituent alors les techniques statistiques les plus appropriées. Cette façon de procéder n'est cependant pas la seule en usage en sciences de l'éducation et en sciences humaines en général; dans bien des cas en effet, l'analyste ne s'intéresse pas comme tel à une différence observée entre des moyennes, mais voudra plutôt se prononcer sur la présence d'une relation entre une variable X et une variable Y. Par exemple, de nombreux chercheurs comme Bloom [1979] se sont penchés sur l'épineux problème du rapport entre d'une part le QI, et d'autre part, le rendement scolaire: en d'autres mots, les élèves plus intelligents ont-ils tendance à obtenir d'excellents résultats à l'école et inversement, ceux qui manifestent un QI inférieur connaissent-ils des notes scolaires faibles? Cette problématique de recherche peut susciter de nouvelles interrogations: à savoir, dans la mesure où il y a association entre le QI et le rendement scolaire, est-il possible, si l'on dispose de scores sur une épreuve d'intelligence, de prédire la performance scolaire chez un groupe d'élèves? Ce type de questions gagne à être analysé au moyen d'une stratégie générale d'analyse de données, fondée sur les concepts de corrélation et de régression.

6.2 LE COEFFICIENT DE CORRÉLATION

Au chapitre 3, nous avons distingué trois caractéristiques essentielles d'une relation entre une variable X et une variable Y: la forme, la direction et l'intensité. Ces caractéristiques ont été abordées sous un angle strictement exploratoire. Il est maintenant temps de formaliser un peu plus ces caractéristiques. Nous traiterons de la forme à la section suivante. Le *coefficient de corrélation* réfère à la direction et à l'intensité de la relation entre deux variables. Il vise à quantifier l'importance du lien entre une variable X et une variable Y, observées chez un même groupe de sujets. Si ces variables sont associées positivement, les sujets obtenant un score élevé sur X devraient aussi tous recueillir un score élevé sur Y. Le tableau 6.1 rapporte des données fictives pour 14 sujets. La première colonne indique le numéro de chaque sujet; la deuxième et la troisième donnent respectivement le score brut des sujets à la variable X et à la variable Y. Une façon parcimonieuse d'étudier simultanément l'évolution de ces deux ensembles de scores bruts consiste à les transformer en *cote Z*. Cette transformation présente l'avantage d'exprimer la position relative d'un score brut en regard de la moyenne et de l'écart-type de la distribution de chaque variable, tout en ne modifiant pas la forme de la distribution originale. Cette cote, dite centrée et réduite, est calculée de la façon suivante:

$$Z_x = \frac{X - m_x}{e_x} \text{ ou encore } Z_y = \frac{Y - m_y}{e_y}.$$

TABLEAU 6.1

Données chez 14 sujets pour les variables X et Y

Sujets	X	Y	$X-6$	$Y-10{,}50$	$z_x =$ $(X-6)/2{,}51$	$z_y =$ $(Y-10{,}50)/2{,}38$	$z_x z_y$	z_x^2	z_y^2
1	2	6	-4	$-4{,}5$	$-1{,}59$	$-1{,}89$	$3{,}01$	$2{,}53$	$3{,}57$
2	2	8	-4	$-2{,}5$	$-1{,}59$	$-1{,}05$	$1{,}67$	$2{,}53$	$1{,}10$
3	3	8	-3	$-2{,}5$	$-1{,}19$	$-1{,}05$	$1{,}25$	$1{,}42$	$1{,}10$
4	5	9	-1	$-1{,}5$	$-0{,}40$	$-0{,}63$	$0{,}25$	$0{,}16$	$0{,}40$
5	5	10	-1	$-0{,}5$	$-0{,}40$	$-0{,}21$	$0{,}08$	$0{,}16$	$0{,}04$
6	5	11	-1	$0{,}5$	$-0{,}40$	$0{,}21$	$-0{,}08$	$0{,}16$	$0{,}04$
7	6	9	0	$-1{,}5$	$0{,}00$	$-0{,}63$	$0{,}00$	$0{,}00$	$0{,}40$
8	6	12	0	$1{,}5$	$0{,}00$	$0{,}63$	$0{,}00$	$0{,}00$	$0{,}40$
9	7	10	1	$-0{,}5$	$0{,}40$	$-0{,}21$	$-0{,}08$	$0{,}16$	$0{,}04$
10	8	11	2	$0{,}5$	$0{,}80$	$0{,}21$	$0{,}17$	$0{,}64$	$0{,}04$
11	8	12	2	$1{,}5$	$0{,}80$	$0{,}63$	$0{,}50$	$0{,}64$	$0{,}40$
12	8	13	2	$2{,}5$	$0{,}80$	$1{,}05$	$0{,}84$	$0{,}64$	$1{,}10$
13	9	14	3	$3{,}5$	$1{,}19$	$1{,}47$	$1{,}75$	$1{,}42$	$2{,}16$
14	10	14	4	$3{,}5$	$1{,}59$	$1{,}47$	$2{,}34$	$2{,}53$	$2{,}16$

m: 6   10,50 Σ: 11,70   12,99   12,95

e :   2,51   2,38

Si l'on applique cette formule aux données de la variable X, dont la moyenne est 6 et l'écart-type, 2,51, le sujet 1 ayant un score de 2 se verra attribuer la cote Z

$$\frac{2 - 6}{2,51} = -1,59,$$

tandis que sur la variable Y, il recevra la cote

$$\frac{6 - 10,50}{2,38} = -1,89.$$

Les cotes Z des variables X et Y figurent à la sixième et à la septième colonnes du tableau 6.1. Il n'est pas inutile ici de rappeler qu'un score brut moyen résulte en une cote Z nulle et que la moyenne de ces dernières égale toujours 0 ; de plus, un score brut supérieur à la moyenne est automatiquement transformé en une cote Z positive, tandis que les scores bruts situés sous la moyenne donnent lieu à une cote négative. Enfin, puisqu'il s'agit d'une transformation strictement monotone, plus un sujet a un score brut élevé, par rapport à la moyenne, plus il aura une cote Z forte. Ces considérations sont importantes afin de bien suivre la constitution et la définition du coefficient de corrélation.

Les cotes Z des deux variables X et Y comportent certains aspects dignes d'intérêt. D'abord, le sujet qui aurait des scores bruts excédant passablement la moyenne de l'une et l'autre des deux variables se verrait par le fait même attribuer deux cotes Z très supérieures à 0. La multiplication de ces deux cotes résulterait en une quantité nécessairement élevée. Celle-ci est généralement désignée sous le nom de produit croisé : ainsi, le sujet 14 dont les deux Z sont élevées recevra un produit croisé important, soit

$$(1,59)(1,47) = 2,34.$$

Cette constatation vaut tout autant pour les cotes Z négatives : à titre d'exemple, le sujet 1 a un produit croisé positif (3,01). Par contre, deux cotes Z dont les signes diffèrent conduiront à un produit croisé négatif, comme en témoigne le sujet 6 $(-0,08)$. Par conséquent, plus les cotes Z élevées sur une variable sont associées à des cotes Z élevées de même signe sur la seconde, plus les produits croisés augmenteront. Ceci signifie qu'il existera une relation positive si et seulement si les produits croisés sont positifs et élevés. La sommation algébrique de ces produits croisés indique alors l'intensité de la relation, à condition d'être pondérée par une quantité fonction du nombre de sujets. La formule théorique qui sert à définir le coefficient de corrélation consiste en la sommation des produits croisés des cotes Z, corrigée ensuite par la taille de l'échantillon moins 1. Le terme $n-1$ constitue le nombre de degrés de liberté (voir chapitre 4). Soit

$$r_{xy} = \frac{\Sigma Z_x Z_y}{n-1}.$$

Avec les données du présent exemple, la corrélation prend la valeur de 0,90. Ce coefficient est substantiel, ce qui implique la présence d'une très forte relation entre les deux variables. Il s'agit ici de la corrélation des produits croisés (« product-moment ») de Karl Pearson, nommée ainsi parce qu'elle est basée sur une somme de produits croisés.

Il faut ici attirer l'attention sur le fait que la corrélation de Pearson ne peut emprunter que des valeurs comprises à l'intérieur d'un intervalle numérique borné par -1 et $+1$. Une corrélation de 1 exprime une association positive parfaite entre deux variables tandis qu'un coefficient de -1 suggère l'existence d'une relation négative parfaite ; enfin, une corrélation nulle survient en l'absence complète de relation (linéaire) entre les deux variables. Il est facile de voir que le coefficient de corrélation ne peut être supérieur à 1. En effet, supposons une relation parfaite entre X et Y ; soit le cas par exemple où chaque sujet a le même score brut sur X et sur Y. Les cotes Z seront alors identiques pour chaque sujet, c'est-à-dire

$$Z_x = Z_y.$$

Donc, $\quad r_{xy} = \dfrac{\Sigma Z_x Z_y}{n-1} = \dfrac{\Sigma Z_x^2}{n-1}.$

Comme $Z_x = \dfrac{X - m_x}{e_x}$,

alors $\quad r_{xy} = \dfrac{\Sigma Z_x^2}{n-1} = \dfrac{\dfrac{\Sigma(X - m_x)^2}{e_x^2}}{n-1} = \dfrac{\Sigma(X - m_x)^2}{(n-1)v_x}$

$$= \dfrac{\dfrac{\Sigma(X - m_x)^2}{n-1}}{v_x} = \dfrac{v_x}{v_x} = 1.$$

L'emploi de la formule théorique de la corrélation est long et fastidieux dans la plupart des situations concrètes, parce qu'elle exige le calcul des cotes Z ; son intérêt est principalement d'ordre pédagogique. Il existe cependant une technique de calcul plus rapide, qui se présente comme suit :

$$r_{xy} = \dfrac{n\Sigma XY - (\Sigma X)(\Sigma Y)}{\sqrt{[n\Sigma X^2 - (\Sigma X)^2][n\Sigma Y^2 - (\Sigma Y)^2]}}.$$

Cette formule est plus efficace car elle ne requiert pas les cotes Z, mais les produits croisés des scores bruts. Son application entraîne évidemment des résultats identiques, soit 0,90 dans le cas présent, rapporté dans le tableau 6.2.

TABLEAU 6.2

Données sur les variables X et Y chez 14 sujets pour illustrer la formule de calcul de la corrélation

X	Y	X^2	Y^2	XY
2	6	4	36	12
2	8	4	64	16
3	8	9	64	24
5	9	25	81	45
5	10	25	100	50
5	11	25	121	55
6	9	36	81	54
6	12	36	144	72
7	10	49	100	70
8	11	64	121	88
8	12	64	144	96
8	13	64	169	104
9	14	81	196	126
10	14	100	196	140

ΣX 84

ΣY 147

Σ: 586   1617   952

$(\Sigma X)^2 = 7056$

$(\Sigma Y)^2 = 21609$

$$r_{xy} = \frac{14(952) - (84)(147)}{\sqrt{[14(586) - 7056][14(1617) - (21609)]}}$$

$$= \frac{980}{1086,87}$$

$$= 0,90.$$

6.3 L'INTERPRÉTATION D'UN COEFFICIENT DE CORRÉLATION

Afin d'interpréter correctement un coefficient de corrélation, le chercheur se doit de tenir compte d'un certain nombre de phénomènes qui en modulent considérablement l'interprétation. Parmi les plus importants, il faut noter: la dispersion des deux distributions impliquées, l'allure générale du nuage de points, la nature de la relation entre les deux variables, la taille de l'échantillon et enfin la signification des deux variables.

La dispersion des deux distributions

Avant de calculer un coefficient de corrélation entre deux variables, il importe de connaître la dispersion de ces variables.

Le principe général qui sous-tend l'étude de cette caractéristique est le suivant: plus on restreint l'étendue d'une variable, moins elle aura de chances de manifester une relation forte avec une autre variable. Il existe en effet un lien direct entre d'une part des indices de dispersion, comme la variance, et d'autre part des indices d'association, comme la corrélation. Il est possible d'illustrer ce principe de façon graphique. Le graphe 6.1 montre un nuage de points portant sur 33 cas où la corrélation atteint 0,90. Une telle relation ressort clairement à cause de l'éten-

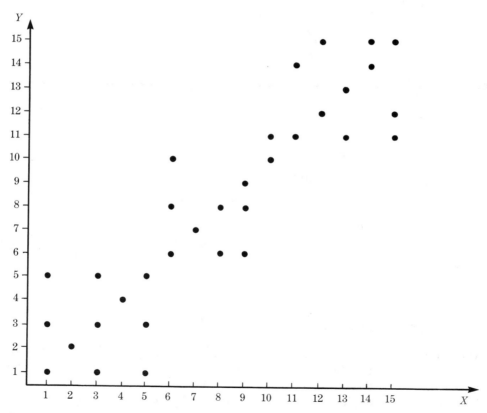

Graphe 6.1: Nuage de points entre 2 variables chez 33 personnes ($r_{xy} = 0{,}90$).

due des deux variables : les valeurs numériques vont de 1 à 15 et chacune des deux variances oscille autour de 20. Cependant, si cette étendue était restreinte, la relation entre les deux variables diminuerait. Par exemple, le graphe 6.2 présente le même nuage de points, où trois groupes (artificiels) distincts furent constitués : un premier groupe dans la région inférieure gauche, un deuxième situé dans la portion centrale et un dernier dans la région supérieure droite. Cette répartition a pour conséquence de réduire l'étendue de chaque variable ; cette restriction entraînera à son tour une réduction importante de la corrélation. Ainsi, un coup d'oeil au nuage de points associé au groupe 1 révèle que les variables ne sont plus reliées, car maintenant, les points sont éparpillés également dans l'ensemble du nuage. Le tableau 6.3 rapporte les variances et la corrélation à l'intérieur de chaque groupe : les variances sont faibles et le coefficient de corrélation diminue considérablement.

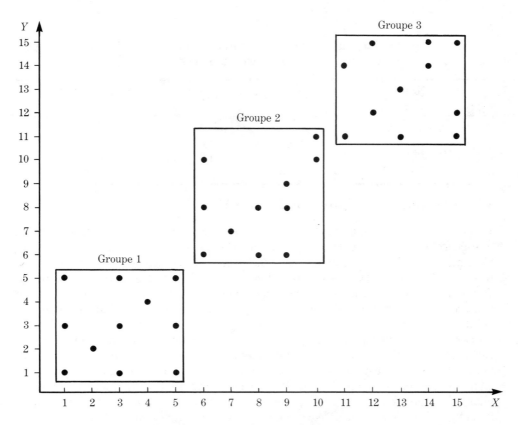

GRAPHE 6.2 : Nuage de points entre deux variables pour 3 groupes de 11 personnes.

Si le coefficient original était 0,90, les nouveaux coefficients sont maintenant 0,08, 0,37 et 0,08. Il devient donc essentiel de tenir compte des variations respectives des deux variables lorsque vient le temps de calculer une corrélation. Il ne faut cependant pas croire que la simple existence de variations importantes entraîne nécessairement une forte corrélation entre deux variables. Ainsi, dans un échantillon représentatif de la population, le QI et la longueur des cheveux varient énormément ; cela ne signifie pas pour autant qu'il y aura une corrélation élevée entre ces deux variables. Il faut donc concevoir le coefficient de corrélation comme un indice d'association, ou de co-variation. Il nous indique dans quelle mesure les variations observées surviennent simultanément. Pour qu'un tel indice de co-variation soit élevé, il est nécessaire (mais non suffisant) que chaque variable connaisse des variations importantes.

TABLEAU 6.3

Variances et corrélation entre deux variables pour chacun des trois groupes de personnes et pour l'ensemble des trois groupes

Groupe	Variances		Corrélation
	X	Y	
Ensemble	20,12	19,84	0,90
1	2,60	2,60	0,08
2	2,40	3,09	0,37
3	2,36	2,80	0,08

L'allure générale du nuage de points

La visualisation du nuage de points est indispensable pour interpréter justement une corrélation. Au préalable, il convient de clarifier une ambiguïté courante. Certains analystes répugnent à analyser visuellement un nuage de points sous prétexte qu'une telle tâche est subjective et qu'elle laisse place à une bonne marge d'erreur lorsque vient le temps d'estimer le coefficient de corrélation. Une telle remarque n'est pas complètement fausse mais il ne faut pas perdre de vue que l'objectif de cette analyse visuelle n'est justement pas d'estimer le coefficient exact de corrélation, mais plutôt de prendre connaissance de l'allure générale de la relation entre les deux variables. Par ailleurs, s'il est assez difficile, à partir d'un nuage de points, d'estimer précisément un coefficient, il devient presque impossible d'imaginer, à partir d'un coefficient de corrélation, les caractéristiques du nuage. L'analyste doit donc fonctionner avec ces deux informations, soit le nuage de points et le coefficient de corrélation en sachant que ces deux informations ne sont pas réductibles ou substituables l'une à l'autre, mais bien plutôt complémentaires.

Le prochain exemple a justement pour objectif de montrer qu'à partir d'un coefficient donné, il est virtuellement impossible d'imaginer à quoi pourrait ressembler le nuage de points impliqué. Le graphe 6.3 rapporte trois nuages manifestant une corrélation sensiblement égale (autour de 0,75). Malgré cela, les trois nuages présentent des allures bien différentes et exigent des stratégies d'analyse totalement opposées : le premier (A) illustre une relation curvilinéaire qui appelle typiquement une transformation de données de la famille des logarithmes ou des racines (voir chapitre 3, section 5). Le résultat de cette transformation sera

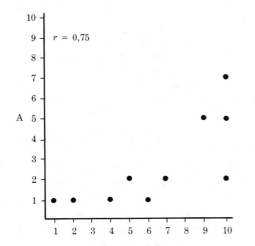

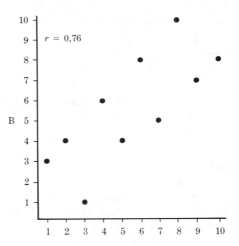

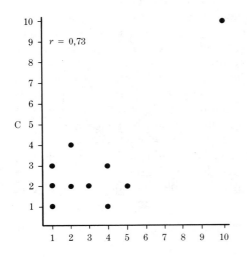

GRAPHE 6.3 : Nuages de points différents ayant une corrélation semblable.

généralement le haussement de la corrélation. Le deuxième (B), de son côté, présente une allure plus régulière et semble plus orthodoxe. Un examen plus approfondi laisse entrevoir la possibilité de l'existence de deux sous-groupes. Enfin, le dernier (C) s'avère carrément problématique. Si la corrélation calculée sur 10 observations est substantielle, soit 0,73, celle-ci s'avère presque nulle si l'on exclut la valeur aberrante située dans la région supérieure droite. Devant une telle situation, l'analyste doit mener une sérieuse enquête sur ses données: il risquera bien souvent de découvrir une erreur de transcription, de codification ou de gestion de données, ou une lacune grave dans le plan d'échantillonnage des personnes[1]. De toute façon, la présence d'une observation aberrante doit être élucidée avant de pousser l'analyse statistique confirmative.

L'étude visuelle du dernier nuage de points est intéressante parce qu'elle illustre une particularité importante de la corrélation, soit son manque de résistance (voir chapitre 3), c'est-à-dire que toutes choses étant égales, le coefficient de corrélation est beaucoup plus sensible et davantage influencé par les valeurs aberrantes que par les valeurs « moyennes », c.-à-d. celles qui constituent le corps majoritaire des données.

Pour s'en convaincre, il suffit de jeter un coup d'oeil au graphe 6.4. Ce nuage de points contient dix observations, avec une corrélation de 0,45. Un examen visuel rapide permet de croire que trois de ces observations sont relativement aberrantes, soit les points 8, 9 et 10. On peut donc poser l'hypothèse que ces trois observations exercent une influence plus grande sur la corrélation que le reste des observations. Une façon grossière d'estimer cette influence est de recalculer la corrélation, en excluant, à tour de rôle, une observation. Cette technique s'inspire partiellement de ce que Mosteller et Tukey [1977] appellent le « jackknife ». Le tableau 6.4 rapporte les dix coefficients ainsi obtenus. L'exclusion successive des sept premières observations ne donne pas lieu à une modification substantielle du coefficient de corrélation: les coefficients obtenus oscillent entre 0,33 et 0,46, avec une médiane de 0,43. Il appert donc que l'exclusion d'une observation « typique » ne modifie pas beaucoup la corrélation originale de 0,45. Par contre, le comportement des trois observations aberrantes est bien différent. Ainsi, l'élimination du cas 8 ou du cas 10 contribue à hausser considérablement la corrélation; celle-ci passe de 0,45 à 0,71 ou à 0,69. Ces deux observations, l'une dans la région inférieure droite et l'autre dans la région supérieure gauche, exercent donc une influence majeure sur la corrélation: elles diminuent de beaucoup la corrélation entre les deux variables. Pour sa part, l'observation 9 exerce elle aussi une forte influence sur la corrélation, mais dans le sens opposé; si elle était exclue du corrélogramme, la corrélation passerait de 0,45 à 0,11, ce qui est énorme. Il semble donc que la corrélation

---

1. À titre purement anecdotique, un des deux auteurs a ainsi découvert, à la suite de l'analyse du nuage de points entre l'intelligence et le rendement scolaire, un élève avec un QI de 997.

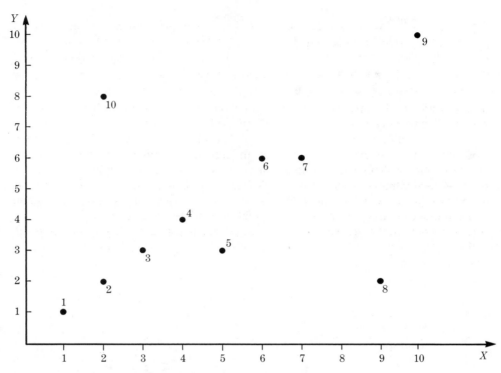

GRAPHE 6.4 : Nuage de points illustrant une corrélation de 0,45.

TABLEAU 6.4

Corrélations observées chez neuf personnes après exclusion successive

Cas éliminé	Corrélation
1	0,33
2	0,39
3	0,43
4	0,45
5	0,46
6	0,44
7	0,43
8	0,71
9	0,11
10	0,69

dépende plus des valeurs aberrantes que des valeurs « typiques ». Une telle propriété de la corrélation entraîne qu'il faille d'abord détecter les valeurs extrêmes et ensuite, les comprendre, voire même les corriger ; ce sont en effet ces observations qui ont le plus de poids sur les résultats.

Il faut bien convenir par ailleurs que lorsque l'analyste a plus d'une dizaine d'observations en main, il est très onéreux d'avoir recours à une technique d'exclusion une à une de l'ensemble des observations. Dans une telle situation, l'analyste peut abréger son travail en étudiant un sous-ensemble soigneusement sélectionné d'observations. Le graphe 6.5 montre un nuage de points contenant dix-neuf observations, où trois paraissent problématiques. Une façon simple de quantifier leur degré d'influence est de procéder à une élimination graduelle de ces trois observations. L'exclusion de l'une seule de ces trois observations ne donne pas lieu à une diminution importante de la corrélation. Celle-ci oscille entre 0,54 et 0,57, comme on peut le voir en étudiant le tableau 6.5 ; ensuite, l'exclusion simultanée de deux observations à la fois entraîne une réduction sensible de la corrélation : les

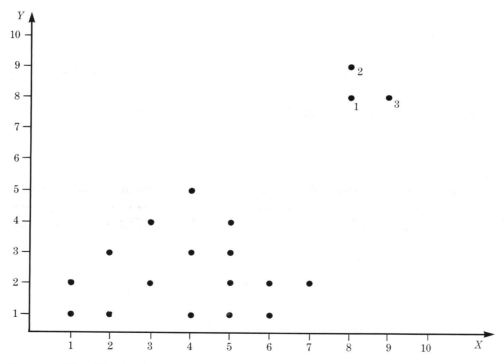

GRAPHE 6.5 :   Nuage de points illustrant une corrélation de 0,64 pour 19 observations, dont 3 aberrantes.

TABLEAU 6.5

**Corrélations observées après exclusion graduelle de 1, 2 ou 3 observations
(corrélation initiale : 0,64)**

Observation(s) exclue(s)	Corrélation
1	0,57
2	0,57
3	0,54
1 et 2	0,45
1 et 3	0,41
2 et 3	0,39
1, 2 et 3	0,04

nouveaux coefficients vont de 0,39 à 0,45. La dernière étape, qui consiste à enlever du même coup les trois observations aberrantes, montre que celles-ci exerçaient une influence majeure : la corrélation, originalement de 0,64, est maintenant pratiquement nulle (0,04). Dans un tel cas, l'analyste doit être conscient que la corrélation de 0,64 n'est due qu'à une mince portion de son échantillon, soit 16% $\left(= \dfrac{3}{19} \right)$ des observations. Il aurait tout intérêt à mener une enquête, particulièrement en ce qui a trait à la nature du plan d'échantillonnage.

Nature de la relation entre les deux variables

On est souvent porté à croire qu'une corrélation élevée entre deux variables implique qu'il y ait nécessairement un lien étroit, voire même un lien causal, entre les variables. Les paragraphes qui suivent montrent qu'il faut être très prudent avec ce genre d'interprétation.

Le tableau 6.6 présente des données de Statistique Canada concernant l'évolution des effectifs scolaires au niveau post secondaire (X) et l'évolution du nombre de chômeurs de 15 ans et plus (Y) pour les années 1966 à 1980.

En étudiant l'évolution conjointe des variables X et Y, on voit que les valeurs élevées (resp. faibles) de X correspondent aux valeurs élevées (resp. faibles) de Y.

Le calcul du coefficient de corrélation donne $r_{xy} = 0,94$, ce qui est très élevé.

Comment interpréter ce résultat ? On peut dire à coup sûr, avec les données en main, que plus les effectifs scolaires augmentent, plus le nombre de chômeurs augmente. C'est-à-dire que plus il y a de personnes à l'école, plus il y a de chômeurs. Il y a donc un lien très étroit entre le nombre de personnes à l'école et le nombre de chômeurs, et donc un lien très étroit entre le taux de scolarité et le taux de chômage. Aurait-on enfin trouvé, par un hasard tout à fait extraordinaire, la « cause » du chômage, l'école ?

Sommes-nous peut-être à l'aube d'une des plus grandes découvertes de notre siècle sur le plan économique ? Faut-il bannir l'école ? Nous ferions ainsi d'une pierre, deux coups. D'une part nous réduirions en bonne partie, semble-t-il, ce fléau qu'est le chômage, et d'autre part nous récupérerions des sommes fantastiques des ministères de l'éducation (pour créer de l'emploi aux pédagogues qui l'auraient perdu !).

TABLEAU 6.6

Évolution des effectifs scolaires et du nombre de chômeurs de 1966 à 1980 (Statistique Canada, 1980)

Année	Effectifs scolaires post secondaires (X)	Nombre de chômeurs (Y)
	($\times$ 1000)	($\times$ 1000)
1966	310,5	251
1967	352,9	296
1968	395,3	358
1969	436,8	362
1970	475,6	476
1971	496,8	535
1972	512,4	553
1973	533,6	515
1974	558,2	514
1975	592,0	690
1976	602,7	727
1977	615,9	850
1978	617,8	911
1979	623,5	838
1980	643,4	867
	$r_{xy} = 0,94$	

Mais ne sautons pas trop vite aux conclusions. Cela semble vraiment trop facile. Notre interprétation du coefficient de corrélation paraît exagérée. Peut-être y a-t-il un élément caché, que nos données ne révèlent pas, et qui nuit à l'interprétation juste du résultat $r_{xy} = 0,94$.

Regardons plutôt le tableau 6.7. Il donne l'évolution de la population des personnes de 15 ans et plus (Z) pour les années 1966 à 1980. Cette évolution suit remarquablement bien celle de X et celle de Y. D'ailleurs, ceci est reflété par les coefficients de corrélation élevés

$$r_{xz} = 0,97 \quad \text{et} \quad r_{yz} = 0,97.$$

Ainsi non seulement les variables X et Y sont reliées, mais chacune de ces deux variables est aussi fortement reliée à Z. Il faut tenir compte de cette troisième variable Z dans l'interprétation de la relation entre X et Y.

Serait-il possible, par exemple, de contrôler l'effet de Z lorsque l'on étudie la relation entre X et Y? Autrement dit, serait-il possible d'obtenir un indice de la relation entre X et Y, une fois enlevé l'effet de la variable Z sur ces deux premières variables?

Le coefficient de *corrélation partielle* a été défini pour répondre à de telles questions. Il peut contrôler l'effet d'une tierce variable, comme Z dans notre cas, qui embrouille la relation entre deux autres variables comme X et Y. Plus cette tierce variable est reliée aux deux premières, plus le contrôle risque d'être important.

TABLEAU 6.7

Évolution de la population de 1966 à 1980 (Statistique Canada, 1980)

Année	Population (Z)
	($\times$ 1000)
1966	13 083
1967	13 444
1968	13 805
1969	14 162
1970	14 528
1971	14 872
1972	15 186
1973	15 526
1974	15 924
1975	16 323
1976	16 706
1977	17 057
1978	17 381
1979	17 691
1980	18 004

La formule du coefficient de corrélation partielle de X et Y, avec Z sous contrôle, est:

$$r_{xy.z} = \frac{r_{xy} - r_{xz}r_{yz}}{\sqrt{1-r_{xz}^2}\ \sqrt{1-r_{yz}^2}}.$$

Calculons donc, dans notre cas, la corrélation partielle entre les effectifs scolaires (X) et le nombre de chômeurs (Y) en contrôlant l'effet dû à l'augmentation de la population (Z).

$$r_{ry.z} = \frac{0,94 - (0,97)(0,97)}{\sqrt{1-(0,97)^2}\ \sqrt{1-(0,97)^2}} = -0,02.$$

En enlevant l'influence de l'augmentation de la population sur les deux variables X et Y, la corrélation entre les effectifs scolaires et le nombre de chômeurs passe de 0,94 à $-0,02$. Il semble bien que la corrélation élevée $r_{xy} = 0,94$ est bel et bien due en bonne partie à l'influence de Z. En conséquence, il n'y a pas vraiment de relation importante entre le taux de scolarité et le taux de chômage et il n'y a pas non plus de relation de causalité entre l'école et le chômage. Ouf! les pédagogues l'ont échappé belle.

La taille de l'échantillon

Une fois obtenue la valeur d'un coefficient de corrélation entre deux variables, comment juger de l'importance de cette valeur? Est-ce qu'une valeur de 0,5 est acceptable ou devons-nous obtenir plus de 0,7 pour que la corrélation soit considérée importante? Y a-t-il un seuil généralement admis par les chercheurs?

Une façon d'évaluer « objectivement » l'importance d'un coefficient de corrélation est de calculer le rapport

$$F = \frac{r_{xy}^2}{(1-r_{xy}^2)/n-2}$$

qui suit une distribution F avec 1 et $n-2$ degrés de liberté.

Le symbole « n » dans cette formule indique, comme d'habitude, la taille de l'échantillon. Le symbole r_{xy}^2 indique le carré du coefficient de corrélation entre les variables X et Y: il exprime la proportion de variation commune[2] entre X et Y et peut être représenté graphiquement par l'intersection de deux diagrammes de Venn comme à la figure 6.1.

---

2. Nous verrons en effet un peu plus loin que r_{xy}^2 équivaut à un rapport de deux sommes de carrés où un des termes de ce rapport est fonction de la dispersion des valeurs de X, et l'autre terme fonction de la dispersion des valeurs de Y.

FIGURE 6.1: La proportion de surface de l'intersection entre les diagrammes X et Y correspond à la proportion de variation commune entre les variables X et Y.

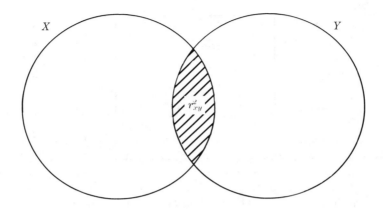

Le rapport F peut être utilisé lors d'un test d'hypothèse

où H_0: Le coefficient de corrélation est nul dans la population,

et H_1: Le coefficient de corrélation n'est pas nul dans la population.

Explicitons un peu le sens de l'expression « coefficient de corrélation nul dans la population ».

Le tableau 6.8 présente les données relatives à deux variables X et Y pour une population de neuf sujets. On calcule aisément que le coefficient de corrélation, pour cette population de neuf sujets, est nul. Ce qui ne veut pas dire que la corrélation prise à partir d'un échantillon quelconque de cette population sera nulle ou même près de zéro. Par exemple, la corrélation calculée à partir de l'échantillon des sujets 6, 7, 8 et 9 donne plus de 0,85. Si l'on choisit maintenant l'échantillon formé des sujets 1, 2 et 3, la corrélation donne −1. C'est vraiment très loin de zéro.

Imaginons maintenant un cas bien typique de corrélation.

Supposons que l'on obtienne $r_{xy} = 0,5$ avec $n = 20$ sujets. Alors le rapport

$$F = \frac{0,25}{(1-0,25)/18} = \frac{0,25}{0,0417} = 6,00.$$

Comme cette valeur dépasse la valeur critique $F_c = 4,20$ au seuil $\alpha = 0,05$, comme on peut le voir à l'appendice III, nous rejetons H_0 en faveur de H_1. Ce qui signifie que la valeur 0,5 est considérée distincte de zéro de façon statistiquement

Tableau 6.8

Population de neuf sujets

Sujet	X	Y
1	1	3
2	2	2
3	3	1
4	1	2
5	2	2
6	3	2
7	1	1
8	2	2
9	3	3

significative au seuil $\alpha = 0,05$. On dit, dans ce cas, que $r_{xy} = 0,5$ donne un verdict statistiquement significatif au seuil $\alpha = 0,05$.

Mais attention! Ce verdict doit être interprété avec prudence.

Par exemple, un coefficient aussi faible que $r_{xy} = 0,1$ peut donner lieu à un verdict statistiquement significatif au seuil $\alpha = 0,05$, même si seulement 1% de variation est commun entre X et Y.

Par ailleurs, un coefficient comme $r_{xy} = 0,6$ peut se trouver statistiquement non significatif au même seuil $\alpha = 0,05$ et pourtant on note 36% de variation commune aux deux variables. La seule différence qui existe entre ces deux exemples est que le coefficient $r_{xy} = 0,1$ est basé sur 400 sujets alors que le coefficient $r_{xy} = 0,6$ est basé sur 10 sujets! Ainsi l'interprétation d'un coefficient de corrélation doit nécessairement tenir compte de la taille de l'échantillon.

La plus grande prudence est donc de mise dans l'interprétation d'un coefficient de corrélation «statistiquement significatif».

La signification des variables

Un dernier élément important influence l'interprétation d'un coefficient de corrélation, soit le sens ou la signification des variables impliquées. Ce dernier aspect exige du chercheur qu'il connaisse bien les variables de sa recherche, qu'il soit au courant des études antérieures dans le domaine et qu'il saisisse bien les relations conceptuelles auxquelles il devrait s'attendre. Un exemple simple suffira pour mettre le lecteur sur la piste. Imaginons qu'on ait recueilli chez des élèves de niveau secondaire des données quant à leur rendement scolaire dans trois matières, soit la physique, la chimie et le français. Le chercheur a recueilli des données d'examens dans ces trois disciplines et veut maintenant connaître l'intensité des relations entre ces trois variables. Pour ce faire, il calcule toutes les corrélations possibles entre les trois examens, c.-à-d. les corrélations entre la physique et la chimie, la physique et le français et finalement la chimie et le français. Une façon succincte et courante de présenter de tels résultats consiste à constituer une *matrice de corrélations*, comme on peut le voir au tableau 6.9. On constate d'abord que dans la diagonale principale, il n'y a que des « 1 », puisqu'il s'agit exactement des mêmes valeurs. Ensuite, il semble y avoir une corrélation de 0,60 entre l'examen de physique et celui de chimie, de 0,50 entre la physique et le français et finalement de 0,60 entre la chimie et le français.

TABLEAU 6.9

	Physique	**Chimie**	**Français**
Physique	1,00	0,60	0,50
Chimie		1,00	0,60
Français			1,00

De tels résultats ne peuvent que surprendre. Toutes choses étant égales, il est étrange que la corrélation entre la chimie et la physique soit égale à celle que l'on observe entre la chimie et le français. De fait, le coefficient de 0,60 entre la physique et la chimie apparaît relativement faible tandis que celui observé entre la chimie et le français, qui est aussi de 0,60, semble, à toutes fins pratiques, passablement élevé. Pourtant, ces deux coefficients sont identiques et furent calculés chez le même échantillon, à partir de données recueillies lors de la même semaine d'examens. Malgré ces similitudes, tout chercheur familier avec les recherches en sciences de l'éducation ne pourra que conclure que la corrélation entre la chimie et la physique est relativement « faible » tandis que celle entre la chimie et le français est relativement « élevée ».

Cet exemple, bien qu'il soit un peu trivial, montre que l'interprétation d'une corrélation doit se fonder sur une excellente connaissance de la nature des variables impliquées dans la recherche.

6.4   INTRODUCTION À LA RÉGRESSION

La deuxième section de ce chapitre se voulait une introduction au coefficient de corrélation. Le rôle de cet indice, rappelons-le, est de quantifier la direction et l'intensité d'une relation entre deux variables. Au cours de la troisième section, nous avons vu l'importance de la forme pour l'interprétation de ce type de relation. Nous avons attiré l'attention sur les principaux écueils qui peuvent survenir lors de son utilisation. Néanmoins, l'estimation de la corrélation accompagnée de l'examen visuel du nuage de points ne constituent qu'une étape de l'étude d'une relation. Le chercheur peut en effet réaliser une analyse plus minutieuse des données qu'il possède.

L'exemple numérique avec lequel le concept de corrélation fut expliqué donnait lieu à un coefficient de 0,90, ce qui témoigne d'une étroite association linéaire entre les valeurs des deux variables. Imaginons à titre d'exemple que ces variables sont respectivement le QI et le rendement scolaire. La première question qui viendra naturellement à l'esprit de n'importe quel parent et, à plus forte raison, de tout consommateur de données de recherche, sera la suivante : « Bon ! 0,90, c'est très fort. Oui... Mon enfant a un QI de 129. Je crois donc qu'il récoltera de bonnes notes à l'école. Mais combien aura-t-il ? 80%, 85% ou 95% ? » Les espoirs de ce père de famille sont peut-être justifiés par les données recueillies mais il importe, dans un second temps, de connaître le degré de confiance que l'on peut accorder à cette prévision. Il est impossible de répondre à ces questions uniquement à l'aide de la corrélation et du nuage de points. Pour trancher ce genre de problèmes, l'analyste peut avoir recours à la méthode connue sous le nom de régression linéaire simple.

6.5   LA DESCRIPTION D'UNE DROITE DANS UN NUAGE DE POINTS

Reportons-nous au graphe 6.6. Si l'on inspecte minutieusement les 14 points, on peut déceler que ceux-ci se regroupent assez bien. Ce rassemblement est loin d'être aléatoire ; au contraire, il emprunte une trajectoire allant de la région inférieure gauche à la portion supérieure droite du nuage de points. On pourrait même y dessiner à l'oeil une droite, qui résumerait de manière succincte et stylisée, l'allure de la relation entre X et Y, un peu comme nous l'avons fait à la section 3.5 dans un contexte plus exploratoire.

Nous voulons donc dessiner, dans un nuage de points donné, une droite afin de résumer l'allure de la relation entre X et Y. Nous voulons savoir s'il est possible de décrire, au moyen de cette droite, le lien entre X et Y. Souvenons-nous que l'équation d'une droite est donnée par (section 3.5) :

$$\hat{Y} = a + bX$$

où b est la pente et a, l'ordonnée à l'origine (voir appendice I).

Cette équation nous renseigne sur la valeur atteinte par Y si l'on choisit une valeur X introduite dans l'équation. Celle-ci est multipliée par la pente (b) et ensuite ajustée sur l'axe des Y. Par exemple, la droite

$$\hat{Y} = 4 + X$$

donne, dans le cas où $X = 6$:

$$\hat{Y} = 4 + 6 = 10.$$

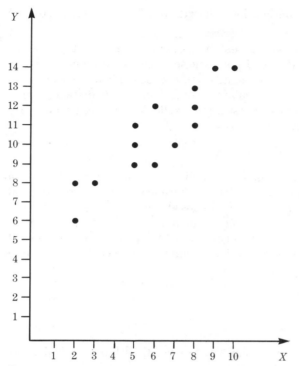

Graphe 6.6: Nuage de quatorze points assez bien alignés.

Naturellement, une foule de droites peuvent être tracées dans un nuage de points, chacune étant toujours définie par la pente et l'ordonnée à l'origine. Il ne faut cependant pas perdre de vue que cette droite doit illustrer la trajectoire générale empruntée par l'ensemble de points. Elle doit donc réussir à traverser de façon équitable le nuage de points, en passant alors le plus près possible de tous les points simultanément. La méthode des *moindres carrés*, présentée au chapitre 4, nous permettra de trouver une telle droite.

6.6 LES MOINDRES CARRÉS EN RÉGRESSION

Il s'agit de trouver une droite qui a comme propriété de réduire le plus possible la somme des écarts verticaux entre elle-même et chacun des points du nuage. Pour faciliter l'exposé, reportons-nous au graphe 6.6. Tentons maintenant de dessiner une droite qui soit équitable dans le sens des moindres carrés. Nous pouvons essayer, par exemple, la droite d'équation $\hat{Y} = 4 + X$ qui est très simple à représenter et qui, de surcroît, contient les points (2, 6), (5, 9), (8, 12) et (10, 14) du nuage.

Le tracé de cette droite provisoire est intéressant. Il révèle la présence d'imprécisions, d'écarts : de fait, 10 des 14 points ne sont pas exactement situés sur la droite (3 se trouvent en dessous, et 7 par-dessus). En second lieu, nous pouvons mesurer le degré d'imprécision en calculant, verticalement, la distance entre chaque point et la droite. Cette distance est un indice de l'erreur occasionnée par l'utilisation de la droite provisoire

$$\hat{Y} = 4 + X.$$

Le tableau 6.10 rapporte pour chaque sujet la différence entre le point observé en Y et le point prédit $\hat{Y}$ par la droite. Cette différence peut être positive ou négative, selon le sens de l'erreur. Il est toujours possible ensuite de présumer que la direction de cet écart n'est pas en soi très importante, car il est aussi dommageable de commettre une erreur en plus qu'en moins. On peut donc éliminer les signes en élevant chaque écart au carré. Enfin, la somme de ces écarts mis au carré est un indice du niveau d'imprécision de la droite $\hat{Y} = 4 + X$. Le tableau 6.10 montre que cette somme égale 19. Est-ce vraiment la somme la plus petite pos-

TABLEAU 6.10

Données brutes (X, Y) du graphe 6.6, valeurs prédites $\hat{Y}$ par la droite
$$\hat{Y} = 4 + X$$

Sujet	X	Y	$\hat{Y}$	$Y - \hat{Y}$	$(Y - \hat{Y})^2$
1	2	6	6	0	0
2	2	8	6	2	4
3	3	8	7	1	1
4	5	9	9	0	0
5	5	10	9	1	1
6	5	11	9	2	4
7	6	9	10	-1	1
8	6	12	10	2	4
9	7	10	11	-1	1
10	8	11	12	-1	1
11	8	12	12	0	0
12	8	13	12	1	1
13	9	14	13	1	1
14	10	14	14	0	0
					Σ: 19

sible? Eh bien non! À strictement parler, il n'y a qu'une droite, dans un nuage de points donné, qui soit la «meilleure». Il est bien entendu ici que «meilleure» prend le sens de réduire la somme des écarts mis au carré. Cette droite unique sera dorénavant appelée la droite de régression (des moindres carrés).

La droite de régression

Cette droite de régression a comme équation

$$\hat{Y} = a + bX,$$

où «b» est la pente et «a», l'ordonnée à l'origine. La fonction de cette droite est d'associer, à chaque valeur X, une nouvelle valeur $\hat{Y}$. Cette dernière n'est pas toujours égale à Y: elle est une valeur, non pas observée comme Y, mais prédite mathématiquement par la droite de régression. Ceci repose essentiellement sur un modèle hypothétique selon lequel les données observées en Y sont constituées de deux composantes, une composante prévisible et une composante imprévisible. La composante prévisible est directement reliée à ce que la droite de régression peut prédire tandis que la composante imprévisible est due aux écarts entre la droite et le nuage de points. Chaque donnée individuelle recueillie sur la variable Y peut dès lors s'exprimer ainsi:

$$Y = [a + bX] + [e]$$

      composante   composante
      prévisible   imprévisible

donc, $Y = \hat{Y} + e$

ou $Y - \hat{Y} = e$.

Le caractère distinctif de la droite de régression réside justement dans la réduction de ce terme d'erreur, de cette composante imprévisible e.

Cette réduction ou cette minimisation, pourrait-on dire, doit être étendue à l'ensemble de l'échantillon et ce, en annihilant le sens, positif ou négatif, de l'erreur: ce qui entraîne la mise au carré, comme nous l'avons indiqué plus haut; ainsi l'expression

Σe^2 ou encore $\Sigma(Y - \hat{Y})^2$ ou même $\Sigma(Y - a - bX)^2$ doit tendre vers un minimum.

La minimisation de cette expression révèle, par calcul différentiel, que les quantités a et b qui remplissent cette condition sont égales aux expressions suivantes:

$$b = \frac{\Sigma(X - m_x)(Y - m_y)}{\Sigma(X - m_x)^2}$$

et $a = m_y - bm_x$.

La somme de carrés Σe^2 est utile aussi pour évaluer la précision de la droite de régression. Cette analyse repose en effet sur l'hypothèse voulant que les données observées en Y sont constituées de deux composantes bien distinctes, soit une composante prévisible et une composante imprévisible. La première est la portion des données explicable selon le modèle tandis que la seconde est le *résidu*, après application du modèle (ou *l'erreur*).

$$\boxed{\text{Les données de } Y} = \boxed{\begin{array}{c}\text{Valeurs prédites par}\\\text{la droite de régression}\end{array}} + \boxed{\text{l'erreur}}$$

Il est utile de comparer l'importance respective de ces deux composantes. Si la portion reliée au modèle de la régression se révèle, toutes proportions gardées, substantielle par rapport à l'erreur, il sera alors possible de conclure que les données ne sont pas incompatibles avec le modèle. On peut concevoir ces trois composantes en termes de variations :

$$\boxed{\begin{array}{c}\text{La variation}\\\text{totale}\end{array}} = \boxed{\begin{array}{c}\text{La variation}\\\text{expliquée par le modèle}\end{array}} + \boxed{\begin{array}{c}\text{la variation}\\\text{due à l'erreur}\end{array}}$$

La variation totale observée dans Y peut se décomposer successivement en deux sources distinctes : la première source concerne les prédictions du modèle autour de m_y. Si le modèle de la régression est adéquat, il devrait permettre des prédictions sensiblement différentes et plus précises de la prédiction que l'on pourrait faire simplement à partir de m_y. Ensuite, toujours si le modèle est adéquat, les résidus ne devraient pas être trop importants, ce qui implique que leurs variations devraient être faibles. Nous pouvons donc calculer les quantités suivantes :

$$\boxed{\Sigma(Y - m_y)^2} = \boxed{\Sigma(\hat{Y} - m_y)^2} + \boxed{\Sigma(Y - \hat{Y})^2} \, .$$

Cette décomposition de la variation totale en sommes de carrés n'est pas sans rappeler ici le langage de l'analyse de la variance (voir chap. 5). Celle-ci permet en effet de comparer l'importance relative de plusieurs sources de variations dans un ensemble de données. Chacun de ces trois termes est, de fait, une somme de carrés :

$$\boxed{\text{SC totale}} = \boxed{\begin{array}{c}\text{SC de la}\\\text{régression}\end{array}} + \boxed{\text{SC de l'erreur}}$$

TABLEAU 6.11

Données brutes (X, Y) du graphe 6.6, valeurs prédites $\hat{Y}$ par la droite de régression des moindres carrés $\hat{Y} = 5,38 + 0,853X$

Sujet	X	Y	$\hat{Y}$	$Y - \hat{Y}$	$\hat{Y} - m_y$	$(Y - \hat{Y})^2$	$(\hat{Y} - m_y)^2$
1	2	6	7,09	$-1,09$	$-3,41$	1,19	11,63
2	2	8	7,09	0,91	$-3,41$	0,83	11,63
3	3	8	7,94	0,06	$-2,56$	0,004	6,55
4	5	9	9,65	$-0,65$	$-0,85$	0,42	0,72
5	5	10	9,65	0,35	$-0,85$	0,12	0,72
6	5	11	9,65	1,35	$-0,85$	1,82	0,72
7	6	9	10,5	$-1,5$	0	2,25	0
8	6	12	10,5	1,5	0	2,25	0
9	7	10	11,35	$-1,35$	0,85	1,82	0,72
10	8	11	12,20	$-1,20$	1,70	1,44	2,89
11	8	12	12,20	$-0,20$	1,70	0,04	2,89
12	8	13	12,20	0,80	1,70	0,64	2,89
13	9	14	13,06	0,94	2,56	0,88	6,55
14	10	14	13,91	0,09	3,41	0,008	11,63
	m_x: 6	m_y: 10,5				Σ: 13,71	Σ: 59,54

Tout comme dans l'analyse de la variance, il convient d'associer à ces sommes de carrés les degrés de liberté correspondants

$$\boxed{n - 1} = \boxed{1} + \boxed{n - 2}$$

où n est le nombre de points du nuage.

Ceci nous permet de trouver les carrés moyens. Il est dès lors possible de dresser un tableau typique d'analyse de la variance à l'aide des données du tableau 6.11.

TABLEAU 6.12

Les sommes de carrés, les degrés de liberté et les carrés moyens dus à la régression et à l'erreur pour les données du tableau 6.11

Sources de variation	S.C.	D.L.	C.M.
La droite de régression	59,54	1	59,54
Le résidu (l'erreur)	13,71	12	1,14
Le total	73,25	13	

Nous verrons dans une section subséquente que le rapport de ces deux carrés moyens peut, sous certaines conditions, se distribuer selon la loi du F. Cette caractéristique permet alors de mener un test d'hypothèse pour évaluer s'il y a une composante linéaire réelle dans l'influence de X sur Y.

Le tableau 6.13 rapporte les données brutes et les scores centrés nécessaires pour calculer l'équation de la droite de régression $\hat{Y} = a + bX$.

$$b = \frac{70}{82} = 0{,}853$$

et $a = 10{,}5 - 0{,}853 \times 6 = 5{,}38$.

D'où $\hat{Y} = 5{,}38 + 0{,}853X$.

Cette droite passe alors par les couples (2, 7,09) et (10, 13,91). L'application de cette droite permet de fixer, pour chaque valeur X, une valeur théorique $\hat{Y}$. Pour les 14 points de l'échantillon, elle minimise les écarts mis au carré. À titre simplement de comparaison, on peut voir dans le tableau 6.11, que la somme des écarts mis au carré est de beaucoup inférieure à celle que l'on obtenait au moyen de la droite provisoire, $4 + X$. Celle-ci donnait lieu à une somme de 19, tandis que la véritable droite de régression possède un terme d'erreur plus petit, 13,71, le plus petit possible pour ces données.

TABLEAU 6.13

Données brutes $(X,\ Y)$, moyennes m_x, m_y des points du graphe 6.6

Sujet	X	Y	$X - m_x$	$(X - m_x)^2$	$(Y - m_y)$	$(X - m_x)(Y - m_y)$
1	2	6	-4	16	$-4{,}5$	18,0
2	2	8	-4	16	$-2{,}5$	10,0
3	3	8	-3	9	$-2{,}5$	7,5
4	5	9	-1	1	$-1{,}5$	1,5
5	5	10	-1	1	$-0{,}5$	0,5
6	5	11	-1	1	$0{,}5$	$-0{,}5$
7	6	9	0	0	$-1{,}5$	0,0
8	6	12	0	0	$1{,}5$	0,0
9	7	10	1	1	$-0{,}5$	$-0{,}5$
10	8	11	2	4	$0{,}5$	1,0
11	8	12	2	4	$1{,}5$	3,0
12	8	13	2	4	$2{,}5$	5,0
13	9	14	3	9	$3{,}5$	10,5
14	10	14	4	16	$3{,}5$	14,0
	m_x: 6	m_y: 10,5		Σ: 82		Σ: 70

Il est important de noter que la droite de régression passe par le centre de gravité (m_x, m_y) du nuage de points considéré. En effet, on peut établir que $m_y = a + bm_x$ donc (m_x, m_y) est bel et bien un point de cette droite. Mais il y a plus! Cette droite s'apparente à la droite de Tukey (section 3.5) de la façon suivante. Si l'on divise le nuage de points en trois sous-groupes à partir des valeurs faibles, moyennes et élevées de X (un peu comme pour la droite de Tukey), la droite de régression tend alors à passer par le centre de gravité de chacun des sous-groupes.

Le graphe 6.7 illustre cette affirmation.

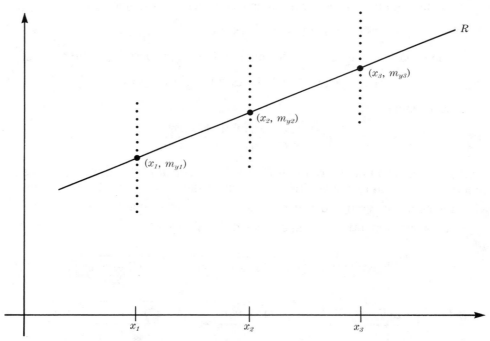

GRAPHE 6.7: Droite de régression R qui passe par les centres de gravité de trois sous-groupes de points.

Nous avons divisé le nuage de points en trois sous-groupes

$$SG_1 = \{(x_1, y_{1i})\}; \ SG_2 = \{(x_2, y_{2i})\}, \ SG_3 = \{(x_3, y_{3i})\}.$$

La droite de régression passe par les trois points suivants:

$$(x_1, m_{y1}), \ (x_2, m_{y2}) \text{ et } (x_3, m_{y3}).$$

Même s'il est en général un peu difficile de diviser le nuage de points en sous-groupes, on peut assez facilement visualiser cette affirmation.

6.7   LES TESTS D'HYPOTHÈSE EN RÉGRESSION

Au chapitre 5 (section 5.2), nous avons vu comment décomposer une somme de carrés totale (S.C. TOTALE) en deux composantes: une première composante (S.C. INTER) qui mesure l'écart entre les divers niveaux de la variable indépendante, et une seconde composante (S.C. INTRA) qui mesure l'erreur, c'est-à-dire la variation entre les données à l'intérieur de chaque niveau.

L'équation qui relie ces trois sommes de carrés est donnée par:

$$\text{S.C. TOTALE} = \text{S.C. INTER} + \text{S.C. INTRA}.$$

Une équation similaire relie les degrés de liberté correspondants:

$$\text{D.L. TOTAUX} = \text{D.L. INTER} + \text{D.L. INTRA}.$$

Et le rapport

$$F = \frac{\text{S.C. INTER}/\text{D.L. INTER}}{\text{S.C. INTRA}/\text{D.L. INTRA}}$$

qui suit (sous H_0) une distribution F avec D.L. INTER et D.L. INTRA degrés de liberté, permet de tester la différence entre les moyennes des divers niveaux.

La même procédure peut être suivie dans le cas de l'analyse de la régression.

Nous avons montré que dans le cas de la régression,

$$\boxed{\text{S.C. TOTALE}} = \boxed{\text{S.C. régression}} + \boxed{\text{S.C. erreur}} \, ,$$

c.-à-d. $$\boxed{\Sigma(Y - m_y)^2} = \boxed{\Sigma(\hat{Y} - m_y)^2} + \boxed{\Sigma(Y - \hat{Y})^2} \, .$$

De même, D.L. TOTAUX = D.L. régression + D.L. erreur ,

soit $n - 1$ = 1 + $n - 2$.

Le rapport F, dans le cas de l'analyse de la régression linéaire simple, se lit donc:

$$F = \frac{\text{S.C. régression}/\text{D.L. régression}}{\text{S.C. erreur}/\text{D.L. erreur}} = \frac{\Sigma(\hat{Y} - m_y)^2}{\Sigma(Y - \hat{Y})^2/n - 2}$$

qui suit (sous H_0) une distribution F avec 1 et $n - 2$ degrés de liberté.

Dans le cas des données du tableau 6.12, nous avons donc

$$F = \frac{59{,}54}{13{,}71/12} = \frac{59{,}54}{1{,}14} = 52{,}23$$

avec 1 et 12 degrés de liberté.

Ce résultat est bien sûr statistiquement significatif au seuil $\alpha = 0{,}01$ d'après la table III.4 de l'appendice III.

Une façon équivalente de tester si la régression est significative consiste à utiliser le rapport déjà rencontré plus haut :

$$F = \frac{r_{xy}^2}{(1 - r_{xy}^2)/n - 2},$$

où r_{xy} est le coefficient de corrélation.

Ce rapport suit une distribution F avec 1 et $n - 2$ degrés de liberté.

Avec les mêmes données que ci-haut, $r_{xy} = 0{,}9017$ et

$$F = \frac{0{,}8130}{(1 - 0{,}8130)/12} = 52{,}17$$

On voit que ce rapport est le même que le précédent si l'on ignore les erreurs dues aux arrondissements.

En fait, il est même possible de montrer que ces deux rapports F sont algébriquement identiques. Car, pour toute droite de régression $\hat{Y} = a + bX$, il est facile de se rendre compte que

$$r_{xy} = b\frac{e_x}{e_y}.$$

Or, nous venons de remarquer, à la fin de la section précédente, que

$m_y = a + bm_x.$

Ainsi $\hat{Y} - m_y = b(X - m_x)$

et $\quad r_{xy}^2 = b^2 \dfrac{e_x^2}{e_y^2} = b^2 \dfrac{\Sigma(X - m_x)^2}{\Sigma(Y - m_y)^2}$

$$= \frac{\Sigma[b(X - m_x)]^2}{\Sigma(Y - m_y)^2}$$

$$= \frac{\Sigma(\hat{Y} - m_y)^2}{\Sigma(Y - m_y)^2}.$$

Ce qui signifie que r^2_{xy} est un rapport de deux sommes de carrés : le numérateur, plus petit, est la somme de carrés due à la régression et le dénominateur est la somme de carrés totale. C'est pourquoi r^2_{xy} peut être interprété comme la proportion de variation de Y expliquée par la régression.

À l'aide de quelques manipulations algébriques on montre enfin, en tenant compte de ces dernières équations, que

$$\frac{r^2_{xy}}{1 - r^2_{xy}} = \frac{\Sigma(\hat{Y} - m_y)^2}{\Sigma(Y - \hat{Y})^2} ,$$

c.-à-d. que les deux rapports F sont bel et bien identiques.

L'interprétation de ce rapport F significatif est la suivante : la variable X affecte (explique) la variable Y de façon statistiquement significative au seuil $\alpha = 0{,}01$.

Comme nous l'avons déjà souligné à maintes reprises, un résultat statistiquement significatif n'est pas le gage incontestable d'un effet scientifiquement significatif, c'est-à-dire d'une relation très forte entre X et Y. Inversement, un résultat qui n'est pas statistiquement significatif peut se trouver scientifiquement acceptable. Nous ne le répéterons jamais assez souvent.

Conditions d'application

Afin d'appliquer convenablement un test d'hypothèse en régression linéaire simple, certaines conditions doivent être respectées (Snedecor et Cochran [1980, p. 153], Pedhazur [1982, p. 33]) :

1) *Normalité* : les erreurs (résidus) sont distribuées normalement avec moyenne « 0 », pour chaque valeur de X.

2) *Homoscedasticité* : les erreurs ont même variance, pour chaque valeur de X.

3) *Indépendance* : les erreurs associées à une valeur particulière de Y ne sont pas corrélées avec les erreurs associées à toute autre valeur de Y, et non plus corrélées avec les valeurs de X.

4) *Linéarité* : la moyenne des valeurs de Y appartient à la droite de régression, pour chaque valeur de X.

Les trois premières conditions d'application sont similaires à celles de l'analyse de la variance (section 5.10). On utilisera donc les mêmes procédures suggérées alors pour vérifier ces trois conditions.

En ce qui concerne la condition de linéarité, il est possible d'adapter la procédure décrite à la section 5 du chapitre 3 pour la vérification de cette condition : il s'agit d'employer les moyennes au lieu des médianes comme points sommaires et de prendre la droite de régression à la place de la droite de Tukey pour ajuster les données initiales. Il est possible également d'effectuer des tests de tendance curvilinéaire au sens de Pedhazur [1982, p. 396] pour faire cette vérification.

6.8   L'ÉTUDE DES VALEURS ABERRANTES EN RÉGRESSION

L'analyse de la régression linéaire simple est un outil extrêmement sophistiqué. Elle peut entre autres être exploitée à titre purement exploratoire afin de faciliter et guider l'examen visuel du nuage de points. En effet, malgré l'absence notoire de résistance de la régression et ses nombreuses conditions d'application, le simple tracé de la droite de régression permet de détecter des observations éventuellement problématiques.

Le tracé de cette droite permet d'abord de visualiser et d'estimer l'imprévision associée à chacune des observations individuelles découlant de l'application du modèle de la régression. Certains points seront en effet collés sur la droite tandis que d'autres s'en éloigneront sensiblement. Dans le cas d'écarts substantiels entre un point et la droite, l'analyste doit tenter, autant que faire se peut, d'en comprendre les raisons. Dans bien des cas, en effet, la compréhension de cas mal prédits par la droite de régression peut devenir aussi intéressante au plan théorique que l'analyse d'une tendance générale.

Un des indices les plus fréquemment utilisés pour évaluer l'erreur individuelle est le *résidu standardisé*. Il consiste simplement en un rapport entre le résidu $Y - \hat{Y}$ et l'erreur-type (c.-à-d. la racine carrée du carré moyen d'erreur dans l'analyse de la variance, comme au tableau 6.12). Dans certaines conditions précises, les résidus standardisés adoptent un comportement relativement simple : ils se distribuent normalement (avec bien sûr une moyenne nulle et une variance de valeur égale à l'unité). Ceci implique donc, selon la loi normale centrée réduite, qu'un résidu standardisé, excédant 2 en valeur absolue, déborde 97% des résidus. Une telle caractéristique devrait alerter l'analyste.

D'autres types d'observations doivent aussi capter l'intérêt de l'analyste. Il existe en effet des situations où certaines observations, bien qu'éloignées des autres, sont merveilleusement bien servies par la droite de régression en ce sens qu'elles manifestent des résidus standardisés infimes. En un sens, elles sont trop bien prédites par la droite. Elles sont trop bien servies par la droite bien souvent parce qu'elles exercent une influence indue sur la droite de régression. De façon générale, plus une observation est aberrante, plus elle influencera la droite de régression. Il s'agit ici du même problème que celui rencontré précédemment dans l'application du coefficient de corrélation. Toutes choses étant égales, plus une observation s'éloigne de l'ensemble des données, plus elle risque d'attirer vers elle la droite de régression au détriment des autres données.

Les statisticiens ont élaboré plusieurs indices afin de quantifier le degré d'influence potentielle d'une observation individuelle sur la droite de régression. L'un des plus simples est probablement la *statistique h_x* (voir Emerson et Hoaglin [1983, p. 156]):

$$h_x = \frac{(X - m_x)^2}{v_x(n-1)} + \frac{1}{n} \text{ qui varie en fonction des valeurs de } X.$$

Elle emprunte des valeurs incluses entre $1/n$ et 1; lorsque l'abscisse x d'une observation (x, y) est identique à la moyenne de l'échantillon sur X, la valeur h_x exercera alors une influence minime sur la droite et prendra sa valeur minimale, $1/n$. Cela signifie qu'elle est dotée d'une influence inversement proportionnelle au nombre d'observations. Elle approchera par ailleurs sa valeur maximale, 1, dans le cas où elle est responsable de presque toute la variance des valeurs de X. Finalement, la somme de toutes les valeurs h_x équivaut à 2.

Plus une valeur h_x est élevée pour une observation quelconque, plus cette observation risque d'influencer de façon substantielle la droite de régression. Toutefois, ceci ne signifie pas que toute observation, ayant une valeur h_x élevée, aura nécessairement une grande influence sur la droite de régression. Il peut bien arriver, en effet, qu'une observation (x, y) ait une abscisse x très distante de la moyenne m_x, tout en étant très conforme à l'orientation générale des autres observations: cette observation aura donc une valeur h_x élevée, mais n'exercera qu'une faible influence sur la droite de régression. Il faut donc porter une attention particulière aux observations dont la valeur h_x est élevée, tout en sachant que ceci met en relief les observations qui ont *potentiellement* une grande influence sur la droite de régression, sans plus. Car il faut ensuite évaluer si ces observations ont véritablement une influence substantielle. Il est possible d'y arriver en employant la technique du «jackknife», comme en 6.3. Pour ce, il s'agit de recalculer la droite de régression en excluant, à tour de rôle, les observations dont la valeur h_x semble élevée, c'est-à-dire, à l'instar de Emerson et Hoaglin [1983, p. 158], notablement plus grande que la valeur h_x moyenne, soit $\frac{2}{n}$. Ce qui donnera une nouvelle droite de régression pour chaque observation dont la valeur h_x est élevée. On évaluera ensuite l'importance de l'influence de ces observations en comparant l'équation de la droite de régression initiale avec chacune des équations des nouvelles droites de régression.

Le tracé de la droite de régression dans un nuage de points permet donc de détecter quelques types d'observations. Il y a en premier lieu des cas qui s'éloignent notablement de la droite de régression. Cet écart au modèle est évalué à l'aide des résidus standardisés. En second lieu, le tracé de la droite permet également de découvrir des observations qui sont susceptibles d'être trop influentes par rapport à l'ensemble des données: ce degré d'influence potentielle peut être apprécié au moyen de la statistique h_x.

Habituellement, le tracé de la droite de régression dans le nuage de points et l'étude simultanée des résidus standardisés et des indices h_x permettent de distinguer au moins trois groupes de sujets qualitativement différents. Appelons-les les *typiques*, les *marginaux* et finalement les *dominants*. Les sujets typiques sont ceux qui sont bien prédits par la droite de régression et qui n'exercent pas une influence indue sur la droite : ils ont des résidus standardisés faibles et des indices h_x faibles. Normalement, ils devraient être largement majoritaires dans l'échantillon. Dans l'exemple rapporté au tableau 6.14, les sujets 1 à 7 constituent le corps majoritaire « moyen » des données. Le résidu standardisé le plus élevé de ce groupe est $-0,97$ et la valeur h_x la plus élevée, $0,28$. Il y a ensuite un deuxième groupe de sujets que l'on pourrait qualifier de marginaux parce qu'ils ne ressemblent pas à la majorité des sujets, sans pour autant parvenir à entraîner la droite à leur suite. Par exemple, les sujets 8 et 9 sont ici des marginaux parce que d'une part ils sont mal prédits par la droite, comme en témoignent des résidus standardisés

TABLEAU 6.14

Résidus standardisés $Z_{y-\hat{y}}$ et valeurs h_x pour dix sujets

Sujet	X	Y	$\hat{Y}$	$Y-\hat{Y}$	$(Y-\hat{Y})^2$	$Z_{y-\hat{y}}$	h_x
1	1	1	1,49	$-0,49$	0,24	$-0,27$	0,28
2	2	2	2,59	$-0,59$	0,35	$-0,32$	0,19
3	3	3	3,69	$-0,69$	0,48	$-0,37$	0,13
4	4	4	4,79	$-0,79$	0,62	$-0,42$	0,10
5	4	3	4,79	$-1,79$	3,20	$-0,97$	0,10
6	3	4	3,69	0,31	0,10	0,17	0,13
7	5	5	5,89	$-0,89$	0,79	$-0,48$	0,11
8	4	8	4,79	3,21	10,30	1,75	0,10
9	6	10	6,99	3,01	9,06	1,65	0,16
10	10	10	11,39	$-1,39$	1,93	$-0,74$	0,70

- $m_x = 4,2$ $\Sigma: 27,07$

- $v_x = 6,18$

- $\hat{Y} = 0,39 + 1,10X$

- Erreur-type $= \sqrt{\dfrac{27,07}{8}} = 1,84$

- $Z_{y-\hat{y}} = \dfrac{Y - \hat{Y}}{\text{erreur-type}}$

- $h_x = \dfrac{(X-m_x)^2}{v_x(n-1)} + \dfrac{1}{n} = \dfrac{(X-4,2)^2}{(6,18)(9)} + \dfrac{1}{10}.$

1,75 et 1,65, et d'autre part, ils n'influencent guère la droite : les valeurs h_x sont 0,10 et 0,16. Il y a finalement un dernier groupe de sujets, les dominants, qui jouent en quelque sorte un rôle de leader dans l'échantillon. Ils sont en effet bien prédits par la droite, en vertu de leur degré trop élevé d'influence. Ils influencent telle-ment la droite de régression qu'ils finissent par être bien prédits par le modèle. Ici, le sujet 10 est, du moins potentiellement, dominant ; son résidu standardisé est faible ($-0,74$), mais sa valeur h_x est de loin la plus élevée avec 0,70. Cette valeur est trois fois et demie plus élevée que la valeur h_x moyenne pour ces données qui est $\frac{2}{10} = 0,2$. Il est donc très important de recalculer l'équation de la droite de régression, en excluant le sujet 10, et de comparer l'équation des deux droites.

Le tableau 6.15 rapporte les coefficients de corrélation et les droites de régression pour chacune de ces deux analyses, tandis que le graphe 6.8 montre le tracé des deux droites de régression. Il appert en premier lieu que le retrait du sujet 10 entraîne une légère diminution du coefficient de corrélation de 0,84 à 0,83. Par ailleurs, l'exclusion de cette observation modifie notablement la droite de régression : l'ordonnée à l'origine qui était positive devient négative, tandis que la pente est plus prononcée. On peut voir au graphe 6.8 que la droite originale calculée avec les 10 sujets (R) est fortement influencée par l'observation 10, dominante dans l'échantillon, qui attire la droite vers elle. Son exclusion contribue à déplacer sensiblement la nouvelle droite (R^1) plus près du corps majoritaire des données typiques.

Cette comparaison indique clairement que la droite de régression n'est pas particulièrement résistante lorsqu'il y a des données dominantes (qui attirent trop la droite vers elles). Il serait dès lors intéressant de comparer visuellement le comportement de la droite de régression classique avec une droite plus résistante. Rappelons que la droite de Tukey (chap. 3) est censée en général être fort résis-tante à des observations aberrantes. Le tableau 6.16 présente les données pour 12 sujets, ainsi que les résidus standardisés et les indices h_x, tandis que le graphe 6.9 montre le nuage de points et les tracés de la droite de régression (R) et de la droite de Tukey (T). Encore ici, il est possible de distinguer trois groupes de sujets. Les typiques constituent ici le corps majoritaire des données : les sujets 2 à 10 ont des

TABLEAU 6.15

Coefficient de corrélation et droite de régression calculés à partir de 10 et de 9 observations

n	r_{xy}	droite
10	0,84	$0,39 + 1,10X$
9	0,83	$-1,17 + 1,58X$

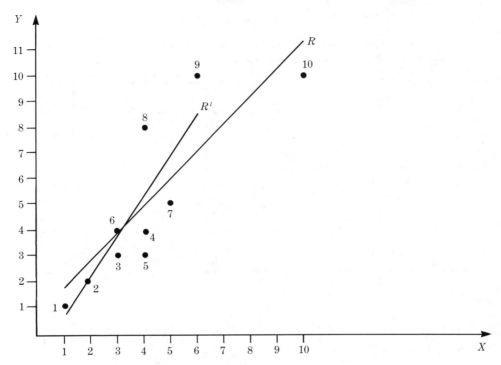

GRAPHE 6.8: Droite de régression (R) pour les dix sujets.
Droite de régression (R^1) excluant le sujet 10.

résidus standardisés et des valeurs h_x faibles. On remarque ensuite la présence de deux sujets légèrement marginaux, les sujets 1 et 11: ils montrent des résidus standardisés plus importants, ($-1,61$ et $1,47$), mais exercent une influence infime car les h_x sont faibles. Il y a enfin une observation dominante, le sujet 12, qui a un résidu standardisé raisonnable ($-0,96$), mais un degré très important d'influence potentielle ($h_x = 0,85$). Remarquons que cette valeur h_x est cinq fois plus élevée que la valeur h_x moyenne, soit $\dfrac{2}{12} = 0,17$.

Ainsi, en excluant le sujet 12 et en recalculant l'équation de régression, on obtient $\hat{Y}^1 = 0,82 + 0,82X$. Si l'on se souvient de l'équation de régression initiale, $\hat{Y} = 3,07 + 0,15X$, on peut apprécier, en comparant les deux équations, l'influence considérable du sujet 12. Un regard sur le graphe 6.9 nous fait voir d'un coup d'oeil l'écart entre la droite initiale (R) et la nouvelle droite (R^1). Ceci implique donc que la droite de régression classique est fort sensible à la présence de cette observation dominante. Qu'en est-il cependant de la droite de Tukey? L'équation de cette

TABLEAU 6.16

Résidus standardisés ($Z_{y-\hat{y}}$) et valeurs h_x pour 12 sujets

Sujet	X	Y	$\hat{Y}$	$Y-\hat{Y}$	$(Y-\hat{Y})^2$	$Z_{y-\hat{y}}$	h_x
1	1	1	3,22	$-2,22$	4,93	$-1,61$	0,17
2	2	2	3,37	$-1,37$	1,88	$-0,99$	0,13
3	2	3	3,37	$-0,37$	0,14	$-0,27$	0,13
4	3	3	3,52	$-0,52$	0,27	$-0,38$	0,10
5	3	5	3,52	1,48	2,19	1,07	0,10
6	4	3	3,67	$-0,67$	0,45	$-0,49$	0,09
7	4	4	3,67	0,33	0,11	0,24	0,09
8	4	5	3,67	1,33	1,77	0,96	0,09
9	5	4	3,82	0,18	0,03	0,13	0,09
10	5	5	3,82	1,18	1,39	0,86	0,09
11	6	6	3,97	2,03	4,12	1,47	0,10
12	15	4	5,32	$-1,32$	1,74	$-0,96$	0,85

- $m_x = 4,5$ Σ: 19,02

- $v_x = 13$

- $\hat{Y} = 3,07 + 0,15X$

- Erreur-type $= \sqrt{\dfrac{19,02}{10}} = 1,38$ et $Z_{y-\hat{y}} = \dfrac{Y - \hat{Y}}{\text{erreur-type}}$

- $h_x = \dfrac{(X - m_x)^2}{v_x(n-1)} + \dfrac{1}{n} = \dfrac{(X-4,5)^2}{(13)(11)} + \dfrac{1}{12}.$

droite, incluant le sujet 12, donne $\hat{Y} = 0,875 + 0,75X$. Cette droite semble très peu attirée vers l'observation dominante. On voit d'ailleurs, au graphe 6.9, que la droite de Tukey (T), comme R^1 d'ailleurs, est beaucoup plus près du corps des données que la droite de régression initiale (R). La droite de Tukey s'est donc révélée très résistante à cette observation dominante.

Nous avons vu que le tracé de la droite de régression dans un nuage de points et le calcul d'indices, comme le résidu standardisé et la valeur h_x, aident l'analyste à découvrir trois groupes de sujets: les typiques, les marginaux et les dominants. Évidemment, dans la plupart des cas, ces deux derniers groupes, potentiellement aberrants, comporteront relativement peu de sujets par rapport aux cas typiques. L'analyste doit cependant décider de l'exclusion *éventuelle* de certaines observations. Le principe général qui devrait guider l'analyste dans une telle situation pourrait se résumer ainsi: la présence de données aberrantes devrait susciter de nouvelles questions, et de nouvelles stratégies pour y répondre. Par exemple, il

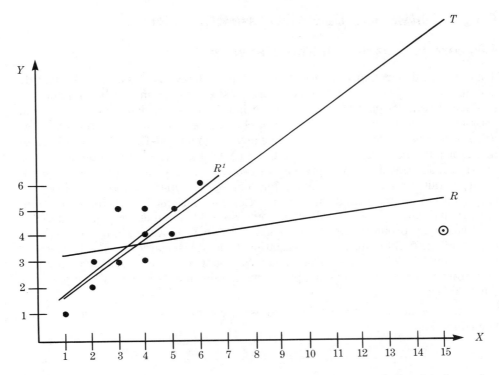

GRAPHE 6.9: Nuage des douze points (x, y) du tableau 6.16, droite de régression (R) pour les douze points, droite de régression (R') excluant $(15,4)$ et droite de Tukey (T).

serait extrêmement imprudent d'exclure automatiquement, et de façon aveugle, toute observation ayant un résidu standardisé supérieur à 2 ou une valeur h_x excédant 0,80. Un tel comportement doit cependant alerter l'analyste et soulever des interrogations pertinentes. Généralement dans une recherche empirique en sciences de l'éducation, l'analyste dispose de plus de deux variables. Il peut donc regarder si le même sujet se montre aberrant dans différents nuages de points. Un sujet systématiquement aberrant devient alors hautement problématique : l'analyste devrait donc, si cela est possible, mener une enquête. Fréquemment, les sujets d'une étude sont des élèves dans des classes : il est alors possible pour l'analyste de recueillir des informations supplémentaires chez le professeur qui connaît l'élève. Il risque alors d'apprendre des choses précieuses qui éventuellement justifieront l'exclusion de ce sujet. Il faut garder à l'esprit que l'exclusion d'un sujet n'est pas une chose à prendre à la légère et qu'elle doit être justifiée par des évidences d'ordre « statistique » *et* des informations supplémentaires externes à l'étude.

6.9   AUTRES MESURES DE CORRÉLATION

Les corrélations de point bisérial et phi

Tout au long de ce chapitre, l'accent a été mis exclusivement sur le coefficient de corrélation des produits croisés de Pearson. Il existe cependant bon nombre de coefficients qui ont pour rôle de quantifier la relation entre deux variables; parmi ceux-ci, la corrélation de *point bisérial*, la corrélation *phi* et la corrélation de *rangs de Spearman* sont dignes d'intérêt[3]. Les deux premiers coefficients ont été également ment formulés par Pearson au tout début du XXe siècle. À cette époque, la science informatique était peu développée et les ordinateurs peu répandus! Conséquemment, il était fort approprié de simplifier, au moyen de manipulations algébriques, l'apparence de toute formule statistique. Les corrélations de point bisérial et phi ont pris naissance justement de ce besoin. En effet, lorsque l'on veut estimer la corrélation des produits croisés entre une variable X, continue, et une variable Y, dichotomique (par ex. : 0 et 1), la corrélation de point bisérial se révèle un «raccourci» de choix. Par ailleurs, si les deux variables sont codées de façon dichotomique, le coefficient phi devient une simplification algébrique de la corrélation des produits croisés.

Les formules de ces coefficients se lisent comme suit: pour la corrélation de point bisérial,

$$r_{pb} = \frac{m_{x1} - m_{x0}}{e_x} \sqrt{\frac{n_1 \, n_0}{n(n-1)}}$$

où

- m_{x1} est la moyenne sur X des sujets qui ont obtenu 1 sur Y
- m_{x0} est la moyenne sur X des sujets qui ont obtenu 0 sur Y
- n_1 est le nombre de sujets qui ont obtenu 1 sur Y
- n_0 est le nombre de sujets qui ont obtenu 0 sur Y
- $n = n_0 + n_1$

pour la corrélation phi,

$$\phi = \frac{bc - ad}{\sqrt{(a+c)(b+d)(a+b)(c+d)}}$$

où

- a est le nombre de sujets obtenant 0 en X et 1 en Y
- b est le nombre de sujets obtenant 1 en X et 1 en Y
- c est le nombre de sujets obtenant 0 en X et 0 en Y
- d est le nombre de sujets obtenant 1 en X et 0 en Y

---

3.   Il en existe d'autres, comme la corrélation bisériale et la corrélation tétrachorique. Le lecteur intéressé pourra se référer à Glass & Stanley [1970] et Lord & Novick [1968].

Comme en fait foi le tableau 6.17, l'application de la corrélation de point bisérial donne lieu à un résultat identique à celui obtenu par la corrélation des produits croisés. Il en va de même pour la corrélation phi et la corrélation des produits croisés qui entraînent exactement la même valeur, comme le montre le tableau 6.18.

TABLEAU 6.17

Calculs de la corrélation des produits croisés et de la corrélation de point bisérial

Sujet	X	Y	Produits croisés (r)	Point bisérial (r_{pb})
1	1	0	$\dfrac{n\Sigma XY - \Sigma X\Sigma Y}{\sqrt{[n\Sigma X^2-(\Sigma X)^2][n\Sigma Y^2-(\Sigma Y)^2]}}$	$\left(\dfrac{m_{x1}-m_{x0}}{e_x}\right)\sqrt{\dfrac{n_1\,n_0}{n(n-1)}}$
2	4	0		
3	5	1		
4	3	0	$=\dfrac{(9)(27)-(38)(4)}{\sqrt{[(9)(220)-1444][(9)(4)-16]}}$	$=\left(\dfrac{6,75-2,20}{2,7285}\right)\sqrt{\dfrac{20}{72}}$
5	2	0		
6	1	0		
7	6	1	$=\dfrac{91}{\sqrt{[536][20]}}$	$=(1,6676)(0,5270)$
8	8	1		
9	8	1	$=0,88$	$=0,88$

$\Sigma X = 38 \qquad \Sigma Y = 4$

$\Sigma XY = 27$

$\Sigma X^2 = 220$

$\Sigma Y^2 = 4$

TABLEAU 6.18

Calculs de la corrélation des produits croisés et de la corrélation phi

Sujet	X	Y	Produits croisés (r)	Phi (ϕ)
1	0	0	$\dfrac{n\Sigma XY \ - \ \Sigma X\Sigma Y}{\sqrt{[n\Sigma X^2-(\Sigma X)^2][n\Sigma Y^2-(\Sigma Y)^2]}}$	$\dfrac{bc \ - \ ad}{\sqrt{(a+c)(b+d)(a+b)(c+d)}}$
2	0	0		
3	0	0		
4	0	1	$= \dfrac{(9)(2) \ - \ (5)(3)}{\sqrt{[(9)(5)-25][9(3)-9]}}$	$= \dfrac{(2)(3) \ - \ (1)(3)}{\sqrt{(4)(5)(3)(6)}}$
5	1	0		
6	1	0		
7	1	0	$= \dfrac{3}{\sqrt{360}}$	$= \dfrac{3}{\sqrt{360}}$
8	1	1		
9	1	1	$= 0{,}16$	$= 0{,}16$

$\Sigma X = 5 \quad \Sigma Y = 3$

$\quad \Sigma XY = 2$

$\Sigma X^2 = 5 \quad \Sigma Y^2 = 3$

La corrélation de rangs de Spearman

De son côté, la corrélation de rangs de Spearman, notée r_s, est indiquée lorsque les deux variables sont constituées de rangs.

La formule est donnée par

$$r_s = 1 - \frac{6 \ \Sigma \ d^2}{n(n^2-1)}$$

où

- d est la différence entre le rang de X et le rang de Y pour le même sujet
- n est le nombre de sujets.

Elle se veut un indice du degré d'association entre les deux ensembles de rangs. Il faut cependant distinguer ici deux types d'application différents, dépendant de l'état original des données soumises à l'analyste. Les données originales peuvent être numériques ou présentées sous forme de rangs. Dans le cas où l'analyste dispose de données numériques, l'utilisation de r_s peut devenir intéressante. Imaginons par exemple la présence d'un sujet passablement aberrant, comme le sujet 9 du tableau 6.19. Cette observation exerce une influence indue sur la corrélation des produits croisés et fait baisser artificiellement ce coefficient. De fait, la corrélation passe de 0,34 (r_{xy}) à 0,93 (r_{xy}^1) en excluant seulement le sujet 9.

TABLEAU 6.19

Calculs de la corrélation des produits croisés sur les rangs et de la corrélation de rangs de Spearman

Sujet	X	Y	Rang (X)	Rang (Y)	d	d^2	r_s
1	1	2	1	2	-1	1	$1 - \dfrac{6 \Sigma d^2}{n(n^2-1)}$
2	2	1	2	1	1	1	
3	3	4	3	4	-1	1	$= 1 - \dfrac{6(12)}{9(80)}$
4	4	3	4	3	1	1	
5	5	5	5	5	0	0	$= 1 - \dfrac{72}{720}$
6	6	6	6	6	0	0	
7	7	9	7	9	-2	4	$= 0,90$
8	8	8	8	8	0	0	
9	90	7	9	7	2	4	

$r_{xy} = 0,34$ (9 sujets)

$r_{xy}^1 = 0,93$ (excluant le sujet 9)

$r_{\text{RANG }(X)\text{ RANG }(Y)} = 0,90$

Si, en plus, une enquête ultérieure ne révèle pas de raisons suffisantes pour éliminer ce sujet, l'analyste peut courir le risque de le conserver dans l'échantillon, mais à condition de réduire son niveau d'influence. Une façon de faire est de transformer les données initiales en rangs : le couple (90, 7) perd beaucoup d'influence maintenant qu'il devient le couple (9, 7). La corrélation de Spearman est 0,90 et s'avère donc beaucoup plus résistante que la corrélation des produits croisés ($r_{xy} = 0,34$).

Le second type d'application qui justifie l'utilisation du coefficient de Spearman est le suivant : les données furent colligées au départ sous forme de rangs. On rencontre fréquemment cette technique de cueillette de données dans des études dites de jugement où des personnes nommées juges sont appelées à ordonner des sujets (ex. : professeurs, élèves) relativement à certaines caractéristiques. L'analyste doit, dans un tel cas, utiliser le coefficient de Spearman. Il faut cependant mentionner que dans le cas où il n'y a pas de rang lié, c.-à-d. que tous les rangs sont distincts pour une même variable, la corrélation r_s et la corrélation des produits croisés menée sur les rangs entraînent des résultats identiques, comme le montre le tableau 6.19, où $r_{\text{RANG }(X)\text{ RANG }(Y)} = 0,90 = r_s$.

6.10 CONCLUSION

L'objectif général de ce chapitre est d'introduire l'utilisation de la corrélation et de la régression. Pour les deux techniques, nous avons d'abord esquissé verbalement la genèse des quelques formules essentielles qui ont été présentées. Nous avons ensuite mis le doigt sur des pièges courants qui surviennent lors de l'utilisation de la corrélation et de la régression. Même si la plupart des données du chapitre sont fictives — et ce, à la seule fin de démontrer les idées maîtresses —, elles n'en demeurent pas moins typiques de ce que l'on peut voir quotidiennement dans un contexte de consultation statistique. Par exemple, combien de corrélations, extrêmement élevées ou au contraire désespérément faibles qu'un client — tout aussi typique — nous présentait, se sont avérées bien différentes à la suite d'un examen même superficiel du nuage de points, et ce, simplement à cause de la présence d'une ou de deux données. Combien de fois avons-nous entendu, dans des conversations courantes, qu'une variable X « causait » une variable Y, simplement sur la base d'une corrélation élevée. Ce manque de prudence dans l'interprétation est aussi monnaie courante en régression. La caractéristique principale de ce modèle est justement d'en être un, c'est-à-dire qu'il n'y a jamais adéquation avec les données. Conséquemment, l'étude des résidus du modèle, en régression, demeure peut-être l'étape la plus importante. Nous avons ainsi essayé de rendre intéressante l'étude des données. Par exemple, la « classification » des données en typiques, marginaux et dominants s'avère utile dans bien des contextes, pour que l'utilisateur scrute plus soigneusement ses données, pour qu'il reprenne plusieurs fois la même analyse sur des sous-ensembles distincts de sujets, pour qu'il mène des enquêtes si le besoin s'en fait sentir (l'analyse des données n'est-elle pas un travail de détective, comme le dit Tukey), ou encore pour qu'il mette en relation les résidus du modèle avec toute autre variable digne d'intérêt. Évidemment, aborder la statistique sous cet angle ne nous a pas permis d'examiner en détail des tests d'hypothèse, traités fort adéquatement dans bon nombre de volumes. En dernier lieu, dans le cas où notre modeste expérience nous le permettait, nous avons suggéré des stratégies concrètes et toujours simples dans le cas où les données recelaient des problèmes majeurs. L'idée ne viendrait jamais à un analyste de terminer une consultation statistique en remettant à son client deux coefficients de corrélation, l'un de 0,70, l'autre de 0,42, sous prétexte qu'il y a une valeur aberrante qu'il est impossible d'éliminer même après une enquête minutieuse. Ici, le coefficient de Spearman est probablement un meilleur choix — un meilleur choix, mais peut-être pas le seul. Il est essentiel en effet de présumer au début d'une analyse de données qu'il n'y a pas nécessairement une réponse unique à un problème. C'est d'ailleurs un peu l'objet du chapitre suivant.

6.11 RECOMMANDATIONS ET LECTURES PROPOSÉES

Recommandations

1) Il importe de tenir compte de la dispersion des variables X et Y lors de l'interprétation d'un coefficient de corrélation.

2) La visualisation du nuage de points est indispensable à une interprétation adéquate de la relation entre les variables X et Y.

3) Il peut être utile d'utiliser le « jackknife » pour juger de l'importance de certaines valeurs aberrantes dans un nuage de points.

4) Une corrélation élevée entre X et Y n'implique pas nécessairement que X soit la cause de Y. Il est important de considérer l'effet d'autres variables avant d'interpréter la corrélation entre X et Y.

5) Un coefficient de corrélation statistiquement significatif ($\neq 0$) ne signifie pas que la valeur du coefficient soit nécessairement élevée, mais seulement que le hasard aurait difficilement produit un tel résultat, compte tenu du nombre d'observations.

6) *Avant* d'utiliser un test d'hypothèse en régression linéaire, il faut vérifier les quatre conditions d'application relatives à la normalité, à l'homoscedasticité, à l'indépendance et à la linéarité.

7) Afin d'identifier des valeurs potentiellement aberrantes dans un nuage de points, il importe de calculer les résidus standardisés et les valeurs h_x. Il peut s'avérer utile d'employer la technique du « jackknife » pour recalculer l'équation de

la droite de régression, après exclusion des observations dont la valeur h_x est élevée.

8) Avant de disposer d'une valeur aberrante, il faut recueillir des évidences sérieuses d'ordre statistique *et* des informations qualitatives supplémentaires.

Lectures proposées

BARNETT, V., LEWIS, T., [1978] *Outliers in statistical data*, John Wiley & Sons, Chichester, chap. 1, 2.

BELSLEY, D.A., KUH, E., WELSCH, R.E., [1980] *Regression diagnostics*, John Wiley & Sons, New York, chap. 1, 2.

CHATTERJEE, S., PRICE, B., [1977] *Regression analysis by example*, John Wiley & Sons, New York, chap. 1, 2.

EMERSON, J.D., HOAGLIN, D.C., [1983] Resistant lines for *Y* versus *X*, in *Understanding robust and exploratory data analysis* (D.C. HOAGLIN, F. MOSTELLER & J. TUKEY (eds)), John Wiley & Sons, New York.

GOODALL, C., [1983] Examining residuals, in *Understanding robust and exploratory data analysis* (D.C. HOAGLIN, F. MOSTELLER & J. TUKEY (eds)), John Wiley & Sons, New York.

PEDHAZUR, E.J., [1982] *Multiple regression in behavioral research*, Holt, Rinehart & Winston, New York, chap. 1, 2, 5.

SNEDECOR, G.W., COCHRAN, W.G., [1980] *Statistical methods*, The Iowa State University Press, Ames, Iowa, chap. 9, 10.

THORNDIKE, R.M., [1978] *Correlational procedures for research*, Gardner Press Inc., New York, chap. 1, 2, 3, 5.

CHAPITRE 7

Étude de cas

7.1 INTRODUCTION

Ce dernier chapitre se fixe comme objectif général d'illustrer au moyen d'un exemple concret l'attitude appropriée qu'un analyste doit entretenir lorsqu'il mène une analyse de données. Contrairement à la plupart des exemples numériques présentés dans le volume, il s'agit ici de véritables données qui furent recueillies dans un contexte typique de recherche en sciences de l'éducation. De façon plus particulière, nous avons d'abord mis l'accent sur l'importance, voire la nécessité, d'utiliser des méthodes graphiques lors d'une analyse, surtout l'étude du nuage de points et le tracé du déploiement temporel, technique nouvelle qui sera introduite ici sous peu. En second lieu, nous avons voulu illustrer, de façon pratique, des techniques d'enquête simples et susceptibles d'aider l'analyste à comprendre le comportement de certaines données.

7.2 DESCRIPTION DE LA RECHERCHE

La recherche[1] rapportée ici vise à évaluer dans quelle mesure un traitement expérimental fondé sur un entraînement à la pédagogie de la maîtrise parvient à améliorer le concept de soi d'élèves de niveau secondaire. Le traitement présenté s'est déroulé sur plusieurs semaines à l'intérieur du trimestre régulier et a porté exclusivement sur la discipline du français. Par ailleurs, la variable dépendante consiste en une échelle de concept de soi applicable à cette discipline. Cette échelle de 20 items, avec quatre ou cinq catégories de réponses, est orientée de telle sorte que les scores élevés indiquent une bonne estime de soi et que les scores faibles suggèrent une estime de soi faible. Finalement, il est essentiel de souligner que

---

1. Cette recherche provient de la thèse de doctorat de Mad. Marcienne Lévesque, dirigée par Mad. Aimée Leduc de l'Université Laval. L'analyse des données a été effectuée par M. Claude Valiquette.

cette recherche porte uniquement sur des élèves ayant un score faible d'estime de soi (de façon opérationnelle, ce point de coupure a été fixé à 26, à la suite de nombreuses considérations d'ordre statistique et pratique.).

Brièvement, le plan d'expérimentation peut se décrire de la façon suivante : il s'agit d'un plan quasi expérimental comportant deux moments, soit le prétest, au début du trimestre, et le post test, à la fin du trimestre, et deux groupes, le groupe expérimental et le groupe contrôle ; le groupe expérimental bénéficie d'un entraî- nement à la pédagogie de la maîtrise, tandis que le groupe contrôle n'y est pas exposé. Ce plan porte sur des élèves manifestant un faible concept de soi en français. Nous sommes ici clairement en présence d'un plan quasi expérimental puisqu'il était, à toutes fins pratiques, impossible de répartir les élèves de façon aléatoire dans l'un ou l'autre des deux groupes. L'hypothèse principale sous- jacente à la présente recherche veut que les élèves du groupe expérimental améliorent plus leur niveau de concept de soi que ceux du groupe contrôle.

7.3   L'ANALYSE DES DONNÉES

Étude des quatre distributions : les diagrammes en feuilles

Une bonne exploration des données débute d'abord par une inspection visuelle des distributions des données brutes. Pour ce faire, des diagrammes en feuilles furent d'abord tracés (voir graphe 7.1) pour chacune des quatre distributions. Les moyennes (arrondies à l'unité) sont aussi rapportées dans la figure. Quatre phéno- mènes sont ici dignes d'intérêt.

En premier lieu, une vérification des données brutes a été soigneusement menée afin de clarifier le cas des deux individus du groupe contrôle qui lors du prétest obtiennent des scores relativement faibles (8 et 10). Aucune explication plausible n'ayant pu être avancée pour rendre compte de leur comportement, ces deux cas sont conservés dans l'analyse.

Ensuite, un examen rapide des deux distributions du prétest révèle qu'elles sont carrément asymétriques et particulièrement tronquées. La raison est bien simple : les sujets furent sélectionnés sur la base de scores faibles sur le question- naire de concept de soi. Un tel mode de sélection élimine automatiquement toute possibilité de distribution symétrique. Cette observation est intéressante parce qu'elle ne témoigne pas d'une idiosyncrasie des données de la présente étude, mais résulte plutôt de la nature même du plan d'expérimentation, qui comporte une sélection de sujets *extrêmes*, et la constitution de deux groupes. La sélection de sujets extrêmes sur une ou plusieurs variables entraîne inévitablement une distri- bution à l'allure tronquée.

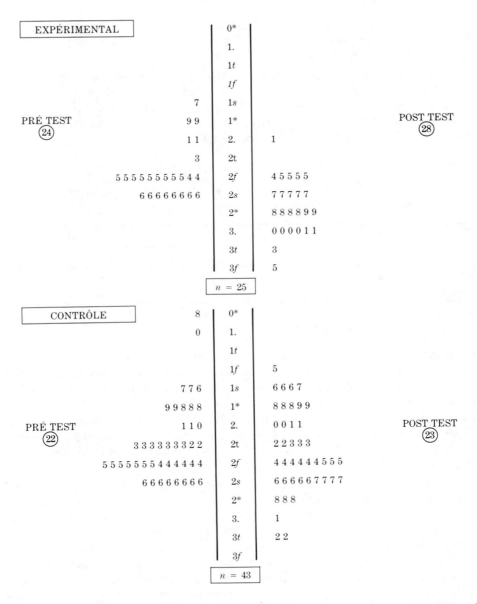

GRAPHE 7.1: Diagrammes en feuilles pour les deux groupes, expérimental ($n = 25$) et contrôle ($n = 43$) au prétest et au post test. Les moyennes respectives (arrondies à l'unité) de chaque distribution sont entourées d'un cercle gras.

En troisième lieu, il est intéressant de constater que les deux distributions deviennent symétriques lors du post test et ce, tant pour les sujets du groupe expérimental que du groupe contrôle.

Finalement, un examen visuel des diagrammes en feuilles indique que les scores, en plus de se regrouper de façon symétrique autour d'une tendance centrale, augmentent légèrement entre les deux moments et ce, pour les deux groupes. Une comparaison grossière entre les moyennes confirme d'ailleurs cette impression. Le tableau 7.1 rapporte ces données.

TABLEAU 7.1

Nombre de sujets (n), moyenne (m_x) et écart-type (e_x) pour le groupe expérimental et le groupe contrôle au prétest (0_1) et au post test (0_2)

Groupe	n	0_1		0_2	
		m_x	e_x	m_x	e_x
Expérimental	25	24,04	2,57	28,00	3,00
Contrôle	43	22,19	4,14	23,33	4,38

L'évolution des sujets : le déploiement temporel

Ces diagrammes en feuilles sont intéressants mais ne favorisent pas la visualisation de l'évolution de chaque personne entre les deux moments. Pour ce faire, un autre type de diagramme est utilisé, le déploiement temporel qui présente, pour les deux groupes, l'augmentation ou la diminution du score sur le concept de soi entre les deux moments (voir graphe 7.2). L'étude du déploiement temporel du groupe expérimental montre que la plupart des sujets obtiennent des scores plus élevés au moment du post test. L'allure générale du déploiement se caractérise par une augmentation globale des scores d'un moment à l'autre.

Le déploiement temporel du groupe contrôle indique une allure plus intrigante. Quatre tendances peuvent être relevées : la première est globale, tandis que les trois autres concernent des petits ensembles de sujets. D'abord, l'allure générale consiste en une augmentation des scores, particulièrement en ce qui concerne les sujets situés autour du centre. Cette tendance, fort ténue par ailleurs, est confirmée par la légère augmentation de la moyenne lors du second moment. Ensuite, trois tendances de nature «locale» se dessinent : en premier lieu, un certain nombre de sujets qui obtenaient des scores élevés lors du prétest manifestent des augmentations «notables» au post test ; aussi, un deuxième regroupement de personnes ayant des scores élevés au prétest, connaissent néanmoins des diminutions «importantes» au post test. Finalement certains sujets, très faibles au départ, augmentent de façon «remarquable» au post test. L'allure quelque peu

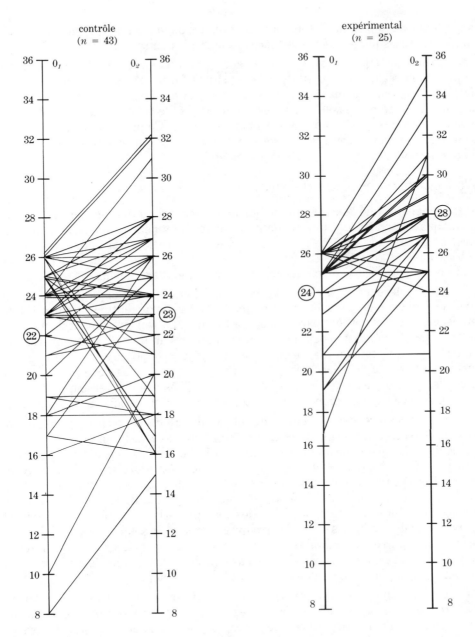

GRAPHE 7.2 : Déploiements temporels pour le groupe contrôle et pour le groupe expérimental entre le prétest (0_1) et le post test (0_2).

anarchique du déploiement temporel tient du fait qu'une tendance « marquée » à la diminution masque les trois premières tendances à l'augmentation.

Ce comportement est quelque peu surprenant, compte tenu de la qualité des sujets de la recherche : en effet, tous les sujets furent choisis à cause de scores faibles sur le questionnaire de concept de soi. Il est étrange donc de constater qu'une minorité de ces élèves, après un intervalle de temps relativement court, voient leur score de concept de soi diminuer encore. Ce phénomène est d'ailleurs spécifique au groupe contrôle, puisqu'il n'y a absolument aucune tendance visible à la diminution au sein du groupe expérimental.

Comparaison avec des données externes à l'étude

Il faut rappeler que l'examen du déploiement temporel du groupe contrôle dégageait quatre tendances : une tendance globale d'augmentation, deux tendances locales à l'augmentation et finalement, une tendance locale à la diminution des scores lors du post test. De fait, quatre personnes connaissent une réduction « marquée » au second moment : un phénomène plutôt ennuyeux.

La première idée qui vient à l'esprit consiste à penser que ce phénomène est une conséquence de particularités intrinsèques à l'instrument de mesure. Il faut envisager cette hypothèse parce qu'il s'agit ici d'un nouvel instrument de mesure, dont les propriétés métrologiques et statistiques ne sont pas encore complètement connues. Ce questionnaire est en effet une adaptation québécoise d'un instrument américain ; c'est la première fois qu'il est utilisé dans une recherche sous sa forme actuelle ; de plus, les données statistiques recueillies avec la version américaine sont malheureusement trop rudimentaires pour rejeter a priori cette hypothèse.

Afin de comprendre la conduite des élèves du groupe contrôle entre le prétest et le post test, il fut décidé de comparer ce groupe avec celui impliqué dans une étude de stabilité du questionnaire menée antérieurement à la présente recherche ($n = 156$). En principe, ces deux groupes devraient être fort semblables, n'ayant bénéficié d'aucun traitement pédagogique privilégié, sauf l'exposition au système scolaire conventionnel. Le seul aspect véritablement différent entre les deux groupes est l'intervalle temporel entre les deux passations du questionnaire : il est de neuf semaines pour les sujets du groupe contrôle et de seulement cinq semaines pour ceux du groupe « stabilité ». Cette différence de quatre semaines devrait cependant être peu importante dans le cas d'un construit comme le concept de soi scolaire. La comparaison entre ces deux groupes devient donc heuristique.

Afin de rendre cette comparaison la plus rigoureuse possible, nous avons d'abord sélectionné, parmi les 156 élèves, seulement ceux qui manifestaient un score de 26 ou moins sur l'échelle de concept de soi, puisque les sujets du groupe contrôle avaient été choisis en fonction de ce seuil. 56 satisfaisaient à cette condition. Ensuite, afin de faciliter la comparaison graphique, nous avons jugé plus prudent de constituer un groupe de taille égale à celle du groupe contrôle. Pour ce faire, à l'aide d'un tableau analogue au tableau 4.1, présentant une séquence aléatoire de chiffres, 43 sujets furent choisis parmi les 56. Ces 43 sujets constituent maintenant le groupe «stabilité», supposément comparable à notre groupe contrôle.

Deux comparaisons furent menées chez ces deux groupes. La première se veut exclusivement graphique et consiste en la visualisation des deux déploiements temporels, respectivement du groupe contrôle et du groupe stabilité. Le graphe 7.3 présente les deux déploiements ; si le groupe contrôle présente une tendance locale à la diminution au post test, il est clair cependant que le groupe stabilité ne recèle en aucun cas une telle évolution. Bien au contraire, l'allure générale du déploiement du groupe stabilité révèle une augmentation généralisée entre les deux moments ; rappelons ici que ce phénomène est exactement ce à quoi nous nous attendions, compte tenu du mode de sélection des sujets sur la base d'un seuil de 26 au questionnaire de concept de soi. Il semble donc que ce premier examen visuel laisse planer des doutes sur la qualité du présent groupe contrôle.

Afin de quantifier la différence dans l'évolution des deux groupes entre les deux moments, nous avons mené une étude préliminaire de la régression. Le tableau 7.2 présente succinctement les principaux termes de la comparaison.

Il appert que les deux groupes, malgré un mode de composition identique, sont distincts. D'abord, la différence numérique entre les moyennes aux deux moments est plus importante pour le groupe stabilité que pour le groupe contrôle ; ensuite, la corrélation est plus faible chez les sujets du groupe stabilité. De plus, les deux droites de régression manifestent une allure générale quelque peu différente.

Les multiples comparaisons entre les deux groupes indiquent donc une conduite quantitativement et qualitativement différente des personnes du groupe contrôle. Les données recueillies dans l'étude ne permettent pas encore d'avancer des hypothèses pour rendre compte de ce phénomène. Afin de comprendre cette particularité importante de l'analyse des données, une analyse plus poussée des individus de ce groupe fut entreprise, particulièrement au niveau des sujets aberrants.

TABLEAU 7.2

Nombre de sujets (n), moyenne (m_x) au prétest (0_1) et au post test (0_2), corrélation (r) et droite de régression chez les deux groupes. Les données sont arrondies de façon à obtenir deux chiffres significatifs

Groupe	n	m_x		r	Droite de régression
		0_1	0_2		
Contrôle	43	22	23	0,49	POST = 12 + 0,52 PRÉ
Stabilité	43	23	26	0,40	POST = 13 + 0,56 PRÉ

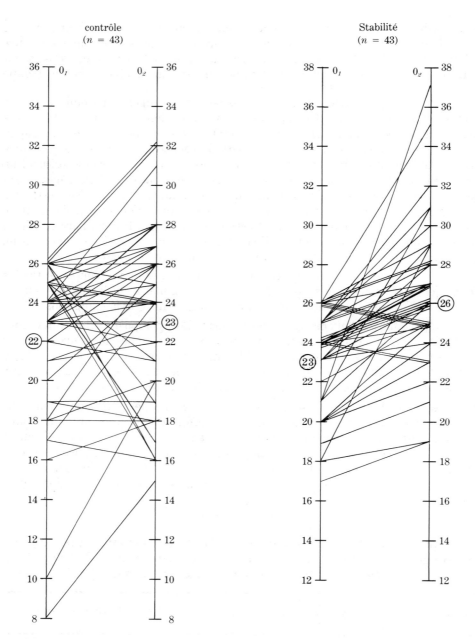

GRAPHE 7.3 : Déploiements temporels du groupe contrôle et du groupe stabilité entre le prétest (0_1) et le post test (0_2).

Étude détaillée des valeurs aberrantes

Nous avons donc décidé d'entreprendre une analyse plus poussée de la régression entre le prétest et le post test chez le groupe contrôle. Le graphe 7.4 présente le nuage de points de cette relation. Deux sous-groupes de sujets ressortent claire-ment comme potentiellement aberrants. Le premier est constitué des deux sujets dont les couples de scores, au prétest et au post test, sont (8,15) et (10,20). Ces sujets ont les valeurs h_x les plus élevées, soit 0,30 et 0,23. Le second sous-groupe comprend les quatre sujets dont les couples de scores sont (25,16), (25,17), (26,16) et (26,19). Ces sujets ont des résidus standardisés plutôt élevés. Nous avons utilisé la technique du « jackknife » présentée au chapitre précédent, afin d'évaluer l'in-fluence de chacun de ces deux sous-groupes de sujets sur la droite de régression. Tout d'abord, en excluant les deux sujets du premier sous-groupe, on obtient l'équation POST = 10,29 + 0,58 PRÉ. Ensuite, en excluant les quatre sujets du second sous-groupe, on obtient l'équation de régression POST = 8,86 + 0,69 PRÉ. Rappelons que l'équation de régression initiale était POST = 11,86 +

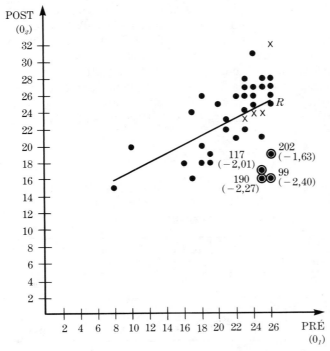

GRAPHE 7.4 : Nuage de points de la relation entre le pré test et le post test chez les sujets du groupe contrôle (x : point double, ◉ : valeur aberrante). « *R* » dénote la droite de régression.

0,52 PRÉ. Ainsi le second sous-groupe de sujets influence assurément plus la droite de régression. C'est pourquoi nous lui porterons plus d'attention[2].

Les quatre points représentant les couples de scores de ces sujets sont identifiés dans le nuage de points à l'aide de leur numéro (99, 117, 190 et 202) et de leur résidu standardisé ($-2,40$, $-2,01$, $-2,27$ et $-1,63$). Il s'agit incidemment des quatre sujets qui avaient été détectés lors de l'étude du déploiement temporel et qui manifestaient une diminution marquée de leurs scores lors du post test. Afin de pouvoir expliciter ce comportement déviant, une analyse détaillée fut entreprise et ce, à deux niveaux : au niveau de l'analyse statistique de données supplémentaires et au niveau de l'opinion des professeurs.

Le tableau 7.3 rapporte les résultats de l'analyse statistique menée sur ces quatre élèves. Plusieurs points peuvent être soulevés ici : en premier lieu, le sexe ne semble pas être une variable plausible pour expliquer leur comportement déviant puisqu'il y a trois garçons et une fille ; le facteur classe doit lui aussi être rejeté puisque les quatre élèves proviennent de classes différentes ; le rendement scolaire en français ne joue aucun rôle ici puisque les notes varient de 63 à 71. Finalement, la relation entre le niveau intellectuel et le rendement scolaire montre que les quatre élèves ont un rendement inférieur à ce qu'ils devraient connaître, compte tenu de leurs capacités intellectuelles. La dernière colonne du tableau 7.3 indique en effet que les résidus standardisés provenant de la régression entre le quotient intellectuel et le rendement en français sont toujours négatifs. L'ampleur de ces résidus n'est toutefois pas assez forte statistiquement pour justifier un rejet immédiat de ces quatre personnes. Cependant, le fait que les quatre sujets manifestent une certaine déviance sur *deux* régressions différentes ne peut qu'inciter à poursuivre cette enquête.

TABLEAU 7.3

Bilan de l'étude de la régression entre le pré test (0_1) et le post test (0_2), et celle entre le quotient intellectuel et le rendement en français chez quatre sujets aberrants

Numéro	Pré (0_1)	Post (0_2)	Résidu standardisé	Sexe	Classe	Note en français	Quotient intellectuel	Résidu standardisé
99	26	16	$-2,40$	M	10	68	112	$-1,00$
117	25	17	$-2,01$	M	8	71	137	$-1,67$
190	25	16	$-2,27$	M	9	68	120	$-1,32$
202	26	19	$-1,63$	F	7	63	97	$-0,95$

---

2. Rappelons, de plus, que lors de l'étude du diagramme en feuilles (graphe 7.1) des données prétest-post test du groupe contrôle, nous avions procédé à une vérification des deux sujets du premier sous-groupe. Il avait alors été décidé de les conserver dans l'analyse.

Le second niveau d'analyse impliqué ici est qualitatif puisqu'il consiste en une enquête grossière menée par téléphone auprès des professeurs. Le but de cette procédure est d'obtenir, de la part des professeurs, leur opinion sur l'élève concerné. Une telle stratégie de cueillette d'informations est cependant délicate à effectuer puisqu'en aucun cas, le professeur ne doit se douter qu'on lui demande de *confirmer* une hypothèse. De façon caricaturée, il faut éviter d'aborder la conversation en disant au professeur que «les statistiques nous disent que certains sujets sont bizarres, qu'en pensez-vous?» Il faut au contraire mener une entrevue non directive afin de faciliter la libre expression d'opinions personnelles. Pour favoriser un tel type d'interaction, il n'était pas spécifié au départ que les quatre élèves manifestaient certaines aberrations dans l'analyse statistique; de plus, l'entrevue portait non seulement sur ces quatre élèves, mais également sur quatre autres élèves du groupe contrôle, parfaitement «typiques», choisis de façon aléatoire. Les professeurs concernés devaient donc porter un jugement sur huit personnes, dont quatre seulement étaient supposément aberrantes au plan statistique.

Le verbatim des huit conversations obtenues confirme très nettement le caractère problématique des quatre élèves concernés. En premier lieu, la longueur des commentaires des professeurs est de beaucoup supérieure pour les sujets suspects: quatre lignes pour ceux-ci et seulement deux pour les autres en moyenne. De fait, les distributions du nombre de lignes ne se recouvrent à peu près pas: elles sont respectivement de 2, 4, 4 et 6 lignes pour le groupe déviant et de 1, 1, 2 et 3 lignes pour le groupe non déviant. En deuxième lieu, le style des commentaires est beaucoup plus «vivant» pour les sujets aberrants: les conversations débutent fréquemment par «Ha! Celle-là!» ou «Hum! Très curieux!», etc. Finalement, le contenu des commentaires est fort révélateur: deux des élèves manifestent de sérieux problèmes d'auto-contrôle, tandis que deux font montre d'un désintérêt total pour les activités scolaires mais d'un intérêt intense, l'un pour le hockey, l'autre pour la résolution du cube RUBIK (qu'il réussit, d'ailleurs); un autre vient d'une famille désunie et fait l'objet de plaintes répétées de la part de plusieurs professeurs. Par contre, l'étude du contenu des commentaires pour les sujets non déviants ne révèle jamais de telles caractéristiques.

Il est maintenant temps de tracer un rapide bilan de l'analyse d'ensemble des quatre cas aberrants: ces quatre personnes furent d'abord remarquées lors de l'examen du déploiement temporel; cette conduite singulière fut confirmée lors de l'étude de la régression du post test sur le prétest, particulièrement en ce qui concerne l'ampleur des résidus standardisés; ces mêmes sujets s'avèrent de plus légèrement marginaux dans la régression entre le quotient intellectuel et le rendement scolaire en français. Finalement, une étude qualitative menée auprès des professeurs concernés confirme qu'il s'agit là d'élèves montrant des problèmes sérieux de comportement, de personnalité ou d'adaptation scolaire et sociale. Ces faits troublants forcent à envisager leur exclusion de l'analyse des données. De fait, les trois sujets les plus déviants sur ces deux régressions en termes des résidus standardisés furent rejetés, ce qui correspond aux sujets 99, 117 et 190, tandis que le sujet 202 fut conservé.

Il faut souligner ici l'importance, voire même la gravité d'une telle décision. L'élimination de trois sujets non typiques parmi un échantillon de 43 personnes risque d'entraîner des conséquences draconiennes sur l'allure des données du groupe contrôle. Ce rejet est cependant pleinement justifié car les sujets du groupe contrôle manifestent une diminution des scores au post test et ce, contre toute attente. Une analyse visuelle du déploiement temporel des données du groupe contrôle et du nuage de points semble indiquer que le comportement de ces quatre sujets en est le responsable. Divers tests statistiques et une enquête qualitative auprès des professeurs confirment d'ailleurs cette impression. L'exclusion de trois de ces personnes constitue donc ici la solution la plus réaliste.

Les conséquences de cette procédure d'élimination doivent maintenant être considérées, particulièrement en ce qui concerne l'allure du déploiement temporel.

Le graphe 7.5 rapporte les déploiements temporels respectivement pour le groupe contrôle initial ($n = 43$) et pour le groupe contrôle final ($n = 40$). Il apparaît maintenant que l'on ne peut plus déceler, chez le groupe final, une tendance locale à la diminution des scores entre les deux moments, contrairement au déploiement observé chez le groupe initial. En effet, trois des quatre sujets responsables de ce phénomène furent éliminés à la suite de notre analyse. Ce modeste récit montre donc qu'il est rarement inutile de faire de nombreuses figures, parfois même grossières, afin de saisir, dans les moindres détails, les particularités essentielles des données.

7.4   CONCLUSION

L'objectif général de ce dernier chapitre consistait à donner un exemple concret d'une analyse de données et ce, au moyen d'une expérience vécue. Plus précisément, nous voulions montrer le lien entre l'analyse graphique détaillée de figures somme toute assez simples comme le nuage de points et le déploiement temporel, et les possibilités ultérieures d'enquêtes poussées dans le cas de certains sujets problématiques. Ce récit ne doit cependant pas être pris comme «modèle universel», mais tout au plus comme un exemple réel et fort probablement typique de données de recherche en sciences de l'éducation. Par ailleurs, il n'est jamais fait mention dans ce dernier chapitre et ce, de façon tout à fait volontaire, des méthodes d'analyse statistique disponibles afin de confirmer l'hypothèse de recherche. Une telle démarche aurait été, pensons-nous, fort inappropriée puisque l'analyse du plan d'expérience de cette recherche se situe dans un domaine très controversé du monde de la psychologie et des sciences de l'éducation, désigné sous le nom de mesure du changement. L'évaluation du gain (changement) s'avère actuellement

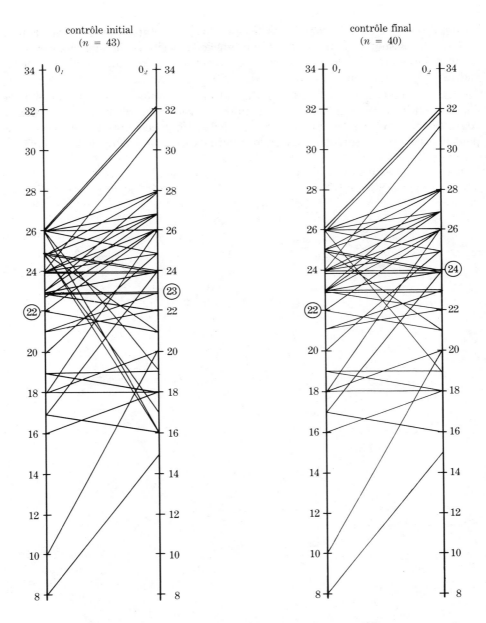

GRAPHE 7.5 : Déploiements temporels avant élimination (groupe contrôle initial) et après élimination (groupe contrôle final) entre le pré test (0_1) et le post test (0_2).

un des problèmes méthodologiques les plus irritants (voir par exemple Harris [1963]); en conséquence, nous ne voulions en rien inscrire ce dernier chapitre dans le giron de cette éternelle controverse, ce qui aurait considérablement débordé les cadres du présent volume.

Le lecteur notera tout particulièrement l'accent qui a été mis au cours de ce chapitre sur l'expression visuelle des données, la recherche d'indices et l'étude des regroupements et des valeurs aberrantes. En somme, ceci montre de façon on ne peut plus concrète ce que nous entendons par l'expression « analyse des données ».

Quelques rappels géométriques

Nous distinguerons d'abord les relations (resp. les fonctions) monotones et les relations (resp. les fonctions) non monotones entre deux variables X et Y.

Une relation (de X vers Y) est dite *croissante* si pour tout couple de points (x_1, y_1), (x_2, y_2), un accroissement de x_1 à x_2 entraîne un accroissement de y_1 à y_2. D'autre part, elle sera *décroissante* si un accroissement de x_1 à x_2 entraîne une diminution de y_1 à y_2.

Une relation est appelée *monotone* si elle est croissante ou décroissante. Les graphes I.1a et I.1b sont des exemples de relations monotones. On donnera le nom de relation *non monotone* à toute relation qui ne peut être considérée monotone. Nous reviendrons plus loin aux relations non monotones. Pour l'instant, distinguons les relations (monotones) linéaires des relations (monotones) non linéaires.

Une relation monotone de x vers y sera *linéaire* si le rapport de l'accroissement des y_i à l'accroissement des x_i reste constant pour tous les couples (x_i, y_i), (x_j, y_j) de la relation. En d'autres mots, on doit avoir
$$\frac{y_2 - y_1}{x_2 - x_1} = \frac{y_3 - y_2}{x_3 - x_2} = \frac{y_i - y_j}{x_i - x_j} = b \text{ (une constante).}$$

Une telle relation linéaire est représentée géométriquement par une droite de pente b comme le montre le graphe I.2. On voit que si la distance entre x_1 et x_2 est égale à la distance entre x_2 et x_3, la distance entre y_1 et y_2 est alors égale à la distance entre y_2 et y_3, c'est-à-dire que $x_2 - x_1 = x_3 - x_2$ implique $y_2 - y_1 = y_3 - y_2$. Ainsi $\frac{y_2 - y_1}{x_2 - x_1} = \frac{y_3 - y_2}{x_3 - x_2}$ comme requis.

Le point de rencontre de la droite avec l'axe OY est noté « a », lorsque OY est tracé à travers l'origine (le zéro) de OX.

L'équation de la droite est alors donnée par $Y = a + bX$.

Toute relation monotone qui ne respecte pas cette constance d'accroissement dans le rapport des y_i avec les x_i (et donc qui ne peut être représentée par une droite) est dite *non linéaire*.

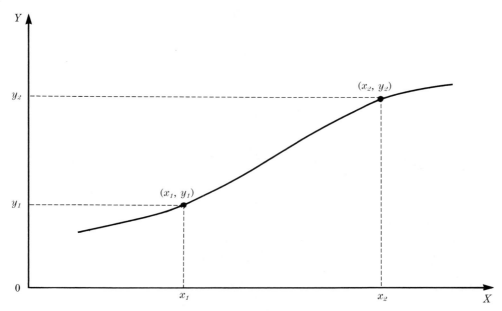

GRAPHE I.1a):   Exemple de relation monotone (croissante): $x_2 \geq x_1$ et $y_2 \geq y_1$.

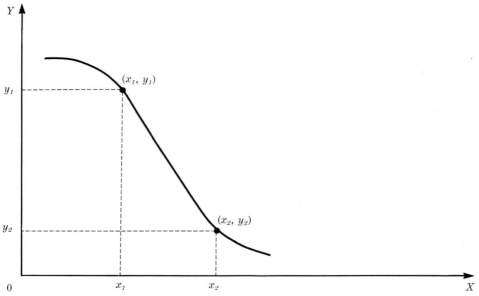

GRAPHE I.1b):   Exemple de relation monotone (décroissante): $x_2 \geq x_1$ et $y_2 \leq y_1$.

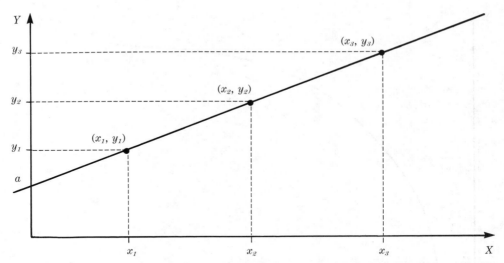

Graphe I.2: Exemple d'une droite représentant une relation linéaire entre X et Y.

Les graphes suivants présentent des exemples communs de relations non linéaires.

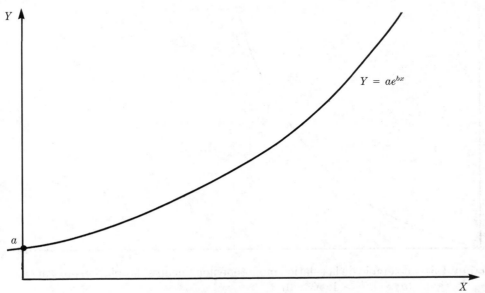

Graphe I.3: Exemple de relation monotone non linéaire: la relation exponentielle ($a > 0$, $b > 0$). (Note: $e = 2{,}72$ environ.)

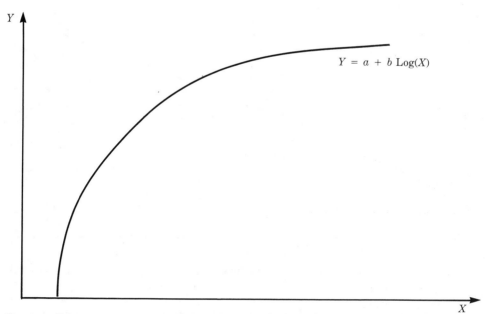

GRAPHE I.4: Exemple de relation monotone non linéaire: la relation logarith-mique[1] ($a > 0$, $b > 0$, $X > 0$).

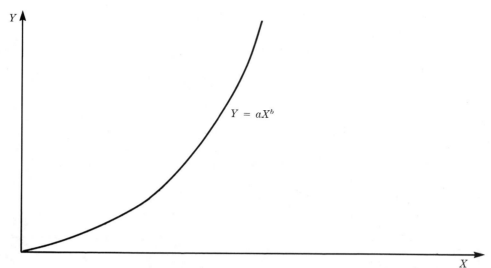

GRAPHE I.5: Exemple de la relation monotone non linéaire: la relation puissance ($a > 0$, $b > 1$, $X > 0$).

1. Le logarithme est présenté en appendice II.

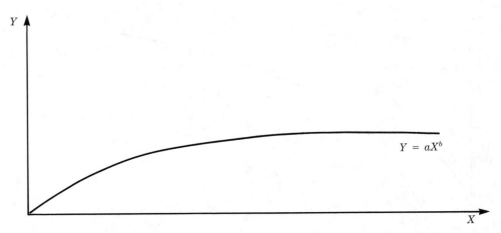

GRAPHE I.6: Exemple de relation monotone non linéaire: la relation racine $(a > 0,\ 0 < b < 1)$, partie positive.

Pour concrétiser un peu plus ces exemples, nous donnerons les cas particuliers de ces relations monotones non linéaires susceptibles d'être les plus utiles aux chercheurs en sciences de l'éducation.

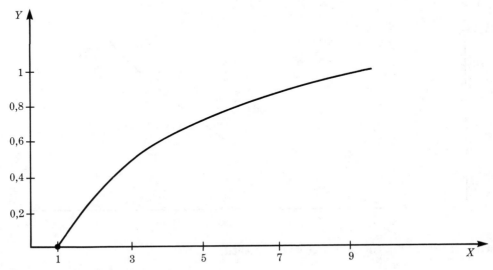

GRAPHE I.7: La relation $Log_{10}(X)$.
ex.: $Log_{10}(1) = 0$,
$Log_{10}(5) = 0,7,$
$Log_{10}(10) = 1$.

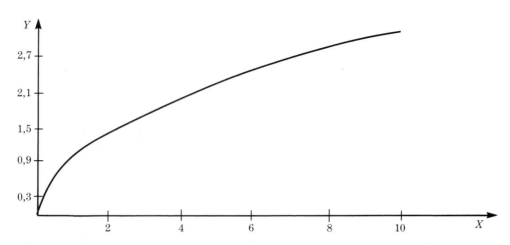

GRAPHE I.8:   La relation $\sqrt{X}$ (partie positive).
ex.: $\sqrt{1} = 1$,
$\sqrt{4} = 2$,
$\sqrt{9} = 3$.

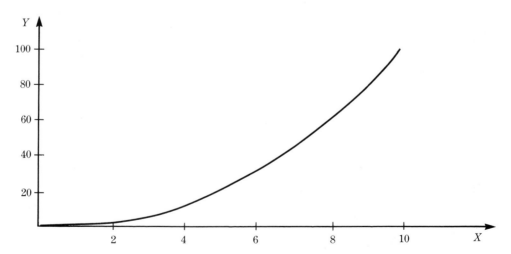

GRAPHE I.9:   La relation X^2 (pour X positif)
ex.: $2^2 = 4$,
$4^2 = 16$,
$6^2 = 36$.

Par la suite, nous présenterons quelques exemples de relations qui ne sont pas monotones, donc des relations dites non monotones. Au graphe I.10, nous sommes en présence d'une relation quadratique de la forme $Y = a + b_1X + b_2X^2$ où en particulier les points $Y = a = 3$ (si $X = 0$), $X = N = 5{,}54$ (si $Y = 0$) et $S = (2{,}5,\ 9{,}25)$ appartiennent à la courbe.

Ce dernier point retient spécialement notre attention: il constitue le point maximum de la courbe (le plus élevé).

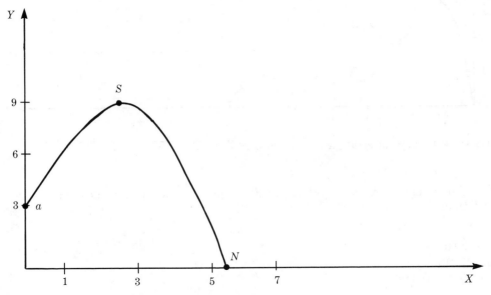

GRAPHE I.10: La relation non monotone $Y = 3 + 5X - X^2$.

En conséquence, nous pouvons voir que pour les x_i compris entre 0 et 2,5, tout accroissement de x_1 à x_2 entraîne un accroissement de y_1 à y_2, quels que soient les points $(x_1,\ y_1)$, $(x_2,\ y_2)$. Alors qu'au contraire, pour les x_i compris entre 2,5 et 5,54, tout accroissement de x_1 à x_2 entraîne une diminution de y_1 à y_2.

Le graphe I.11 présente une relation cubique de la forme $y = a + b_1X + b_2X^2 + b_3X^3$. Cette fois-ci, nous avons deux sommets locaux: un maximum à $S_1 = (1{,}3)$ et un minimum à $S_2 = (2{,}33,\ 1{,}81)$.

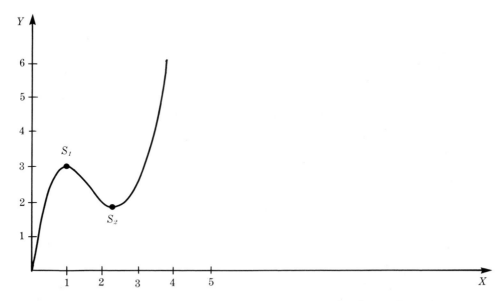

GRAPHE I.11 :   La relation non monotone $Y = 7X - 5X^2 + X^3$.

Pour terminer, nous indiquons une synthèse des principales formes de relations.

RELATIONS
LINÉAIRES

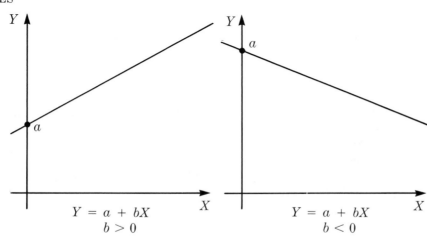

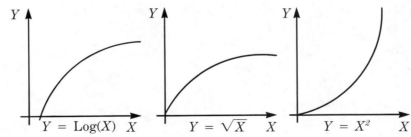

RELATIONS MONOTONES NON LINÉAIRES

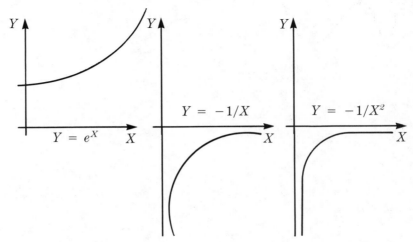

RELATIONS NON MONOTONES

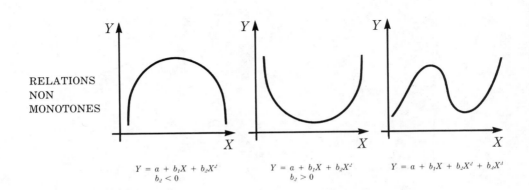

Puissances et logarithmes

PUISSANCES

La puissance d'un nombre « x » est donnée par le produit

$$\overbrace{x \cdot x \cdot x \cdot x \cdot \ldots \cdot x}^{m \text{ fois}} = x^m$$

où « m » est appelé l'exposant.

Nous avons:

1) $x^{-m} = \dfrac{1}{x^m}$

2) $x^0 = 1$

3) $x^n \cdot x^m = x^{n+m}$

4) $(x^m)^n = \overbrace{x^{\cdot m} x^{\cdot m} x^{\cdot m} \ldots x^m}^{n \text{ fois}} = \overbrace{x^{m+m+\cdots+m}}^{n \text{ fois}} = x^{m \cdot n}$

5) $x^{1/m} = \sqrt[m]{x}$

6) $x^{m/n} = \sqrt[n]{x^m}$

Exemples:

1) $3^{-2} = \dfrac{1}{3^2} = \dfrac{1}{9}$

2) $4^3 \cdot 4^2 = 64 \cdot 16 = 1024 = 4^5$

3) $(4^3)^2 = 64^2 = 4096 = 4^6$

4) $4^{1/2} = \sqrt[2]{4} = (\pm)2$

5) $4^{3/2} = \sqrt[2]{4^3} = \sqrt[2]{64} = (\pm)8$

LOGARITHMES

Si $x^m = y$ pour x plus grand que 1 (donc y plus grand que 0), le nombre « m » est appelé *logarithme* de y dans la base x et on écrit: $m = \log_x y$.

Nous avons les propriétés suivantes:

1) $\text{Log}_x 1 = 0$, car $x^0 = 1$,

2) $\text{Log}_x(y \cdot z) = \text{Log}_x y + \text{Log}_x z$,

3) $\text{Log}_x(y/z) = \text{Log}_x y - \text{Log}_x z$,

4) $\text{Log}_x y^\rho = \rho \cdot \text{Log}_x y$.

Exemples:

1) $\text{Log}_2 8 = 3$, car $2^3 = 8$

2) $\text{Log}_{10} 100 = 2$, car $10^2 = 100$

3) $\text{Log}_{10} 10 = 1$, car $10^1 = 10$

4) $\text{Log}_4 2 = 1/2$, car $\sqrt[2]{4} = 4^{1/2} = 2$

5) $\text{Log}_6 1/36 = -2$, car $6^{-2} = \dfrac{1}{6^2} = \dfrac{1}{36}$

6) $\text{Log}_{10} 10^{12} = 12 \, \text{Log}_{10} 10 = 12$, en utilisant la propriété 4 et l'exemple 3.

7) $\text{Log}_{10} 0{,}01 = \text{Log}_{10} 1/100 = -2$, car $10^{-2} = \dfrac{1}{10^2} = \dfrac{1}{100} = 0{,}01$.

Comme nous n'utilisons, dans ce texte, que des logarithmes dans la base 10, on s'entendra pour convenir que $\text{Log } y$ veut dire $\text{Log}_{10} y$.

Nous savons trouver facilement,

     $\text{Log } 10 \; (=1)$, $\text{Log } 100 (=2)$, $\text{Log } 1000 \; (=3)$, ...,

aussi $\text{Log } 0{,}1 \; (= -1)$, $\text{Log } 0{,}01 \; (= -2)$, $\text{Log } 0{,}001 \; (= -3)$, ...

Mais il est moins facile de trouver précisément $\text{Log } 423$.

On peut remarquer cependant que, comme $\text{Log } 423$ est plus grand que $\text{Log } 100 \; (=2)$ et plus petit que $\text{Log } 1000 \; (=3)$, alors $\text{Log } 423$ est situé quelque part entre 2 et 3.

Comme plusieurs autres chercheurs ont été confrontés déjà avec ce problème de calcul, deux solutions peuvent être exposées ici:

1) Utiliser une calculatrice comprenant une touche Log (usage connu).

2) Utiliser une bonne vieille table de logarithmes comme celle qui est présentée un peu plus loin. L'usage de cette table sera expliqué dans les lignes qui suivent.

Établissons d'abord un principe. Le logarithme d'un nombre peut toujours être vu comme l'addition de deux composantes. La première composante correspond à l'estimation de l'ordre de grandeur du logarithme. Par exemple, nous avons estimé que Log 423 était situé entre 2 et 3.

Donc Log 423 = 2 + □ ,

où □ est la partie décimale donnée par les tables qui constitue la deuxième composante du logarithme.

Remarquons immédiatement que la première composante du logarithme peut être positive ou négative (Log 100 = 2, Log 0,01 = −2), mais que la seconde, soit □ , est toujours positive.

On aura, par exemple, Log (0,02316) = −2 + □ car 0,02316 est situé entre 0,01 et 0,1, donc Log (0,02316) est situé entre Log (0,01) = −2 et Log (0,1) = −1. Par conséquent, Log (0,02316) égale −2 plus une partie décimale positive (représentée ici par □).

Passons maintenant à l'explication de la table de logarithmes[1] (Table II.1).

La colonne Y de cette table donne des nombres de quatre chiffres qui constituent les limites de l'intervalle dans lequel se situe le nombre Y dont on cherche le logarithme. La colonne Log Y donne la seconde composante (décimale) du logarithme, soit □. Notons toutefois que les virgules ont été omises dans cette table pour en faciliter la lecture. Cette colonne se lit :

0,00
0,01
0,02
.
.
0,99.

Ainsi, pour trouver le logarithme du nombre 423, on estime d'abord la première composante. Nous avons déjà vu qu'elle est située entre 2 et 3, donc

$$\text{Log } 423 = 2 + \square .$$

Pour la seconde composante, on cherche dans la colonne Y où se situe le nombre 4230[2]. Après avoir identifié les limites qui situent ce nombre, ici 4217 et 4315, on lit dans la colonne Log Y la partie décimale correspondante, soit □ = 0,63.

---

1. Adaptée par Tukey (1977, p. 62).
2. La procédure consiste à faire de Y un nombre à quatre chiffres avant de scruter la « colonne Y ». Ainsi, au lieu de chercher où se situe 423 dans la colonne Y, on cherchera 4230. De même, pour 2 on cherchera 2000, pour 72 on cherchera 7200 et pour 742619 on cherchera 7426.

Donc   Log 423 = 2 + □ = 2 + 0,63 = 2,63.

Exemples :

1) Log 2 = 0 + □ = 0 + 0,30 = 0,30
2) Log 112 = 2 + □ = 2 + 0,05 = 2,05
3) Log 72 = 1 + □ = 1 + 0,86 = 1,86
4) Log 0,02316 = −2 + □ = −2 + 0,36 = −1,64
5) Log 0,001 = −3 + □ = −3 + 0,00 = −3,00

TABLE II.1

Logarithmes[3]

Y	Log Y	Y	Log Y	Y	Log Y	Y	Log Y	Y	Log Y
9886	00	1567	20	2483	40	3936	60	6237	80
1012	01	1603	21	2541	41	4027	61	6383	81
1035	02	1641	22	2600	42	4121	62	6531	82
1059	03	1679	23	2661	43	4217	63	6683	83
1084	04	1718	24	2723	44	4315	64	6839	84
1109	05	1758	25	2786	45	4416	65	6998	85
1135	06	1799	26	2851	46	4519	66	7161	86
1161	07	1841	27	2917	47	4624	67	7328	87
1189	08	1884	28	2985	48	4732	68	7499	88
1216	09	1928	29	3055	49	4842	69	7674	89
1245	10	1972	30	3126	50	4955	70	7852	90
1274	11	2018	31	3199	51	5070	71	8035	91
1303	12	2065	32	3273	52	5188	72	8222	92
1334	13	2113	33	3350	53	5309	73	8414	93
1365	14	2163	34	3428	54	5433	74	8610	94
1396	15	2213	35	3508	55	5559	75	8810	95
1429	16	2265	36	3589	56	5689	76	9016	96
1462	17	2317	37	3673	57	5821	77	9226	97
1496	18	2371	38	3758	58	5957	78	9441	98
1531	19	2427	39	3846	59	6095	79	9661	99
1567		2483		3936		6237		9886	

3. Reproduit avec permission de Tukey, J.W., [1977] *Exploratory data analysis*, Addison-Wesley, Reading, Massachussets, p. 62.

Guide pour l'utilisation des tables statistiques

Nous traiterons des tables comme nous les retrouvons habituellement dans les volumes qui portent sur l'analyse des données (ou les « statistiques appliquées »).

Il sera question des distributions normale, t, F et khi-deux.

La distribution normale

Le tableau III.1 présente la table des proportions de surface sous la courbe normale de moyenne 0 et d'écart-type 1. Pour un z_0 quelconque positif, la proportion indiquée dans cette table est celle qui se trouve entre $z = 0$ et $z = z_0$. Le graphe III.1 donne une illustration visuelle de cette proportion de surface, notée P.

Si l'on désire savoir par exemple la valeur de P pour $z_0 = 1,30$, on doit lire le nombre à l'intersection de la ligne débutant par ($z_0 =$) 1,3 et de la colonne débutant par 0,00 car $1,30 = 1,3 + 0,00$. On obtient 0,4032. Ce qui signifie que plus de 40% de la surface sous la courbe se situe entre $z = 0$ et $z = z_0 = 1,30$. Pour $z_0 = 1,35$, on obtiendra à l'intersection de la ligne 1,3 et de la colonne 0,05, le nombre 0,4115.

La proportion de surface P nous intéresse rarement en soi. Elle est plutôt utilisée comme étape de calcul. Par contre, on voudra souvent connaître la proportion de surface sous la courbe qui correspond à $z \geqslant z_0$. Pour y arriver, on peut procéder ainsi : tout d'abord, il faut remarquer que la proportion de surface totale sous la courbe égale 1. Or comme la distribution normale est symétrique, on comprendra que la proportion de la surface où $z \leqslant 0$ est égale à la proportion où $z \geqslant 0$, soit 0,5.

En conséquence, la proportion de surface désirée (c.-à-d. pour $z \geqslant z_0$) sera égale à 0,5 moins P, tel qu'illustré au graphe III.2 par la partie hachurée.

TABLEAU III.1

Proportions de surface P sous la courbe normale[1] de moyenne 0 et d'écart-type 1

z_0	0,00	0,01	0,02	0,03	0,04	0,05	0,06	0,07	0,08	0,09
0,0	0,0000	0,0040	0,0080	0,0120	0,0160	0,0199	0,0239	0,0279	0,0319	0,0359
0,1	0,0398	0,0438	0,0478	0,0517	0,0557	0,0596	0,0636	0,0675	0,0714	0,0753
0,2	0,0793	0,0832	0,0871	0,0910	0,0948	0,0987	0,1026	0,1064	0,1103	0,1141
0,3	0,1179	0,1217	0,1255	0,1293	0,1331	0,1368	0,1406	0,1443	0,1480	0,1517
0,4	0,1554	0,1591	0,1628	0,1664	0,1700	0,1736	0,1772	0,1808	0,1844	0,1879
0,5	0,1915	0,1950	0,1985	0,2019	0,2054	0,2088	0,2123	0,2157	0,2190	0,2224
0,6	0,2257	0,2291	0,2324	0,2357	0,2389	0,2422	0,2454	0,2486	0,2517	0,2549
0,7	0,2580	0,2611	0,2642	0,2673	0,2703	0,2734	0,2764	0,2794	0,2823	0,2852
0,8	0,2881	0,2910	0,2939	0,2967	0,2995	0,3023	0,3051	0,3078	0,3106	0,3133
0,9	0,3159	0,3186	0,3212	0,3238	0,3264	0,3289	0,3315	0,3340	0,3365	0,3389
1,0	0,3413	0,3438	0,3461	0,3485	0,3508	0,3531	0,3554	0,3577	0,3599	0,3621
1,1	0,3643	0,3665	0,3686	0,3708	0,3729	0,3749	0,3770	0,3790	0,3810	0,3830
1,2	0,3849	0,3869	0,3888	0,3907	0,3925	0,3944	0,3962	0,3980	0,3997	0,4015
1,3	0,4032	0,4049	0,4066	0,4082	0,4099	0,4115	0,4131	0,4147	0,4162	0,4177
1,4	0,4192	0,4207	0,4222	0,4236	0,4251	0,4265	0,4279	0,4292	0,4306	0,4319
1,5	0,4332	0,4345	0,4357	0,4370	0,4382	0,4394	0,4406	0,4418	0,4429	0,4441
1,6	0,4452	0,4463	0,4474	0,4484	0,4495	0,4505	0,4515	0,4525	0,4535	0,4545
1,7	0,4554	0,4564	0,4573	0,4582	0,4591	0,4599	0,4608	0,4616	0,4625	0,4633
1,8	0,4641	0,4649	0,4656	0,4664	0,4671	0,4678	0,4686	0,4693	0,4699	0,4706
1,9	0,4713	0,4719	0,4726	0,4732	0,4738	0,4744	0,4750	0,4756	0,4761	0,4767
2,0	0,4772	0,4778	0,4783	0,4788	0,4793	0,4798	0,4803	0,4808	0,4812	0,4817
2,1	0,4821	0,4826	0,4830	0,4834	0,4838	0,4842	0,4846	0,4850	0,4854	0,4857
2,2	0,4861	0,4864	0,4868	0,4871	0,4875	0,4878	0,4881	0,4884	0,4887	0,4890
2,3	0,4893	0,4896	0,4898	0,4901	0,4904	0,4906	0,4909	0,4911	0,4913	0,4916
2,4	0,4918	0,4920	0,4922	0,4925	0,4927	0,4929	0,4931	0,4932	0,4934	0,4936
2,5	0,4938	0,4940	0,4941	0,4943	0,4945	0,4946	0,4948	0,4949	0,4951	0,4952
2,6	0,4953	0,4955	0,4956	0,4957	0,4959	0,4960	0,4961	0,4962	0,4963	0,4964
2,7	0,4965	0,4966	0,4967	0,4968	0,4969	0,4970	0,4971	0,4972	0,4973	0,4974
2,8	0,4974	0,4975	0,4976	0,4977	0,4977	0,4978	0,4979	0,4979	0,4980	0,4981
2,9	0,4981	0,4982	0,4982	0,4983	0,4984	0,4984	0,4985	0,4985	0,4986	0,4986
3,0	0,4987	0,4987	0,4987	0,4988	0,4988	0,4989	0,4989	0,4989	0,4990	0,4990

---

1. Reproduit avec permission de Hoel, P.G., [1971] *Introduction to mathematical statistics*, John Wiley & Sons, New York, N.Y., p. 391.

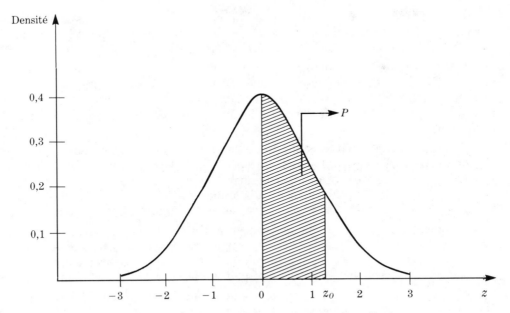

GRAPHE III.1: La proportion de surface entre 0 et z_0 est P.

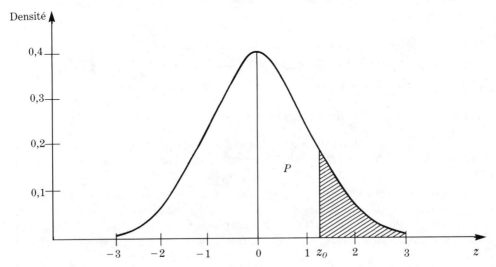

GRAPHE III.2: La partie hachurée correspond à la proportion de surface où $z \geqslant z_0$: 0,5 moins P.

Par exemple, si l'on veut connaître la proportion de surface sous la courbe normale pour $z \geqslant 2$, on trouve d'abord P, en regardant dans le tableau III.1: à la ligne 2,0, colonne 0,00, on peut lire que $P = 0,4772$.

En conséquence, la proportion de surface recherchée est égale à $0,5 - 0,4772 = 0,0228$; c'est-à-dire que 2,28% de la surface sous la courbe normale se trouve à droite de $z = 2$. Nous connaissions déjà une approximation de ce résultat. Le graphe 4.5 en effet fixait à 2,5% la proportion *approximative* de cette surface.

Comme la distribution est symétrique, on trouvera, sans aucun calcul, que la proportion de surface pour $z \leqslant -2$ est aussi 2,28%. C'est aussi en vertu de la symétrie que l'on trouve la proportion de surface entre $z = -1$ et $z = 1$. En effet, pour $z = 1$, $P = 0,3413$ selon la table, et la proportion de surface recherchée vaut $2 \times P = 0,6826$, c.-à-d. 68,26%, un autre résultat connu.

Un dernier point doit être indiqué concernant cette table. Qu'arrive-t-il si l'on a affaire à une statistique X distribuée de façon normale, mais où la moyenne m est non nulle et où l'écart-type e est différent de 1? Nous ne pouvons sûrement utiliser le tableau III.1 directement. Non, il faut plutôt effectuer une transformation du type $Z = \dfrac{X - m}{e}$. Cette nouvelle statistique sera alors distribuée elle aussi de façon normale et aura une moyenne de 0 et un écart-type de 1.

Un dernier exemple pour concrétiser la remarque précédente: une statistique X est distribuée normalement de moyenne $m = 60$ et d'écart-type $e = 10$, que peut-on dire de la proportion de surface sous cette courbe normale pour $X \geqslant 70$?

La transformation $Z = \dfrac{X - 60}{10}$ nous donne une statistique qui suit une loi normale de même moyenne ($m = 0$) et de même écart-type ($e = 1$) que celle du tableau III.1. Dire que $X \geqslant 70$ équivaut à $Z \geqslant \dfrac{70 - 60}{10} = \dfrac{10}{10} = 1$. La proportion de surface recherchée sera donc égale à $0,5 - 0,3413 = 0,1587$.

La distribution « t » de Student

Au tableau III.2, on remarque que la table des proportions de surface P pour la distribution de Student n'est pas du tout construite comme celle de la distribution normale. En effet, nous devons ici tenir compte des degrés de liberté ν.

On voit donc qu'en tête de colonne, nous aurons un certain nombre de proportions de surface P (les plus utilisées en analyse confirmatoire), à savoir 0,10, 0,05, 0,025, 0,01, 0,005. Ces proportions correspondent à la partie hachurée sous une courbe typique de Student tel qu'illustré au graphe III.3. Il s'agit des proportions P où $t \geqslant t_0$.

TABLEAU III.2

Valeurs de t_0 compte tenu d'une proportion de surface P et d'un nombre de degrés de liberté ν donnés pour la distribution de Student[2]

ν \ P	0,10	0,05	0,025	0,01	0,005
1	3,078	6,314	12,706	31,821	63,657
2	1,886	2,920	4,303	6,965	9,925
3	1,638	2,353	3,182	4,541	5,841
4	1,533	2,132	2,776	3,747	4,604
5	1,476	2,015	2,571	3,365	4,032
6	1,440	1,943	2,447	3,143	3,707
7	1,415	1,895	2,365	2,998	3,499
8	1,397	1,860	2,306	2,896	3,355
9	1,383	1,833	2,262	2,821	3,250
10	1,372	1,812	2,228	2,764	3,169
11	1,363	1,796	2,201	2,718	3,106
12	1,356	1,782	2,179	2,681	3,055
13	1,350	1,771	2,160	2,650	3,012
14	1,345	1,761	2,145	2,624	2,977
15	1,341	1,753	2,131	2,602	2,947
16	1,337	1,746	2,120	2,583	2,921
17	1,333	1,740	2,110	2,567	2,898
18	1,330	1,734	2,101	2,552	2,878
19	1,328	1,729	2,093	2,539	2,861
20	1,325	1,725	2,086	2,528	2,845
21	1,323	1,721	2,080	2,518	2,831
22	1,321	1,717	2,074	2,508	2,819
23	1,319	1,714	2,069	2,500	2,807
24	1,318	1,711	2,064	2,492	2,797
25	1,316	1,708	2,060	2,485	2,787
26	1,315	1,706	2,056	2,479	2,779
27	1,314	1,703	2,052	2,473	2,771
28	1,313	1,701	2,048	2,467	2,763
29	1,311	1,699	2,045	2,462	2,756
30	1,310	1,697	2,042	2,457	2,750
40	1,303	1,684	2,021	2,423	2,704
60	1,296	1,671	2,000	2,390	2,660
120	1,289	1,658	1,980	2,358	2,617
∞	1,282	1,645	1,960	2,326	2,576

2. Reproduit avec permission de Hoel, P.G., [1971] *Introduction to mathematical statistics*, John Wiley & Sons, New York, N.Y., p. 393.

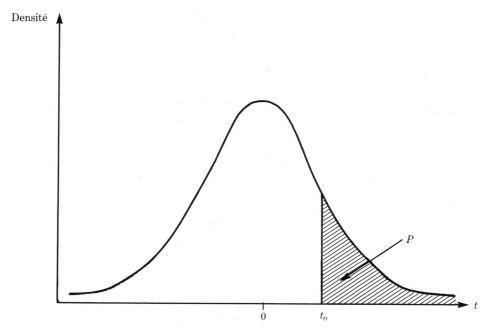

GRAPHE III.3 :   Proportion de surface P pour $t \geqslant t_0$.

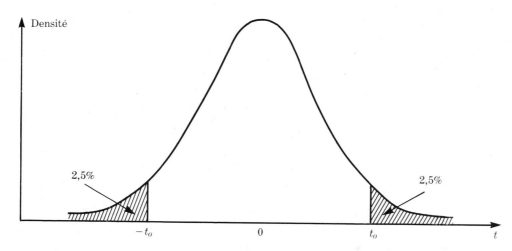

GRAPHE III.4 :   La somme des proportions de surface hachurée correspond à 5%.

Maintenant en tête de ligne, on peut lire les degrés de liberté, allant de $\nu = 1$ à $\nu = \infty$, où ∞ est un nombre très grand (en pratique, plus grand que 120).

Dans le corps du tableau, on retrouve les valeurs positives t_0.

Si l'on veut savoir par exemple la valeur de t_0 pour $\nu = 15$ et $P = 0,05$, on lit le nombre qui se trouve à l'intersection de la ligne débutant par 15 et de la colonne débutant par 0,05 : 1,753. Donc 5% de la surface sous la courbe de Student correspondant à $\nu = 15$ se trouve à droite de 1,753. À cause de la symétrie de cette distribution, il est vrai aussi que 5% de la surface sous cette même courbe ($\nu = 15$) se trouve à gauche de $-1,753$.

Citons encore un problème souvent rencontré : pour quelle valeur t_0 la *somme* des proportions de surface correspondant à $t \geqslant t_0$ et $t \leqslant -t_0$ est-elle égale à 5% ? Utilisant à nouveau la propriété de symétrie de la distribution de Student, on se rend compte, après un bref regard sur le graphe III.4, que cette question revient à celle-ci : pour quelle valeur t_0 la proportion de surface correspondant à $t \geqslant t_0$ est-elle égale à 2,5%, c.-à-d. $P = 0,025$? Nous savons répondre à cette dernière question : il s'agit de regarder dans la colonne correspondant à $P = 0,025$ du tableau III.2.

La distribution du khi-deux

Nous voyons que le tableau III.3 est du même type que le tableau III.2.

Les têtes de colonne correspondent aux proportions de surface P (les plus usitées) sous la courbe de distribution du khi-deux pour lesquelles χ^2 est plus grand ou égal à une valeur quelconque χ_0^2. En tête de ligne, on a les degrés de liberté ν. Le corps du tableau consiste ici aussi en des valeurs χ_0^2.

Ainsi, afin de trouver une valeur particulière χ_0^2 pour laquelle la proportion de surface P correspondant à $\chi^2 \geqslant \chi_0^2$ vaut 5% par exemple, il suffit de lire cette valeur à l'intersection de la colonne débutant par 0,05 et de la ligne voulue. Le graphe III.5 illustre cette situation très fréquemment rencontrée.

Par exemple, si l'on veut trouver dans le tableau III.3 le χ_0^2 correspondant à $\nu = 15$ degrés de liberté et à une proportion de surface égale à 50% de la superficie totale sous la courbe, on trouvera $\chi_0^2 = 14,339$ à l'intersection de la ligne 15 et de la colonne 0,50. On interprétera ce résultat de la façon suivante : 50% de la superficie totale sous la courbe se situe à droite de 14,339.

Remarquons également que cette distribution est d'autant plus asymétrique que ν est petit. De plus, on a toujours $\chi_0^2 \geqslant 0$. Une dernière note : nous n'avons pas inscrit les valeurs de χ_0^2 pour $\nu > 30$. Mentionnons que dans les cas où ν est plus grand que 30, on calcule la statistique $Z = \sqrt{2\chi^2} - \sqrt{2\nu - 1}$ qui suit approximativement une loi normale de moyenne 0 et d'écart-type 1 et on peut donc par la suite utiliser le tableau III.1.

TABLEAU III.3

Valeurs de χ_0^2 compte tenu d'une proportion de surface P et d'un nombre de degrés de liberté ν donnés pour la distribution du khi-deux[3]

$\nu=$	$P=0,99$	0,98	0,95	0,90	0,80	0,70	0,50	0,30	0,20	0,10	0,05	0,02	0,01
1	0,000157	0,000628	0,00393	0,0158	0,0642	0,148	0,455	1,074	1,642	2,706	3,841	5,412	6,635
2	0,0201	0,0404	0,103	0,211	0,446	0,713	1,386	2,408	3,219	4,605	5,991	7,824	9,210
3	0,115	0,185	0,352	0,584	1,005	1,424	2,366	3,665	4,642	6,251	7,815	9,837	11,341
4	0,297	0,429	0,711	1,064	1,649	2,195	3,357	4,878	5,989	7,779	9,488	11,668	13,277
5	0,554	0,752	1,145	1,610	2,343	3,000	4,351	6,064	7,289	9,236	11,070	13,388	15,086
6	0,872	1,134	1,635	2,204	3,070	3,828	5,348	7,231	8,558	10,645	12,592	15,033	16,812
7	1,239	1,564	2,167	2,833	3,822	4,671	6,346	8,383	9,803	12,017	14,067	16,622	18,475
8	1,646	2,032	2,733	3,490	4,594	5,527	7,344	9,524	11,030	13,362	15,507	18,168	20,090
9	2,088	2,532	3,325	4,168	5,380	6,393	8,343	10,656	12,242	14,684	16,919	19,679	21,666
10	2,558	3,059	3,940	4,865	6,179	7,267	9,342	11,781	13,442	15,987	18,307	21,161	23,209
11	3,053	3,609	4,575	5,578	6,989	8,148	10,341	12,899	14,631	17,275	19,675	22,618	24,725
12	3,571	4,178	5,226	6,304	7,807	9,034	11,340	14,011	15,812	18,549	21,026	24,054	26,217
13	4,107	4,765	5,892	7,042	8,634	9,926	12,340	15,119	16,985	19,812	22,362	25,472	27,688
14	4,660	5,368	6,571	7,790	9,467	10,821	13,339	16,222	18,151	21,064	23,685	26,873	29,141
15	5,229	5,985	7,261	8,547	10,307	11,721	14,339	17,322	19,311	22,307	24,996	28,259	30,578
16	5,812	6,614	7,962	9,312	11,152	12,624	15,338	18,418	20,465	23,542	26,296	29,633	32,000
17	6,408	7,255	8,672	10,085	12,002	13,531	16,338	19,511	21,615	24,769	27,587	30,995	33,409
18	7,015	7,906	9,390	10,865	12,857	14,440	17,338	20,601	22,760	25,989	28,869	32,346	34,805
19	7,633	8,567	10,117	11,651	13,716	15,352	18,338	21,689	23,900	27,204	30,144	33,687	36,191
20	8,260	9,237	10,851	12,443	14,578	16,266	19,337	22,775	25,038	28,412	31,410	35,020	37,566
21	8,897	9,915	11,591	13,240	15,445	17,182	20,337	23,858	26,171	29,615	32,671	36,343	38,932
22	9,542	10,600	12,338	14,041	16,314	18,101	21,337	24,939	27,301	30,813	33,924	37,659	40,289
23	10,196	11,293	13,091	14,848	17,187	19,021	22,337	26,018	28,429	32,007	35,172	38,968	41,638
24	10,856	11,992	13,848	15,659	18,062	19,943	23,337	27,096	29,553	33,196	36,415	40,270	42,980
25	11,524	12,697	14,611	16,473	18,940	20,867	24,337	28,172	30,675	34,382	37,652	41,566	44,314
26	12,198	13,409	15,379	17,292	19,820	21,792	25,336	29,246	31,795	35,563	38,885	42,856	45,642
27	12,879	14,125	16,151	18,114	20,703	22,719	26,336	30,319	32,912	36,741	40,113	44,140	46,963
28	13,565	14,847	16,928	18,939	21,588	23,647	27,336	31,391	34,027	37,916	41,337	45,419	48,278
29	14,256	15,574	17,708	19,768	22,475	24,577	28,336	32,461	35,139	39,087	42,557	46,693	49,588
30	14,953	16,306	18,493	20,599	23,364	25,508	29,336	33,530	36,250	40,256	43,773	47,962	50,892

3.   Reproduit avec permission de Fisher, R.A., [1970] *Statistical methods for research workers*, 14th edition, Hafner Press (Division de MacMillan Publ. Co., Inc.), New York, N.Y., p. 112.

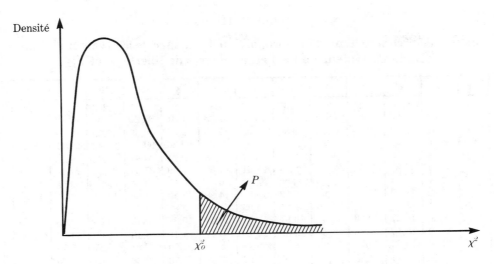

GRAPHE III.5 : Proportion de surface P correspondant à $\chi^2 \geqslant \chi_0^2$.

La distribution «F»

Le tableau III.4 est d'un type différent des trois précédents. Nous voyons, en tête de colonne, le nombre de degrés de liberté ν_1 du numérateur de la statistique F et en tête de ligne, le nombre de degrés de liberté ν_2 du dénominateur. Chaque cellule du corps du tableau est constituée de deux nombres superposés F_1 et F_2. Le premier F_1, celui du haut, correspond à une proportion de surface sous la courbe de 5% pour $F \geqslant F_1$. Le second F_2, celui du bas, correspond à une proportion de surface de 1% pour $F \geqslant F_2$. Le graphe III.6 illustre ces assertions.

Par exemple, pour $\nu_1 = 12$ et $\nu_2 = 15$, la valeur pour laquelle 5% de la surface totale sous la courbe correspond à $F \geqslant F_1$ est $F_1 = 2,48$.

Notons que la distribution F est relativement asymétrique et que les valeurs d'une statistique suivant une loi F sont toutes non négatives.

TABLEAU III.4

Valeurs[4] de F compte tenu d'une proportion de surface de 5% (valeur du haut) ou de 1% (valeur du bas) et des degrés de liberté ν_1 et ν_2

ν_2\ν_1	1	2	3	4	5	6	7	8	9	10	11	12
1	161	200	216	225	230	234	237	239	241	242	243	244
	4052	4999	5403	5625	5764	5859	5928	5981	6022	6056	6082	6106
2	18,51	19,00	19,16	19,25	19,30	19,33	19,36	19,37	19,38	19,39	19,40	19,41
	98,49	99,01	99,17	99,25	99,30	99,33	99,34	99,36	99,38	99,40	99,41	99,42
3	10,13	9,55	9,28	9,12	9,01	8,94	8,88	8,84	8,81	8,78	8,76	8,74
	34,12	30,81	29,46	28,71	28,24	27,91	27,67	27,49	27,34	27,23	27,13	27,05
4	7,71	6,94	6,59	6,39	6,26	6,16	6,09	6,04	6,00	5,96	5,93	5,91
	21,20	18,00	16,69	15,98	15,52	15,21	14,98	14,80	14,66	14,54	14,45	14,37
5	6,61	5,79	5,41	5,19	5,05	4,95	4,88	4,82	4,78	4,74	4,70	4,68
	16,26	13,27	12,06	11,39	10,97	10,67	10,45	10,27	10,15	10,05	9,96	9,89
6	5,99	5,14	4,76	4,53	4,39	4,28	4,21	4,15	4,10	4,06	4,03	4,00
	13,74	10,92	9,78	9,15	8,75	8,47	8,26	8,10	7,98	7,87	7,79	7,72
7	5,59	4,74	4,35	4,12	3,97	3,87	3,79	3,73	3,68	3,63	3,60	3,57
	12,25	9,55	8,45	7,85	7,46	7,19	7,00	6,84	6,71	6,62	6,54	6,47
8	5,32	4,46	4,07	3,84	3,69	3,58	3,50	3,44	3,39	3,34	3,31	3,28
	11,26	8,65	7,59	7,01	6,63	6,37	6,19	6,03	5,91	5,82	5,74	5,67
9	5,12	4,26	3,86	3,63	3,48	3,37	3,29	3,23	3,18	3,13	3,10	3,07
	10,56	8,02	6,99	6,42	6,06	5,80	5,62	5,47	5,35	5,26	5,18	5,11
10	4,96	4,10	3,71	3,48	3,33	3,22	3,14	3,07	3,02	2,97	2,94	2,91
	10,04	7,56	6,55	5,99	5,64	5,39	5,21	5,06	4,95	4,85	4,78	4,71
11	4,84	3,98	3,59	3,36	3,20	3,09	3,01	2,95	2,90	2,96	2,82	2,79
	9,65	7,20	6,22	5,67	5,32	5,07	4,88	4,74	4,63	4,54	4,46	4,40
12	4,75	3,88	3,49	3,26	3,11	3,00	2,92	2,85	2,80	2,76	2,72	2,69
	9,33	6,93	5,95	5,41	5,06	4,82	4,65	4,50	4,39	4,30	4,22	4,16
13	4,67	3,80	3,41	3,18	3,02	2,92	2,84	2,77	2,72	2,67	2,63	2,60
	9,07	6,70	5,74	5,20	4,86	4,62	4,44	4,30	4,19	4,10	4,02	3,96
14	4,60	3,74	3,34	3,11	2,96	2,85	2,77	2,70	2,65	2,60	2,56	2,53
	8,86	6,51	5,56	5,03	4,69	4,46	4,28	4,14	4,03	3,94	3,86	3,80
15	4,54	3,68	3,29	3,06	2,90	2,79	2,70	2,64	2,59	2,55	2,51	2,48
	8,68	6,36	5,42	4,89	4,56	4,32	4,14	4,00	3,89	3,80	3,73	3,67
16	4,49	3,63	3,24	3,01	2,85	2,74	2,66	2,59	2,54	2,49	2,45	2,42
	8,53	6,23	5,29	4,77	4,44	4,20	4,03	3,89	3,78	3,69	3,61	3,55
17	4,45	3,59	3,20	2,96	2,81	2,70	2,62	2,55	2,50	2,45	2,41	2,38
	8,40	6,11	5,18	4,67	4,34	4,10	3,93	3,79	3,68	3,59	3,52	3,45
18	4,41	3,55	3,16	2,93	2,77	2,66	2,58	2,51	2,46	2,41	2,37	2,34
	8,28	6,01	5,09	4,58	4,25	4,01	3,85	3,71	3,60	3,51	3,44	3,37
19	4,38	3,52	3,13	2,90	2,74	2,63	2,55	2,48	2,43	2,38	2,34	2,31
	8,18	5,93	5,01	4,50	4,17	3,94	3,77	3,63	3,52	3,43	3,36	3,30
20	4,35	3,49	3,10	2,87	2,71	2,60	2,52	2,45	2,40	2,35	2,31	2,28
	8,10	5,85	4,94	4,43	4,10	3,87	3,71	3,56	3,45	3,37	3,30	3,23

---

4. Reproduit avec permission de Snedecor, G.W., Cochran, W.G., [1980] *Statistical methods* (7th edition), Iowa State University Press, Ames, Iowa.

ν_2 \ ν_1	14	16	20	24	30	40	50	75	100	200	500	∞
1	245	246	248	249	250	251	252	253	253	254	254	254
	6142	6169	6208	6234	6258	6286	6302	6323	6334	6352	6361	6366
2	19,42	19,43	19,44	19,45	19,46	19,47	19,47	19,48	19,49	19,49	19,50	19,50
	99,43	99,44	99,45	99,46	99,47	99,48	99,48	99,49	99,49	99,49	99,50	99,50
3	8,71	8,69	8,66	8,64	8,62	8,60	8,58	8,57	8,56	8,54	8,54	8,53
	26,92	26,83	26,69	26,60	26,50	26,41	26,30	26,27	26,23	26,18	26,14	26,12
4	5,87	5,84	5,80	5,77	5,74	5,71	5,70	5,68	5,66	5,65	5,64	5,63
	14,24	14,15	14,02	13,93	13,83	13,74	13,69	13,61	13,57	13,52	13,48	13,46
5	4,64	4,60	4,56	4,53	4,50	4,46	4,44	4,42	4,40	4,38	4,37	4,36
	9,77	9,68	9,55	9,47	9,38	9,29	9,24	9,17	9,13	9,07	9,04	9,02
6	3,96	3,92	3,87	3,84	3,81	3,77	3,75	3,72	3,71	3,69	3,68	3,67
	7,60	7,52	7,39	7,31	7,23	7,14	7,09	7,02	6,99	6,94	6,90	6,88
7	3,52	3,49	3,44	3,41	3,38	3,34	3,32	3,29	3,28	3,25	3,24	3,23
	6,35	6,27	6,15	6,07	5,98	5,90	5,85	5,78	5,75	5,70	5,67	5,65
8	3,23	3,20	3,15	3,12	3,08	3,05	3,03	3,00	2,98	2,96	2,94	2,93
	5,56	5,48	5,36	5,28	5,20	5,11	5,06	5,00	4,96	4,91	4,88	4,86
9	3,02	2,98	2,93	2,90	2,86	2,82	2,80	2,77	2,76	2,73	2,72	2,71
	5,00	4,92	4,80	4,73	4,64	4,56	4,51	4,45	4,41	4,36	4,33	4,31
10	2,86	2,82	2,77	2,74	2,70	2,67	2,64	2,61	2,59	2,56	2,55	2,54
	4,60	4,52	4,41	4,33	4,25	4,17	4,12	4,05	4,01	3,96	3,93	3,91
11	2,74	2,70	2,65	2,61	2,57	2,53	2,50	2,47	2,45	2,42	2,41	2,40
	4,29	4,21	4,10	4,02	3,94	3,86	3,80	3,74	3,70	3,66	3,62	3,60
12	2,64	2,60	2,54	2,50	2,46	2,42	2,40	2,36	2,35	2,32	2,31	2,30
	4,05	3,98	3,86	3,78	3,70	3,61	3,56	3,49	3,46	3,41	3,38	3,36
13	2,55	2,51	2,46	2,42	2,38	2,34	2,32	2,28	2,26	2,24	2,22	2,21
	3,85	3,78	3,67	3,59	3,51	3,42	3,37	3,30	3,27	3,21	3,18	3,16
14	2,48	2,44	2,39	2,35	2,31	2,27	2,24	2,21	2,19	2,16	2,14	2,13
	3,70	3,62	3,51	3,43	3,34	3,26	3,21	3,14	3,11	3,06	3,02	3,00
15	2,43	2,39	2,33	2,29	2,25	2,21	2,18	2,15	2,12	2,10	2,08	2,07
	3,56	3,48	3,36	3,29	3,20	3,12	3,07	3,00	2,97	2,92	2,89	2,87
16	2,37	2,33	2,28	2,24	2,20	2,16	2,13	2,09	2,07	2,04	2,02	2,01
	3,45	3,37	3,25	3,18	3,10	3,01	2,96	2,89	2,86	2,80	2,77	2,75
17	2,33	2,29	2,23	2,19	2,15	2,11	2,08	2,04	2,02	1,99	1,97	1,96
	3,35	3,27	3,16	3,08	3,00	2,92	2,86	2,79	2,76	2,70	2,67	2,65
18	2,29	2,25	2,19	2,15	2,11	2,07	2,04	2,00	1,98	1,95	1,93	1,92
	3,27	3,19	3,07	3,00	2,91	2,83	2,78	2,71	2,68	2,62	2,59	2,57
19	2,26	2,21	2,15	2,11	2,07	2,02	2,00	1,96	1,94	1,91	1,90	1,88
	3,19	3,12	3,00	2,92	2,84	2,76	2,70	2,63	2,60	2,54	2,51	2,49
20	2,23	2,18	2,12	2,08	2,04	1,99	1,96	1,92	1,90	1,87	1,85	1,84
	3,13	3,05	2,94	2,86	2,77	2,69	2,63	2,56	2,53	2,47	2,44	2,42

TABLEAU III.4 (suite)

ν_2 \ ν_1	1	2	3	4	5	6	7	8	9	10	11	12
25	4,24	3,38	2,99	2,76	2,60	2,49	2,41	2,34	2,28	2,24	2,20	2,16
	7,77	5,57	4,68	4,18	3,86	3,63	3,46	3,32	3,21	3,13	3,05	2,99
30	4,17	3,32	2,92	2,69	2,53	2,42	2,34	2,27	2,21	2,16	2,12	2,09
	7,56	5,39	4,51	4,02	3,70	3,47	3,30	3,17	3,06	2,98	2,90	2,84
50	4,03	3,18	2,79	2,56	2,40	2,29	2,20	2,13	2,07	2,02	1,98	1,95
	7,17	5,06	4,20	3,72	3,41	3,18	3,02	2,88	2,78	2,70	2,62	2,56
100	3,94	3,09	2,70	2,46	2,30	2,19	2,10	2,03	1,97	1,92	1,88	1,85
	6,90	4,82	3,98	3,51	3,20	2,99	2,82	2,69	2,59	2,51	2,43	2,36
200	3,89	3,04	2,65	2,41	2,26	2,14	2,05	1,98	1,92	1,87	1,83	1,80
	6,76	4,71	3,88	3,41	3,11	2,90	2,73	2,60	2,50	2,41	2,34	2,28
∞	3,84	2,99	2,60	2,37	2,21	2,09	2,01	1,94	1,88	1,83	1,79	1,75
	6,64	4,60	3,78	3,32	3,02	2,80	2,64	2,51	2,41	2,32	2,24	2,18

ν_2 \ ν_1	14	16	20	24	30	40	50	75	100	200	500	∞
25	2,11	2,06	2,00	1,96	1,92	1,87	1,84	1,80	1,77	1,74	1,72	1,71
	2,89	2,81	2,70	2,62	2,54	2,45	2,40	2,32	2,29	2,23	2,19	2,17
30	2,04	1,99	1,93	1,89	1,84	1,79	1,76	1,72	1,69	1,66	1,64	1,62
	2,74	2,66	2,55	2,47	2,38	2,29	2,24	2,16	2,13	2,07	2,03	2,01
50	1,90	1,85	1,78	1,74	1,69	1,63	1,60	1,55	1,52	1,48	1,46	1,44
	2,46	2,39	2,26	2,18	2,10	2,00	1,94	1,86	1,82	1,76	1,71	1,68
100	1,79	1,75	1,68	1,63	1,57	1,51	1,48	1,42	1,39	1,34	1,30	1,28
	2,26	2,19	2,06	1,98	1,89	1,79	1,73	1,64	1,59	1,51	1,46	1,43
200	1,74	1,69	1,62	1,57	1,52	1,45	1,42	1,35	1,32	1,26	1,22	1,19
	1,17	2,09	1,97	1,88	1,79	1,69	1,62	1,53	1,48	1,39	1,33	1,28
∞	1,69	1,64	1,57	1,52	1,46	1,40	1,35	1,28	1,24	1,17	1,11	1,00
	2,07	1,99	1,87	1,79	1,69	1,59	1,52	1,41	1,36	1,25	1,15	1,00

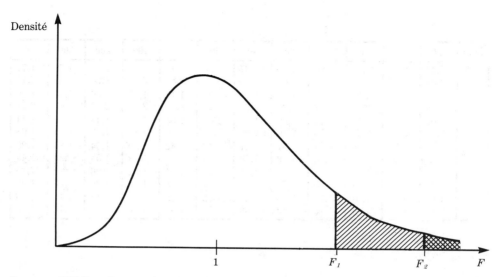

GRAPHE III.6 :   Proportion de surface sous la courbe de 5% pour $F \geqslant F_1$ et de 1% pour $F \geqslant F_2$.

APPENDICE IV

Les transformations en sciences physiques

« La période d'un pendule simple dépend de sa longueur » lit-on en époussetant un peu une page d'un ancien volume de physique appartenant à l'auteur.

La figure IV.1 représente un pendule suspendu à un crochet par un fil de longueur L. La période T d'un pendule est définie comme l'intervalle de temps entre deux passages successifs du pendule en un même point.

FIGURE IV.1: Le pendule simple.

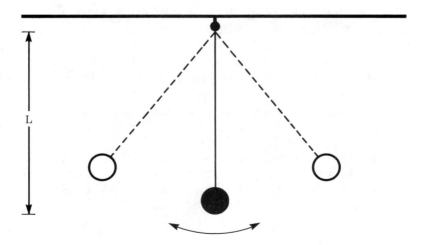

Le tableau IV.1 présente les résultats d'une expérience exécutée à Sainte-Foy (Québec) par l'auteur. Nous avons calculé la période du pendule, en secondes, basée sur cinquante oscillations.

Par exemple, pour un fil d'une longueur de 40 cm, les cinquante oscillations ont pris au total 63,60 secondes, soit une période de $\frac{63,60}{50}$ ou 1,27 sec.

TABLEAU IV.1

Périodes d'un pendule correspondant à des longueurs variées

L (cm)	T (sec)
2	0,34
5	0,48
10	0,65
15	0,79
20	0,91
25	1,01
30	1,10
40	1,27
50	1,42

On se rend compte sans peine que ces données correspondent à notre intuition : plus la longueur du pendule augmente, plus la période augmente.

Cependant, il semble que la période ne croît pas au même rythme que la longueur : lorsque la longueur d'un pendule double, passant de 10 à 20 cm par exemple, la période ne fait que passer de 0,65 sec. à 0,91 sec. L'accroissement de la période n'étant pas constant pour un accroissement constant de la longueur, il n'existe donc pas de relation linéaire entre L et T.

Les physiciens auraient pu en rester là, malchanceux de n'avoir pu trouver une relation linéaire entre ces deux variables, mais heureux tout de même d'avoir observé qu'elles étaient liées d'une certaine façon... Heureusement, ce n'est pas ce qu'ils firent. On (?) s'aperçut, peut-être en regardant l'allure générale de cette relation comme au graphe IV.1, que le taux d'accroissement de la période était proportionnel à celui de la racine carrée de la longueur. (Voir tableau IV.2.)

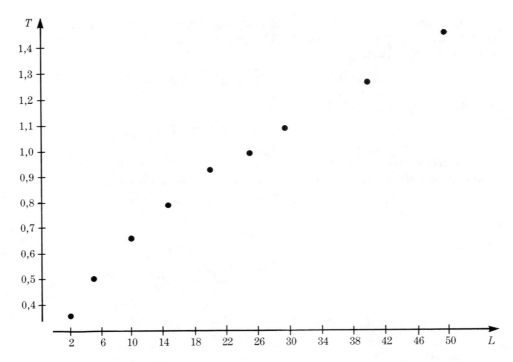

Graphe IV.1: Nuage de points de la relation entre la période (T) du pendule en fonction de sa longueur (L).

Tableau IV.2

L'accroissement de la période (T) en fonction de la racine carrée de la longueur (L) d'un pendule

L	$\sqrt{L}$	T
2	1,41	0,34
5	2,24	0,48
10	3,16	0,65
15	3,87	0,79
20	4,47	0,91
25	5	1,01
30	5,48	1,10
40	6,32	1,27
50	7,07	1,42

On pourra vérifier d'ailleurs, conformément à la procédure pour l'étude de la curvilinéarité présentée à la section 3.5, qu'en divisant les valeurs de L en trois paquets de trois données,

$$P_{bx} = \{2,\ 5,\ 10\},\ P_{mx} = \{15,\ 20,\ 25\},\ P_{ex} = \{30,\ 40,\ 50\},$$

on obtiendra les paquets des valeurs de Y,

$$P_{by} = \{0{,}34,\ 0{,}48,\ 0{,}65\},\ P_{my} = \{0{,}79,\ 0{,}91,\ 1{,}01\},$$
$$P_{ey} = \{1{,}10,\ 1{,}27,\ 1{,}42\},$$

les points sommaires

$$(X_b,\ Y_b) = (5,\ 0{,}48),\ (X_m,\ Y_m) = (20,\ 0{,}91)$$
$$(X_e,\ Y_e) = (40,\ 1{,}27),$$

les pentes

$$b_{bm} = \frac{0{,}91 - 0{,}48}{20 - 5} = \frac{0{,}43}{15} = 0{,}029$$

$$b_{me} = \frac{1{,}27 - 0{,}91}{40 - 20} = \frac{0{,}36}{20} = 0{,}018,$$

et le rapport

$$\frac{0{,}018}{0{,}029} = 0{,}62.$$

Ceci nous indique que si une transformation est nécessaire, elle ne devra pas trop corriger la curvilinéarité, puisque le rapport des pentes n'est pas si faible.

Un regard sur le tableau 3.1 (chapitre 3) nous montre qu'en effet la racine carrée corrige très peu la curvilinéarité.

En effectuant cette *transformation* sur la variable « L », nous avons trouvé que les points transformés étaient très bien alignés, comme au graphe IV.2.

Les physiciens ont enfin soupiré : même si l'on n'a pas observé de relation linéaire entre T et L, grâce à une transformation ingénieuse, on a réussi à relier linéairement T et une fonction très simple de L, soit $\sqrt{L}$.

Sachant maintenant que T et $\sqrt{L}$ étaient liées de façon proportionnelle, en un lieu donné, les physiciens ont cherché la constante k qui satisfait l'équation :

$$T = k\sqrt{L}.$$

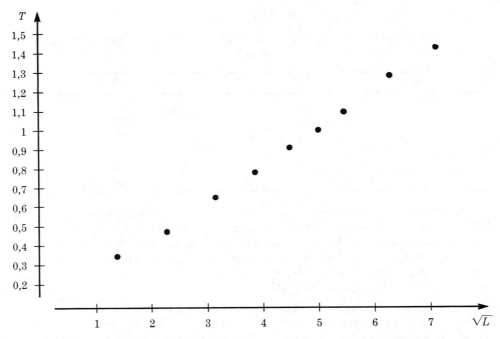

GRAPHE IV.2: Nuage de points de la relation entre la période (T) du pendule en fonction de la racine carrée de sa longueur ($\sqrt{L}$).

Ils ont trouvé $k = \dfrac{2\pi}{\sqrt{g}}$ où π est notre vieux copain « pi » qui vaut $3{,}14159\ldots$ et g vaut environ $980\ \dfrac{\text{cm}}{s^2}$ (centimètres par secondes au carré) à l'endroit (Ste-Foy) où a été faite cette expérience.

Il s'en est suivi le très important (et très simple) résultat:

$$T = \frac{2\pi}{\sqrt{g}}\ \sqrt{L} = \frac{\sqrt{L}}{5}\ \text{(approx.)}$$

Voici un exemple plus raffiné, toujours issu des sciences physiques, permettant d'apprécier encore davantage le rôle des transformations.

Le tableau IV.3 donne[1] la pression P de la vapeur d'eau, mesurée en millimètres de mercure, en fonction de diverses températures T en degrés Celsius.

---

1. Données issues d'une page non moins poussiéreuse d'un autre volume de (chimie-)physique appartenant à l'auteur.

TABLEAU IV.3

Diverses pressions de la vapeur d'eau mesurées en fonction de la température

T (°C)	P (mm hg)
50	92,51
60	149,40
70	233,70
80	355,10
90	525,80
100	760,00

On remarque que la pression augmente avec la température mais à un rythme beaucoup plus accéléré que celle-ci. Le graphe IV.3 montre la courbe engendrée par une telle relation. Il n'y a donc malheureusement pas de relation linéaire entre T et P. Utilisons, comme dans l'exemple précédent, la racine carrée pour stabiliser le taux d'accroissement de la pression, c'est-à-dire le rendre égal au taux d'accroissement constant de la température!

Comme on peut le voir au tableau IV.4, la racine carrée a bien fait diminuer le taux, mais ne l'a pas rendu constant. Toutefois, nous sommes sur la bonne voie: avec les données initiales (tableau IV.3), l'écart entre les pressions à 50°C et à 60°C était $149,4 - 92,51 = 56,89$, mais entre les pressions à 90°C et 100°C, il montait à $760,00 - 525,80 = 234,20$, tandis qu'avec les données de la pression transformées grâce à la racine carrée (tableau IV.4), l'écart entre les pressions à 50°C et 60°C est $12,22 - 9,62 = 2,60$, comparé à $27,57 - 22,93 = 4,64$ pour les pressions à 90°C et 100°C.

Il faut donc chercher une transformation qui fait un travail analogue à la racine carrée, mais qui diminue encore plus le taux d'accroissement.

TABLEAU IV.4

Racines carrées de la pression de la vapeur d'eau en fonction de la température

T	$\sqrt{P}$
50	9,62
60	12,22
70	15,29
80	18,24
90	22,93
100	27,57

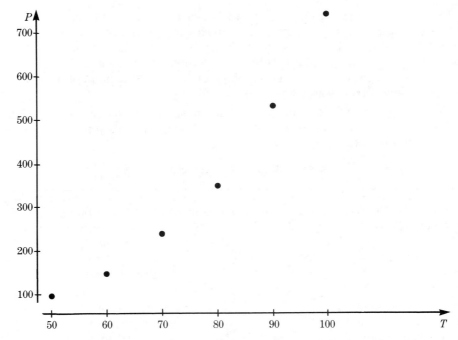

Graphe IV.3: Nuage de points de la relation entre la température T et la pression P de la vapeur d'eau.

En fouillant un peu (par exemple à l'appendice I), on s'aperçoit que le logarithme pourrait être un candidat fort opportun pour ce type de travail.

Malheureusement, en faisant quelques petits calculs, on s'aperçoit que la transformation logarithmique diminue trop le taux d'accroissement de la pression.

Pas d'issue (simple) possible, pourrait-on penser à ce moment-ci. Une façon de procéder, pour un chercheur bien intentionné qui peut profiter des services d'un appareil électronique, consiste à essayer la gamme des transformations de la forme $P^{1/m}$ (c.-à-d. des racines $\sqrt[3]{}$, $\sqrt[4]{}$, ... $\sqrt[m]{}$). En effet, ces transformations offrent un heureux compromis entre $\sqrt[3]{}$ et Log, comme on pourra s'en apercevoir en tentant l'expérience[2].

---

2. L'auteur principal a suivi ce chemin et a obtenu un résultat remarquable avec la racine septième (!) de la pression. Ainsi, avec les données en main, la courbe de $\sqrt[7]{P}$ en fonction de T approxime admirablement bien une relation linéaire du type $\sqrt[7]{P} = a + bT$.

Cependant, au lieu de s'acharner à stabiliser à tout prix le taux d'accroissement de la pression, nos ingénieux scientifiques physico-chimistes ont plutôt opté pour déstabiliser le taux d'accroissement de la température dans le sens de celui de la pression pour contrebalancer l'effet trop prononcé du logarithme. Avec le résultat que nous pouvons observer au tableau IV.5 et au graphe IV.4. Les points représentés approximent assez bien une droite.

En conséquence, à l'aide d'une transformation appropriée à chacune des deux variables en cause, nos physico-chimistes ont pu associer la pression et la température de façon linéaire :

Log $P = a + b\,(-1/T)$, a et b étant des constantes.

Nous laissons le soin au lecteur d'appliquer ici la procédure pour l'étude de la curvilinéarité. Les résultats devraient être similaires à ceux obtenus par nos physico-chimistes.

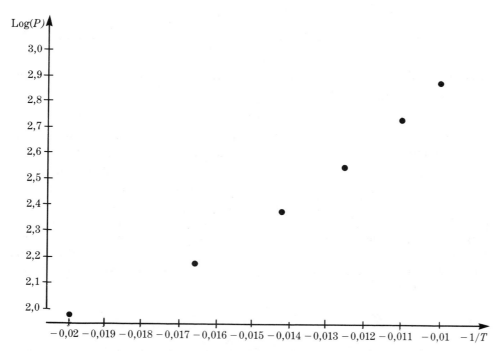

Graphe IV.4 :   Nuage de points de la relation entre l'inverse négatif de la température $(-1/T)$ et le logarithme de la pression (Log(P)).

TABLEAU IV.5

Logarithme de la pression de la vapeur d'eau en fonction de l'inverse de la température

$-1/T$	Log P
$-1/50$	1,966
$-1/60$	2,174
$-1/70$	2,369
$-1/80$	2,550
$-1/90$	2,721
$-1/100$	2,881

Nous pourrions facilement multiplier les exemples visant à démontrer l'opportunité des transformations. Mais tel n'est pas notre propos. Limitons-nous à constater que si d'illustres chercheurs comme Clapeyron, Clausius ou Hertz ont trouvé utile et sain de transformer leurs données pour mieux représenter et donc mieux expliquer un phénomène quantifiable, nous le pouvons aussi.

BIBLIOGRAPHIE

ALDER, H.L., ROESSLER, E.B., [1977] *Introduction to probability and statistics*, Freeman & Co., San Francisco.

ALO, R., *et alii* [1980] Recommandations for a general mathematical sciences program, chapter VI: Report of subpanel on statistics, Committee on the intergraduate program in Mathematics, The Mathematical Association of America.

ANSCOMBE, F.J., [1973] Graphs in statistical analysis, *American Statistician*, Vol. 27.

BAILLARGEON, G., RAINVILLE, J., [1977] *Statistique appliquée*, Éditions SMG, Trois-Rivières.

BARNETT, V., LEWIS, T., [1978] *Outliers in statistical data*, John Wiley & Sons, Chichester.

BÉGIN, Y., [1981] Rapport-synthèse de la cinquième année d'évaluation du projet SAGE, Document R-143, INRS-Éducation, Québec.

BELSLEY, D.A., KUH, E., WELSCH, R.E., [1980] *Regression diagnostics*, John Wiley & Sons, New York.

BERTAUD, M., CHARLES, B., [1980] *Initiation à la statistique et aux probabilités*, Presses de l'Université de Montréal, Montréal.

BERTRAND, R., LECLERC, M., [1984] La fiabilité des données d'un instrument d'observation des enseignants en classe de mathématiques, *Revue des sciences de l'éducation*, Vol. X, No 2.

BLOOM, B.S., [1979] *Caractéristiques individuelles et apprentissages scolaires*, (traduit de l'américain par V. de Landsheere), Éditions Labor, Bruxelles, Belgique.

CAILLIEZ, F., PAGES, J.P., [1976] *Introduction à l'analyse des données*, Société de mathématiques appliquées et de sciences humaines (SMASH), Paris.

CAMPBELL, D.T., STANLEY, D.C. [1966] *Experimental and quasi-experimental designs for research*, Rand McNally, Chicago.

CARDINET, J., TOURNEUR, Y., [1985] *Assurer la mesure*, Peter Lang, Berne, Suisse.

CARVER, R., [1978] The case against statistical significance testing, *Harvard Educational Review*, Vol. 48, No 3.

CHATTERJEE, S., PRICE, B., [1977] *Regression analysis by example*, John Wiley & Sons, New York.

COHEN, J., [1969] *Statistical power analysis for the behavioral sciences*, Academic Press, New York.

COHEN, S.A., HYMAN, J.S., [1979] How come so many hypotheses in educational research are supported? (A modest proposal), *Educational Researcher*, Vol. 8, No 11.

COOK, T.D., CAMPBELL, D.T., [1979] *Quasi-experimentation*, Rand McNally, Chicago.

CORNFIELD, J., TUKEY, J.W., [1956] Average values of mean squares in factorials, *Annal of Mathematical Statistics*, Vol. 27.

CRANE, J.A., [1980] Relative likelihood analysis versus significance tests, *Evaluation Review*, Vol. 4, No 6.

CRONBACH, L.J., GLESER, G.C., NANDA, H., RAJARATNAM, N., [1972], *The dependability of behavioral measurements*, John Wiley & Sons, New York.

CRONIN, L., [1980] Statistical package for social sciences omission, *British Psychological Society Bulletin*, Vol. 44.

DE LANDSHEERE, G., [1982] *Introduction à la recherche en éducation*, Armand Colin-Bourrelier, Paris.

DERRICK, T., [1976] The criticism of inferential statistics, *Educational Research*, Vol. 19, No 1.

EMERSON, J.D., HOAGLIN D.C., [1983] Resistant lines for *Y* versus *X*, in *Understanding robust and exploratory data analysis* (D.C. HOAGLIN, F. MOSTELLER, & J. TUKEY, (eds)), John Wiley & Sons, New York.

EPSTEIN, H.T., [1978] Two additional questions about inferential statistics, *Educational Research*, Vol. 21, No 2.

ERICKSON, B.H., NOSANCHUCK, T.A., [1977], *Understanding Data*, McGraw-Hill Ryerson Ltd, Toronto.

FERGUSON, G.A., [1976] *Statistical analysis in psychology and education*, McGraw-Hill, New York.

FINCH, P.D., [1976] The poverty of statisticism, in Harper et Hooker (eds) *Foundations of probability theory, statistical inference and statistical theories of science*, Vol. II, D. Reidel Publ. Co., Dordrecht, Holland.

FISHER, R.A., [1970] *Statistical methods for research workers*, Hafner Press, New York.

FREUND, J.E., [1962] *Mathematical statistics*, Prentice-Hall, Englewood Cliffs, N.J.

GEARY, R.C., [1947] Testing for normality, *Biometrika*, Vol. 34.

GIBBONS, J.D., OLKIN, I., SOBEL, M., [1977] *Selecting and ordering populations: a new statistical methodology*, John Wiley & Sons, New York.

GLASS, G.V., STANLEY, J.C., [1970] *Statistical methods in education and psychology*, Prentice-Hall, Englewood Cliffs, N.J.

GOODALL, C., [1983] Examining residuals, in *Understanding robust and exploratory data analysis* (D.C. HOAGLIN, F. MOSTELLER, & J. TUKEY, (eds)), John Wiley & Sons, New York.

GREEN, B.F., [1980] Three decades of quantitative methods in psychology, *American Behavioral Scientist*, Vol. 23, No 6.

HARRIS, C.W., [1963] *Problems in measuring change*, University of Wisconsin Press, Madison, Wi.

HARTWIG, F., DEARING, B.E., [1979] *Exploratory data analysis*, SAGE Publications Inc., Beverly Hills.

HAYS, W.L., [1973] *Statistics for the social sciences*, Holt, Rinehart and Winston, New York.

HOAGLIN, D.C., MOSTELLER, F., TUKEY, J.W., [1983] *Understanding robust and exploratory data analysis*, John Wiley & Sons, New York.

HOEL, P.G., [1971] *Introduction to mathematical statistics*, John Wiley & Sons, New York.

HUCK, S.W., CORMIER, W.H., BOUNDS, W.G., [1974] *Reading statistics and research*, Harper & Row, New York.

IVERSEN, G.R., NORPOTH, H., [1976] *Analysis of variance*, SAGE Publications Inc., Beverly Hills.

KAISER, H., [1960] Directional statistical decisions, *Psychological Review*, Vol. 67, No 3.

KENDALL, M.G., [1968] On the future of statistics — a second look, communication présentée à la *Royal Statistical Society*.

KERLINGER, F.N., [1964] *Foundations of behavioral research*, Holt, Rinehart and Winston, New York.

KIRK, R.E., [1982] *Experimental design: procedures for the behavioral sciences*, Wadsworth Publishing Co., Belmont, Ca.

KRUSKALL, W., [1978] Formulas, numbers, words: statistics in prose, *The American Scholar*, Vol. 47, No 2.

LAWLIS, G.F., PEEK, L.A., [1979] Testing the null hypothesis: an unstatement, *Multivariate Experimental Clinical Research*, Vol. 4, No 4.

LEGRIS, G., [1975] *Statistique: volume I, statistique descriptive*, Éditions Economica, Paris.

LEINHARDT, G., LEINHARDT, S., [1980] Exploratory data analysis: New tools for the analysis of empirical data, *Review of Research in Education*, Vol. 8.

LEINHARDT, S., WASSERMAN, S., [1979a] Exploratory data analysis: an introduction to selected methods, *Sociological Methodology*, chap. 13.

LEINHARDT, S., WASSERMAN, S., [1979b] Teaching regression: an exploratory approach, *The American Statistician*, Vol. 33, No 4.

LINDLEY, D.V., [1976] Bayesian statistics, in Harper et Hooker (eds), *Foundations of probability theory, statistical inference and statistical theories of science*, Vol. II, D. Reidel Publ. Co, Dordrecht, Holland.

LORD, F.M., NOVICK, M.R., [1968] *Statistical theories of mental test scores*, Addison-Wesley, Reading, Mass.

MCNEIL, D.R., [1977] *Interactive data analysis*, John Wiley, New York.

MONTGOMERY, D.C., [1976] *Design and analysis of experiments*, John Wiley & Sons, New York.

MOSTELLER, F., FIENBERG, S.E., ROURKE, R.E.K., [1983] *Beginning statistics with data analysis*, Addison-Wesley, Reading, Mass.

MOSTELLER, F., TUKEY, J.W., [1968] Data analysis, including statistics, *The Handbook of Social Psychology*, Vol. II.

MOSTELLER, F., TUKEY, J.W., [1977] *Data analysis and regression*, Addison-Wesley, Reading, Mass.

OWENS, R.G., [1979] Do psychologists need statistics?, *Bulletin of the British Psychological Society*, Vol. 32.

PEARSON, E.S., PLEASE, N.W., [1975] Relation between the shape of population distribution and the robustness of four simple test statistics, *Biometrika*, Vol. 62, No 2.

PEDHAZUR, E.J., [1982] *Multiple regression in behavioral research*, Holt, Rinehart & Winston, New York.

POPHAM, W.J., [1981] *Modern educational measurement*, Prentice-Hall, Englewood Cliffs, N.J.

REMER, R., [1980] Statistical Consulting, *CEDR Quaterly*, Vol. 13, No 1.

ROBERT, M., [1982] *Fondements et étapes de la recherche scientifique*, Chenelière et Stanké, Montréal.

SCALLON, G., [1981] La construction d'un test diagnostique selon des facettes, Partie I: présentation d'un modèle de recherche pédagogique, *Monographies en mesure et évaluation*, Université Laval, Québec.

SCHEFFÉ, H., [1959] *The analysis of variance*, John Wiley & Sons, New York.

SCHWARTZ, D., [1969] *Méthodes statistiques à l'usage des médecins et des biologistes*, Flammarion Médecine-Sciences, Paris.

SHAVER, J.P., [1980] Readdressing the role of statistical tests of significance, communication présentée à la rencontre annuelle de l'American Educational Research Association, Boston, Avril 1980.

SHAVER, J.P., NORTON, R.S., [1980] Randomness and replication in ten years of the American Educational Research Journal, *Educational Research*, Vol. 23, No 1.

SIDMAN, M., [1960] Tactics of scientific research: Evaluating experimental data in psychology, *Basic Books*, New York.

SNEDECOR, G.W., COCHRAN, W.G., [1957] *Méthodes statistiques*, traduction de *Statistical methods* (6th edition), The Iowa State University Press, Ames, Iowa.

SNEDECOR, G.W., COCHRAN, W.G., [1980] *Statistical methods* (7th edition), The Iowa State University Press, Ames, Iowa.

STOODLEY, K.D.C., [1980] Statistical inference in the social sciences, *Educational Research*, Vol. 23, No 1.

THORNDIKE, R.M., [1978] *Correlational procedures for research*, Gardner Press Inc., New York.

TUKEY, J.W., [1962] The future of data analysis, *Annals of Mathematical Statistics*, Vol. 33.

TUKEY, J.W., [1977] *Exploratory data analysis*, Addison-Wesley, Reading, Mass.

VALIQUETTE, C., [1981] L'analyse exploratoire des données d'après Hartwig et Dearing, *Lettres statistiques*, No 6, UQTR, Trois-Rivières.

VELLEMAN, F., HOAGLIN, D.C., [1981] *Applications, basics and computing of exploratory data analysis*, Duxbury Press, Boston, Mass.

WAINER, H., THISSEN, D., [1981] Graphical data analysis, *Annual Review of Psychology*, Vol. 32.

WEIGEL, R.G., CORAZZINI, J.G., [1978] Small group research: suggestions for solving common methodological and design problems, *Small group behavior*, Vol. 9, No 2.

WILK, M.B., KEMPTHORNE, O., [1955] Fixed, mixed, and random models, *Journal of the American Statistical Association*, Vol. 50.

WINER, B.J., [1971] *Statistical principles in experimental design*, McGraw-Hill, New York.

WOOLLEY, T.W., BREWER, J.K., [1981] Masking, Swamping and outright liars: a closer look, communication présentée à la rencontre annuelle de l'American Educational Research Association, Los Angeles, Avril 1981.

YOUNG, R.M., [1980] Packages, present and future, *British Psychological Society Bulletin*, Vol. 44.

INDEX TERMINOLOGIQUE